白衣飘飘的年代

宋朝那些有趣的人和事

路卫兵 编著

宋太祖 司马光 宋徽宗 欧阳修
苏轼 王安石 米芾
宋太宗 黄庭坚
文彦博 沈括
寇准 柳永
王钦若 李清照
丁谓

刘光世 韩世忠
岳飞
张俊 狄青 张世杰
文天祥 陆秀夫

重庆大学出版社

图书在版编目(CIP)数据

白衣飘飘的年代：宋朝那些有趣的人和事/路卫兵编著.—重庆：重庆大学出版社，2013.9
ISBN 978-7-5624-7385-5

Ⅰ.①白… Ⅱ.①路… Ⅲ.①中国历史—宋代—通俗读物 Ⅳ.①K244.09

中国版本图书馆CIP数据核字(2013)第105577号

白衣飘飘的年代：
宋朝那些有趣的人和事
Baiyi Piaopiao De Niandai

路卫兵 编著
策划编辑：胡小京
责任编辑：胡小京　　版式设计：叶抒扬
责任校对：秦巴达　　责任印制：赵　晟

*

重庆大学出版社出版发行
出版人：邓晓益
社址：重庆市沙坪坝区大学城西路21号
邮编：401331
电话：(023)88617190　88617185(中小学)
传真：(023)88617186　88617166
网址：http://www.cqup.com.cn
邮箱：fxk@cqup.com.cn(营销中心)
全国新华书店经销
重庆国丰印务有限公司印刷

*

开本：890×1240　1/32　印张：8.625　字数：231千
2013年9月第1版　　2013年9月第1次印刷
ISBN 978-7-5624-7385-5　定价：32.00元

序

白衣飘飘的年代

一

2010 年年底，我有了创作"微历史"的想法，意欲截取大历史之外的边边角角，在繁冗之中，引入读者的互动与思考，让历史更鲜活一些。于是便有了《微历史：1840—1949 历史现场》。该书出版后，受到一些读者的欢迎，此后冠名"微历史"的图书也渐渐多起来，粗略估计，大约有二十几种，可见这种体例还是颇受认可的。

"微历史"的"微"，本有附会"微言大义"之嫌，后来多被冠以"微博体"的名头，也算历史与现实的一种结合吧。翻阅古代的笔记小说，此种体例并不少见，《世说新语》更是集大成者，所以也算不得独创。我所做的，只是将"微历史"概念化了，犹如古时的"陋规"称作现在的"潜规则"。

人们习惯于将人物脸谱化：一则利于分辨；二则符合多数人的价值观。非好即坏，无疑是人们衡量人和事的一个潜在的基本准则。然而这却不是历史的态度。历史渊远，正如一株参天古树，主干之外，尚有枝繁叶茂的点缀，而历史的魅力，或许就在疏密之间。

以往书籍，多是横向看史，即按时间顺序，或以人物传记的方式，左右展开；"微历史"则是纵向看史，不大遵循时间和空间秩序，而归之以类别或概念，从而产生一种阅读上的"跳跃感"。正是这个"跳跃"的间隙，留出了联想和思考的空间，让读者产生互动。在这个意义上，"微历史"就像是搭积木，不同的人会有不同的思路，也会搭出不同的造型。其实，每人心中都有一部历史，我们大可不必千人一面，去糟践心底的那份圣洁。

二

本书在结构上依然采取"微历史"的形式。中国古代的王朝，多是君强臣弱的格局，霸气外露，"王道"十足；宋朝则恰恰相反，是君弱臣强，其文官制度十分发达，这得益于赵匡胤"不杀文臣"的祖制。

有宋一代，学术氛围甚浓，空气也非常自由，从而造就了一大批文学家、艺术家，也诞生了一大批思想家、哲学家和改革家。这些人成为帝国政治的中坚力量，并在相对宽松的政治环境中，彰显他们的性情：居庙堂之高，则各抒己见，争论不已；处江湖之远，依旧指点江山，激荡文字。他们毫不讳言自己的喜恶，也从不掩饰自己的风骨。这是一个儒雅的帝国，这是一个白衣飘飘的年代。

宋朝的文化繁荣，商业发达，瓦肆勾栏，餐饮娱乐，无不生机勃勃，令人低回不已。然而，过分地以人为本，也造成军事上的无能，和外交上的懦弱。这狼狈不堪的军事与外交，也让后世对宋朝存有许多误解，而忽略了那些闪光点。

三

除正史外，本书取材于大约一百本宋、元、明、清、民国时期的笔记史料。正史作为官方记录，有它的权威性，但也因服务对象的干扰，存在一定的局限性；民间的笔记和史料，有许多都是当朝人的亲历亲闻，或是后代的追忆，生活气息很浓，有很大参考性和史学价值。

本书重在突出人物的性情和风骨，展现宋朝人的真实生活状态，加之宋朝年号更迭繁轶，所以一般不在具体年头上细究；涉及的皇帝，如果不是说他本人，则一般只使用其庙号和年号，涉及皇帝本人事迹的，则使用其本名，并冠以庙号称谓；个别为人所熟知的，如赵匡胤、赵光义哥俩，便不加庙号；在习惯上，宋朝分为北宋和南宋两部分，为突出宋朝的整体性，也不刻意予以区分。本书写作的年代范围，从公元960年开始，到1279年结束。960年，是赵匡胤陈桥兵变黄袍加身正式称帝的年份，也是宋朝作为一个全新的中央王朝的开始；1279年，是宋元崖山海战，宋末帝蹈海自杀的年份，标志着宋王朝的彻底终结。

以上是为序。

路卫兵

2013 年 3 月 15 日

目录

正经不起来

第一章

⊙一肚皮不合时宜

一天，苏轼问众婢，自己腹中有何物。众婢或答"都是文章"，或答"都是识见"，全是逢迎拍马的话。苏轼不以为然，又问小妾朝云，朝云道："学士一肚皮不合时宜。"苏轼闻言捧腹大笑。

⊙抱上座位

神宗赵顼颁布熙宁新法后，各地方多启用一些刚刚入仕的新人，其中大理寺丞李察被派去河北（黄河以北的地区），负责管理常平仓的救济和农田水利等工作。李察少年得志，不免趾高气昂，当时宣抚河北的文彦博看不顺眼，便想杀杀他的威风。李察个子矮小，来见文彦博时，文彦博早已提前命人在厅堂中摆上了高大的椅子，李察无法入座，正踌躇间，文彦博则笑眯眯、慢悠悠地对左右说："快快把寺丞抱上座位来。"李察当即羞愧难当，只得告退。

⊙不发怒

宰相王旦宽宏大量，用餐时，遇到不洁净的菜食，就绕过不吃，但绝不发火。有次家人想试试他，便在一盘肉羹里放了一些烟灰，结果王旦果然不吃，只干吃白米饭，问他为什么不吃肉羹，王旦说："我今天不想吃肉。"下顿饭，家人又在他的饭里放了些烟灰，王旦端详了一会儿，说道："我今天不想吃米饭，给我弄点粥来吧。"

⊙搽粉虞侯

苏轼府中有歌舞妓数人，专事迎来送往、待客陪宴事宜。每次挽留客人时，苏轼都会说："府内有几个搽粉的虞侯前来陪侍。"（虞侯为宋代禁军中的武官）

⊙画花脸

赵匡胤改年号"乾德"后，接连开疆拓土，于是对这个年号非常满意，宰相赵普趁机大拍马屁，列举了自改年号以来的无数好事。熟料，赵普口若悬河地刚说完，一旁的翰林学士卢多逊早已看不过眼，不动声色地说了句："可惜，乾德是伪蜀用过的年号。"赵匡胤闻言大惊，即刻命人去查，结果还真是前蜀用过的年号，而且还是亡国时的年号。赵匡胤恼羞成怒，招手叫道："赵普过来。"赵普战战兢兢地上前，赵匡胤拿起御笔，蘸饱黑墨，笔走龙蛇，照着赵普的脸上就是一通涂抹，给赵普画了一个大花脸，一边画，还一边骂："叫你不学无术，你看看人家卢多逊，宰相要用读书人啊。"

⊙逆准

丁谓与寇准不和。钱惟演做枢密直学士时，依附丁谓，每次书写寇准的名字，他都要把寇准的姓去掉，写成"逆准"。

⊙想也别想

侍读梅询，七十岁了还贪恋官位，不肯告老还乡，而且还嫌现在的职位不高。他脚上有疾，常摸着脚骂道："真是见鬼，正是因为你，我才得不到升迁。"梅询有一匹爱马。每天晚上都要让五个人轮流牵着，不让绑在柱子上，怕伤着马。每次骑马时，梅询都要拍着马鞍子说："贱畜，我的命已经这么薄了，你难道也没有弄副好马鞍子的命吗？"有次梅询退朝路过阁门，见一个箱子里放着一个锦轴，是胡侍郎的退休文书，上面写着一些光辉事迹。同僚们纷纷传看，赞不绝口，梅询却远远避开，酸溜溜地说："别拿好听的话来诱惑我退休，想也别想。"同僚闻言相视一笑。

⊙童心未泯

徽宗去端门观灯，登临西楼，向下一看，见蔡鲁公等人正在临时搭起的帐篷中出入，童心顿生，操起金橘弹射，一直投掷了数百枚。

⊙竹叶太少了

王祈对苏轼说："我最近作了一首《咏竹》的诗，其中有两句最为满意。"说着便吟道："叶垂千口剑，干耸万条枪。"问苏轼感觉如何。苏轼万难忍住笑，说："这两句诗好是好，就是竹叶未免太少了！"王祈不解，问："怎么会少呢？明明是'叶垂千口剑'嘛！一千片竹叶不少了。"苏轼笑道："一千片自然不少，可是一万竿竹子才有一千片叶子，算起来平均十竿竹子一片叶，岂不太少了？"王祈听后满面羞惭，尴尬异常。

⊙天不正

天降大雪，党进围着火炉喝酒，不一会儿便喝醉了，出了很多汗，于是摸着肚子东倒西歪地走出营帐，边走边说："今天的天不正啊。"旁边有个士兵应声对答："大人，小人这里的天倒是正得很。"

⊙皇帝做媒

柳开任润州知州时，当地有个姓钱的学士，其父刚刚入京为官。一日柳开拜访钱学士，见其书房墙上挂着一幅女子的画像，见画中女子非常漂亮，便笑问是谁家女子，钱学士回答说："这是我的妹妹。"柳开大喜，说："我丧偶已有段时日了，正好娶她为继室。"钱学士说："婚姻大事，当由父母做主，容我禀告父亲。"柳开说："何必费事呢！以我的才学，难道还配不上你妹妹吗？"不由分说，第二天便派人下了聘礼。钱学士不敢拒绝，便去找父亲求援，其父上奏真宗皇帝赵恒，痛诉柳开强娶大臣的女儿，赵恒说："爱卿认识柳开吗？他可是个真豪杰啊！你找到这样一个好女婿应该高兴啊，朕来为他们做媒如何？"钱父不敢再言，拜谢而退。

⊙寇准的动静

宋真宗赵恒被寇准强拉着亲征澶渊，每天都要派人去观察寇准的动静，如果报告说"寇准白天在睡觉，而且鼻息如雷"，或者"寇准刚才让厨子做了鱼片吃"，亦或者"寇准在饮酒呢，唱曲呢"，赵恒一颗悬着的心便放了下来。

⊙应该得第四

丁谓求学时，曾拿着自己的诗文去拜访王禹偁，王禹偁很欣赏他，认为其文采和当时另一位名叫孙何的才子不相上下，并把他俩与韩愈、柳宗元相提并论，赋诗说："五百年来文不振，直从韩柳到孙丁，如今便可令修史，二子文章似六经。"自此丁谓便拿孙何当成了自己的竞争对手。孙何与丁谓同年参加科举，孙何高中状元，丁谓则名列第四，丁谓为此怏怏不已。后来这事让宋太宗赵光义知道了，赵光义不无幽默地对丁谓说："甲乙丙丁，你既然姓丁，就应该得第四名嘛，有何可抱怨的！"

⊙天下的中心

寇准与丁谓同在政事堂供职，一天说到各地的语言，便讨论哪个地方的语言最标准。寇准说西安、洛阳一直是帝都，所以语言最标准，丁谓说："错了，不管哪个地方，说的都是本地方言，只有读书人说的话才最标准，是天下的中心。"

⊙玉女

韩缜字玉汝，有次向欧阳修求字，欧阳修想逗一逗他，便用一幅小书轴写了"玉女"两个字送去，韩缜见后大为不悦，第二天见面时脸上仍旧余怒未消，将小书轴掷还给欧阳修。欧阳修见玩笑开大了，忙解释说："只是少了三点水，你又何必见怪呢？"说着拿出笔来，在"女"字旁添了三点，韩缜这才释然。

⊙家风变了

范仲淹以清苦俭约著称于世，其次子范纯仁官拜丞相后，承其衣钵，为人朴素，为官清廉，被人称作"布衣宰相"。秘书监晁端与范纯仁是朋友，范纯仁经常留他在家中吃饭。一次晚饭归来，晁端不无感慨地说："丞相的家风变了啊。"人们不解，问其故，晁端说："今天的晚饭，盐豉（盐豉，食品名，即豆豉，是用黄豆煮熟霉制而成的，常用来调味）上居然有两片肉，岂不是家风变了？"闻者无不大笑。

⊙听朝鸡

常秩素有盛名，欧阳修看好他，便向朝廷推荐，结果常轶屡招不去，欧阳修很遗憾，便写诗道："笑杀颍川常处士，十年骑马听朝鸡。"王安石也很看重常轶，担任宰相后，极力举荐，常秩最后勉为其难，去国子监太常礼院供职，自此声誉稍稍减弱。常秩自我解嘲，便将欧阳修的诗改为："笑杀汝阴欧少保，新来处士听朝鸡。"有天下大雪，常秩匆匆忙忙去赶早朝，和百官一起候朝时，冻得两腿打颤，气不打一处来，遂改欧阳修的诗为："冻杀颍川常处士，也来骑马听朝鸡。"

⊙口无遮拦

真宗朝，马知节在枢密院任职，为人诚实正直，就是没什么文化，说起话来口无遮拦。有次真宗去泰山封禅，与随行众臣一路斋戒，到得山下，真宗慰问众臣，说："众爱卿一路吃素，辛苦了。"马知节应声答道："不苦，也曾偷偷杀驴来吃。"回到京城，真宗设宴款待群臣，早有巡吏将那些叫花子们轰出城外，真宗看到街市繁华，人们衣着光鲜，兴奋地说："百姓安居乐业，这都是众爱卿的功劳啊。"马知节脱口而出："那些穷人都被我们赶出城外了。"诸臣闻言无不失色。又一日，马知节跟随真宗车驾游幸，群臣纷纷赋诗，真宗赶鸭子上架，也让他写一首。马知节奉诏，一会儿呈上来一首，说："微臣不会写诗，特乞求宰相陈尧叟替我写了一首。"

⊙暴脾气

马知节脾气很大，有次上朝，真宗见其拿了一个大笏板，颇感奇怪，便问原因。马知节说："臣见本院（枢密院）的长官总是欺瞒陛下，如果不是怕惊扰了皇上，臣早就拿这个大笏板打杀他们了。"真宗连连劝他消消火。

⊙美姬的用处

种世衡镇守西疆时，羌酋慕恩的部落最为强盛，种世衡想招抚他，便邀请他晚上一起喝酒，还让几个美貌的姬妾陪侍。酒过三巡，种世衡佯装有事，起身进了里屋，然后悄悄躲在帘门外观察。不一会儿，慕恩开始与姬妾们调笑，动手动脚的，种世衡突然推门而入，慕恩躲闪不及，甚为尴尬，急忙起身请罪。种世衡笑着说："你既然喜欢她们，就赏给你吧。"慕恩感激不已，自此一心归顺。

⊙天天苦马菜

陕西豪士刘易喜欢谈兵法，尹师鲁督师平凉时，曾聘其为军中做幕僚，后来狄青取代了尹师鲁，对刘易仍以礼相待。刘易喜欢吃苦马菜，而且每顿饭都要，如果没有，便大吵大闹，谁劝也不听。狄青于是派人采买了大量的苦马菜，变换各种做法，让刘易天天吃。没多久，刘易的苦马菜便吃腻了，看到都想吐，主动要求和众人吃一样的饭菜。

⊙拿驴逗趣

楚执中生性滑稽，说话口无遮拦。仁宗庆历年间，韩琦督师陕西，分兵四路攻打西夏，讨伐元昊。尹洙与楚执中有旧，便将其推荐给韩琦，楚执中劝韩琦，说："西夏是游牧民族，行踪不定，随处而安，万一我们追击太远，一定坚持不了多久。"韩琦说："现在大军日夜兼程，为的就是速战速决。"楚执中说："可是我们的粮草车却跟不上啊。"韩琦说："我已将关内的驴全征来运粮了。驴子走路快，差不多能跟上大军的步伐。而且，万一有天粮食吃完了，我们还可以杀驴来吃。"楚执中闻言戏谑说："那一定别忘了好好奖赏那些高大而体肥的驴子哟。"韩琦怪他出言不逊，将其轰了出去。

⊙润笔费

王曾死后，欧阳修给他作碑文，王曾的儿子王仲仪送给他十副金酒盘盏和两把酒壶，作为润笔费。欧阳修坚辞不受，并开玩笑说："我现在什么都不缺，只差一个漂亮的侍女。"王仲仪二话不说，随即派人去京师，花了一千贯钱买回来俩侍女，然后连同那些礼物一起献给欧阳修。这次欧阳修留下器物，却拒绝接纳两个侍女，慌乱得连连摆手，说："我之前不过是开玩笑罢了。"王仲仪无法，只好作罢。

⊙质疑腰带

欧阳修有诗曰："白发垂两鬓，黄金腰七环。"又有诗说："万钉宝带烂腰环。"刘敞不禁疑问道："永叔（欧阳修字）这条腰带围那么多圈干嘛？"

⊙接待无小事

文彦博以枢密直学士的身份任成都知府时，还不满四十岁。成都风俗好玩乐，文彦博经常召集僚属朋友们一起饮酒戏耍，很快传出一些风言风语。御史何圣从上表仁宗，弹劾文彦博不作为，仁宗于是派他前去彻查。听说何圣从要来，文彦博不免提心吊胆，幕僚张少愚宽慰他说："大人不必担心，我与何圣从是老乡，这事交给我去办吧。"张少愚即刻动身，在汉州迎上了何钦差，之后摆酒设乐，歌舞伺候。其中有个舞姬婀娜多姿，何圣从很喜欢，问她姓什么，回答说："姓杨。"何圣从摇头晃脑，拉着长声说："所谓杨台柳者。"张少愚见状，忙取过舞姬的罗帕，在上面题诗道："蜀国佳人号细腰，东台御史惜妖娆。从今唤作杨台柳，舞尽东风万万条。"然后让舞姬边唱边跳，何圣从听得骨头都酥了。几天后，何圣从来到成都，表情立刻为之严肃，一副公事公办的样子。文彦博设宴接待，歌舞助兴，让那个舞姬混在其中，大唱张少愚的诗词，何圣从再次为之陶醉。等何圣从回朝后，文彦博的一些流言蜚语也没了。

⊙依卿所奏

龙图阁学士王广渊支持王安石新法，司马光屡次上书神宗弹劾，要求杀之以谢天下，一时声震殿廷，内外皆知。当时滕元发负责神宗的起居注事宜，伴随皇帝左右，知晓内情，王广渊便跑来探口风，问他："听说司马光要求皇上杀了我，不知皇上是怎么说的？"神宗其时并没表态，但滕元发现王广渊表情严肃，有意戏耍他，便故意说道："我听圣上说了四个字：依卿所奏。"见王广渊脸色大变，滕元发忍不住哈哈大笑，王这才知道滕元发是在戏弄他。

⊙贝加文为败

庆历四年（1046年）冬至，贝州（今河北省清河县）士兵在王则的带领下发动兵变，逮捕了知州张得一，王则本人被推举为东平郡王，建国号"安阳"，年号"得圣"。朝廷派开封知府明镐征讨，久而无功。参知政事（副宰相）文彦博主动请缨，要求前去平乱，仁宗欣然应允，并寄予厚望地说："'贝'字加上'文'字就是个'败'字，爱卿此行一定会擒住王则的。"果然不到一个月，前线便传来了捷报。

⊙怕他不再请示

仁宗时，大臣们纷纷上表请求早立皇嗣，只有蔡襄持反对意见。英宗即位后，因仁宗皇帝的永昭陵花费甚巨，财政为之困窘，时为三司使（总理财政的长官）的蔡襄想尽了各种办法，依然不能填补漏洞，因而数次受到诘责。仁宗下葬，永昭陵封土后，蔡襄请求外调杭州任职，英宗当即应允。宰相韩琦上奏说："按照惯例，朝中官员要求外出任职，最少要请示两三回才能应允，现在蔡襄只请求一次陛下便应允，礼数上似乎太简单了。"英宗脱口而出："假如蔡襄请求一次便不再请求了，那朕该如何是好呢？"

⊙夜来曾有老鸦栖

谢景初的诗文很有成就，有次一个营妓求他在扇面上题字，他听说这个营妓和自己的两个女婿要好，拿起笔来，将元稹的诗"千万春风好抬举，夜来曾有凤凰栖"，改为"寄语东风好抬举，夜来曾有老鸦栖"题了上去。

⊙莫打鸭

宣城守将吕士隆脾气暴躁，动辄杖责营妓。后来从外地来了一个叫丽华的娟妓，擅长歌舞技艺，吕士隆很喜欢。一天，吕士隆因为一件小事欲责打一个营妓，那营妓哭着说："你打奴家，奴家不敢躲避，只是担心这样被某人看到，会害怕的。"吕士隆知道她说的是丽华，便一笑解颐，饶过了她。那丽华生得矮小肥胖，其实并不好看，梅尧臣听说这事后，曾作 "莫打鸭" 诗一首，读来忍俊不禁："莫打鸭，莫打鸭，打鸭惊鸳鸯，鸳鸯新自南池落，不比孤洲老秃鸧。秃鸧尚欲远飞去，何况鸳鸯羽翼长。"

⊙起外号

刘攽喜欢给人起外号，孔宗翰是孔子的第四十六世子孙，生得肥厚壮实，刘攽呼之为"孔子家小二郎"；孙觉、孙洙同在三馆（即昭文馆、集贤院、史馆）任职，孙觉高而胖，孙洙瘦而小，二人都长着络腮胡，刘攽称之为"大猢狲""小猢狲"；刘攽还给蔡确起了个外号叫"倒悬蛤蜊"，蔡确深以为恨。

⊙李超的儿子

仁宗晚年，有次宴请群臣，从容谈笑。高兴之余，顺手在香饼上御笔亲书了一些制墨名家的名字，然后分赐给众人。一个大臣的香饼上写着"李超墨"，蔡襄的香饼上则写着"廷圭"（即李廷圭，五代时期的制墨名家）二字。见那大臣面现遗憾，蔡襄小声对他说："咱俩能换换吗？"那大臣知道"廷圭"的名头却并不知晓"李超"其人，于是欣然应允。宴罢众人骑马出皇城，将要分道扬镳时，蔡襄在马上对那个大臣长揖一躬，狡狯地说："难道您真不知道李廷圭是李超的儿子吗？"

⊙口无遮拦

刘攽好戏谑，说话口无遮拦。学士王平甫身形魁伟，有次酷暑天去馆阁上班，走得汗流浃背，刘攽见后笑道："君真所谓汗淋（翰林）学士也。"任给事中时，学士郑穆请求退休，奏表送至门下省，刘攽对同僚说："宏中（郑穆字）多大了？"答曰："七十有三。"刘攽着急说："先不要批准他的请求。"同僚问为何，刘攽一脸严肃道："应该留任他到八十四岁。文潞公（文彦博）八十四岁时，可是又被重新启用为宰相的。"此话传到文彦博耳朵里，很是不高兴了一段日子。

⊙以刘邦为榜样

滕元发未中第前，曾是范仲淹的门客。彼时滕元发年少不羁，经常偷偷溜出去狂嫖烂饮，令范仲淹很是讨厌。一天晚上，范仲淹来到滕元发的书房，点亮烛火看书，目的是等滕元发回来，看见后心生愧意。夜半时分，滕元发大醉而归，范仲淹故意视而不见，想看其反应。没想到滕元发既不害怕，也无一点触动，只长揖一躬问道："公所读何书？"范仲淹说："汉书。"滕元发又问："那么汉高祖是个什么样的人呢？"意思是刘邦好饮好嫖却当了皇帝。范仲淹气急，把书一扔，摔门而去。

⊙肌肤如处子

文彦博以太尉的身份镇守洛阳，有次过生日，诸僚属小吏纷纷献诗祝贺，所作诗大多为祝其长寿富贵之类的五福贺词，文彦博很不高兴，说："这是着急让我享尽天年吗？"这时便有一客人见风使舵，即兴口占一绝，其中一句为："绰约肌肤如处子。"文彦博的皮肤本来很黑，众人于是闻言大笑，拱手贺道："这是希望大人能有像女人一样的皮肤。"

⊙大风起兮眉飞扬

刘攽晚年得了风疾，须眉脱落，鼻梁也塌了。一天苏轼会同几个朋友来访，席间众人引用古人诗联相戏，苏轼看了一眼刘攽，调笑道："大风起兮眉飞扬，安得猛士兮守鼻梁？"众人闻言无不大笑，刘攽则独自惆怅不已。

⊙夹袋子借钱

翰林学士滕元发生得高大魁梧，宰相韩忠彦很器重他，每次外出游玩都带着他，人们于是呼之为"夹袋子"。滕元发去真定任职时，前来以诗送行的有数十人，滕元发说："我现在最缺的是盘缠，你们不如借我一万钱。如钱送上，诗就免了。"

⊙戏包拯

华山寺庙的庙门里有座西岳御书碑，高数十丈，为唐玄宗时所立。此碑后面原有座碑楼，黄巢入关时，百姓在碑楼上避难，黄巢盛怒之下将碑楼烧毁，以致石碑上的字也缺损剥落，只剩十之一二。包拯任陕西都转运使时，有次去华阴谒庙，各地县官均作陪。包拯不知焚碑典故，见石碑破损，问华阴县令姚嗣宗："好好的一个石碑怎么就给烧了？"姚嗣宗操着秦腔回答："被强盗烧了。"包拯很生气，说："你身为县官怎么坐视不管呢？"姚嗣宗说："本县只有弓箭手三四十人，怎么对付得了那些贼人呢？"包拯大怒，说："岂有此理，连强盗都对付不了，要你这县官干什么？那些强盗难道就那么不好捉吗！"姚嗣宗慢悠悠回答说："此强盗姓黄，名巢。"包拯这才知道姚嗣宗在说笑话，一时尴尬不已。

⊙钟于夫人

谢直在杭州狎妓，他的老师、理学大师陆九渊责怪他："士人君子朝夕与贱娟厮混，岂不坏了名教？"谢直羞愧，连说今后不敢了。后来谢直写了一篇文章，开头一句为："自（陆）逊、（陆）抗、（陆）机、（陆）云之死，天地英灵之气，不钟于男子，而钟于夫人。"气得陆九渊说不出话来。

⊙半鲁

三伏天，苏轼下帖子请黄鲁直（黄庭坚字）吃"半鲁"，黄欣然前往，却被门童挡在外面，说先生正在睡觉。一个时辰之后，苏轼睡醒，方才请进黄鲁直。黄已饿急，忙问"半鲁"在哪里？苏轼说早已请你吃了啊，见黄不解，苏轼这才笑说：" '半鲁'就是晒太阳，'鲁'字去掉一半不正是一'日'字吗？"黄鲁直苦笑道："我还以为是上半边的'鱼'呢！"

⊙对诗赶客

高若讷约姚嗣宗一起吃早饭，一老郎官不请自到，拿着自己新写的诗，兀自喋喋不已。高若讷不好冷淡，只得勉强敷衍。一直到日上三竿，老郎官仍没要走的意思，姚嗣宗平时本就戏谑无羁，现在又饿得不行，便想用些手段赶老头儿走，见其又吟出甘露寺阁诗："下观扬子小。"便随口对道："卑末狗儿肥。"老郎官很恼火，又吟秋日峡中感怀诗："猿啼旅思凄。"姚嗣宗对："犬吠王三嫂。"老郎官勃然作色，说："你不过是个晚辈罢了，难道不知道我'场屋驰声二十年'吗？"姚嗣宗不慌不忙，慢悠悠回道："未曾拨断一条弦。"老郎官大怒，拂袖而出。高若讷大喜，连忙招呼姚嗣宗吃饭。

⊙哪来的奚

党进好发脾气，幕僚们稍不合他的心思，便被掌掴。有次党进脚上生疮，卧床不起，幕僚们前来探视，一人小声说："烂兮。"党进听了，立命左右煽其耳光，大骂道："我们的敌人是契丹，哪来的奚（奚族）？我的脚不过得了小疮，怎么就烂了？"

⊙九只鸟

苏轼问王安石："波涛的'波'怎么解释？"王安石回答："水之皮。"苏轼应声道："那滑冰的'滑'难道是'水之骨'吗？"又一次，王安石问苏轼："斑鸠鸟的'鸠'怎么解释？"苏轼说："九只鸟。《诗经》上说，一雄一雌两只鸤鸠（布谷鸟）停在桑树上，它们的孩子共有七个（原文为'鸤鸠在桑，其子七兮'）。这一雄一雌两只鸟加上七只小鸟正好是九只。所以鸠字左边一个九，右边一个鸟。"说完笑眯眯地看着王安石，王安石这才明白苏轼是在戏弄他。

⊙大宋有天灵盖

金人入侵大宋，最惯用的杀人伎俩是：用敲棒猛击人的后脑，立时毙命。绍兴年间有个伶人写了一出杂戏，谐谑说："如想战胜金人，也容易得很，只须我大宋的一件事物能和他们对敌即可。如金国有粘罕，大宋有韩少保。金国有柳叶枪，大宋有凤皇弓。金国有凿子箭，大宋有锁子甲。金国有敲棒，大宋有天灵盖。"人们听了无不掩口失笑。

⊙徘徊太多

仁宗设赏花钓鱼宴，赐给执政们的诗，内中多有"徘徊"二字，不过此二字并无特殊涵义，只是要求和诗都得押"徘徊"的韵脚，和诗作罢才准入座。宫内人受其影响，说话也常带"徘徊"二字。有次教坊进戏，到得前堂，观玩不肯离去，太监询问，戏子们便开玩笑说："徘徊呢。"等到得后堂，又转转悠悠不肯走，询问时，仍回答说："徘徊呢。"太监不禁哑然失笑，说："行是行，不过你们'徘徊'得未免太多了。"

⊙神宗的金甲

有次神宗穿了一身金甲，去慈寿宫拜见太皇太后，随口问道："臣穿这身金甲好不好？"曹后笑着说："这身金甲固然漂亮，可陛下如果穿成这样上朝，那我们国家该是怎样的一个形象呢？"神宗默然，回去便把金甲脱了。

⊙六眼龟

苏轼拜访宰相吕大防，吕正在午睡，苏轼静候多时，方见其缓步而出。苏轼心中不悦，环视四周，忽见客厅瓦盆里养着一只绿毛龟，便对吕大防说："吕大人，绿毛龟是寻常物，没什么稀奇的，最珍贵的当属六眼龟。"吕大防惊讶地问："真有这样的乌龟？"苏轼煞有介事地说："有啊！五代后唐庄宗时期，宫里便有一只外国进贡来的六眼龟。当时宫中的优伶敬新磨还编了一个顺口溜，说：'不要闹，不要闹，听取这龟儿口号：六只眼儿睡一觉，抵别人睡三觉！'"

⊙皇帝的出版物

徽宗被囚禁在五国城时，凡是有小小的吉凶，或是遇到丧葬、节气，金国必定会有赏赐，不过赏赐是有代价的，徽宗须得具表道谢方可。后来金人将徽宗的道谢表函汇集起来，装订成册，然后大量刊印，四处散发，当时的士大夫们几乎人手一册。让人大跌眼镜的是，里面居然还附有一篇李师师小传。

⊙鹅鸭谏议

高宗朝，有个大臣向赵构建议："近来民间禁止杀猪羊，很符合上天的好生之德，不如连鹅鸭也一并禁了。"正说着，忽有人来报："金兵南侵，领兵的绰号'龙虎大王'，十分勇猛，极难抵御。"高宗闻言一惊，不知如何是好。这时一个姓胡的侍郎插话说："此事不足为虑，我们这里正好有'鹅鸭谏议'，足以对付他'龙虎大王'了。"

⊙劝皇帝娱乐

侍读林瑀，自认精通《周易》，有次他给仁宗占了一卦，得"需卦"，上面说："君子以饮食宴乐。"便建议仁宗多搞一些宴游之类的娱乐活动，说这样才符合卦体，天下才会大治。仁宗骇然，将其轰了出去。

⊙苏轼戏歌姬

苏轼在一个豪士家中饮酒，有侍姬陪宴。其中一人极善歌舞，素为豪士所喜，其人长相也很漂亮，只是身材有些高大。歌姬自恃受宠，向苏轼索诗，苏轼戏耍她道："舞袖蹁跹，影摇千尺龙蛇动，歌喉宛转，声撼半天风雨寒"。歌姬脸红羞愧，讨了个没趣。

⊙弄姨

刘敞晚年再娶，欧阳修作诗戏之曰："仙家千载一何长，浮世空惊日月忙。洞里桃花莫相笑，刘郎今是老刘郎。"刘敞不高兴，欲伺机报复。欧阳修和王拱辰同为薛奎的女婿，欧阳修娶薛奎的四女儿，王拱辰先娶薛奎的三女儿，后娶薛奎的五女儿，欧阳修遂有"旧女婿为新女婿，大姨夫作小姨夫"之戏。一天三人会面，刘敞说："以前有个学究，教学生读《毛诗》，到'委蛇委蛇'一句时，学生将'蛇'字读错了，学究很生气，斥责道：'蛇当读作姨，以后不许再读错，'第二天，学生在路上看一个乞丐玩蛇，所以迟到了，学究问原因，学生说：'路上碰到一个弄姨的，便在人群中观看，那人先弄大姨，后弄小姨，我看得起劲，所以来晚了。'"欧阳修听后哭笑不得。

⊙难道我是鬼吗

有年元宵夜，司马光的夫人想出去观灯。司马光说："家里有灯，何必非到外面去看。"夫人说："也顺便看看人。"司马光说："难道我是鬼吗？"

⊙插科打诨

叶衡罢相后回家，一次生病，朋友来看望，大家都不苟言笑，生怕刺激了叶衡。过了一会儿，叶衡突然问道："我就要死了，只是不知死了以后好不好？"一人回答说："想必极好的。"叶衡很惊讶，问："你是如何得知？"那人道人："假如死后不好的话，那些死了的人一定会逃回来。现在没有一人回来，证明是不错的。"一时满座皆笑，气氛为之融洽。

⊙三白与三毛

苏轼对刘攽说，自己入仕前的生活非常简朴，每天都吃"三白饭"，刘攽问什么是三白，苏轼说就是一碟盐、一盘生萝卜、一碗米饭而已。过了几天，刘攽要请苏轼吃"皛饭"，苏轼不知是何美食，欣然前往，结果桌上赫然只有一碟盐、一盘生萝卜、一碗米饭。又过了几天，苏轼回请刘攽吃"毳饭"，刘攽也不知为何物，欲探究竟，第二天早早来到苏轼家中。临近中午，不见开饭，刘攽催道："怎么还不见'毳饭'？"苏轼说："稍等一下，饭菜已在准备了。"又等了许久，还不见上饭，刘攽再催，苏轼笑嘻嘻地说："'毳饭'早已上来了。"刘攽不解，苏轼指着空桌子接着说："这就是我请你吃的'毳饭'啊，你看：盐也毛（读冇 mao，即没有），萝卜也毛，饭也毛，三样都毛，不就是'毳饭'嘛。"刘攽这才如梦方醒。

个性时代

⊙与盗贼同饮

宰相张齐贤还未发达时，为人倜傥而胸有大度。一次入住旅店，见一帮盗贼正在喝酒，便上前邀请他们过来同饮，盗贼们又惊又喜，纷纷说："恐怕秀才嫌我们粗鲁。"张齐贤不以为然，说："盗贼并非一般龌龊之人就能当的，那都是世上的英雄。我也是慷慨之人，你们又何必多虑呢？"盗贼们认为此人非同寻常，便过去和他一起大碗喝酒大块吃肉。临别时，盗贼送给张齐贤许多金帛，张也不拒绝，揣着就回家了。

⊙将来再见也不晚

范仲淹求学时读书非常刻苦，且抱负不凡。大中祥符七年（1014年），真宗率百官到去亳州朝拜太清宫，路过南京（今河南商丘）时，学子们都争先恐后地去看，唯独范仲淹不受其扰，仍就闭门读书。同学跑来叫他，说你怎么不去看呀？范仲淹笑着说："将来再见也不晚。"

⊙苏轼的幽默判词

灵隐寺有个叫了然的小和尚，喜欢一个叫李秀奴的妓女，与之交往日久，待钱财花尽，李秀奴便疏远了他。了然为情所困，某晚乘醉去找李秀奴，被拒绝后，一气之下将其打死。太守苏轼审理此案，了然供认不讳，写判词时，苏见其臂上刺着一行字："但愿生同极乐国，免教今世苦相思。"遂仿《踏莎行》判道："这个秃奴，修行忒煞，云山顶上空持戒。一从迷恋玉楼人，鹑衣百结浑无奈。毒手伤人，花容粉碎，空空色色今何在？臂间刺道苦相思，这回还了相思债！判讫，押赴市曹处斩。"

⊙坐怀不乱

司马光娶的是龙图阁学士张存的女儿，张夫人通情达理，二人非常恩爱。遗憾的是，司马光到了三十多岁仍无子嗣。连襟庞元鲁及其夫人便想张罗着给司马光纳个妾，与张夫人商量，张也表示同意。不久，庞氏夫妇果然给司马光物色了一个，然而司马光并不领情，从未瞧过她一眼。庞氏夫妇以为司马光碍于夫人情面，故意视而不见，便招呼张夫人去赏花，给他们创造机会。该女子满心欢喜，精心打扮一番之后，去书房给司马光上茶，柔情似水，媚眼桃腮，熟料司马光怒不可遏，正色道："夫人不在，你竟敢来这里，速速出去！"

⊙归去不成家

司马光无子，也无姬妾。夫人死后，司马光总是闷闷不乐，便常去独乐园的读书堂，一坐就是一整天。他还将自己写的一首小诗贴在梁上，其中两句为："暂来还似客，归去不成家。"

⊙姑妄言之

苏轼有次与朋友聊天，见大家都很拘谨，便请其中一人讲个鬼故事，那人说不会讲，苏轼说："你姑妄言之，我们姑妄听之，就是瞎编乱造一个也行啊！"众人哈哈大笑，于是畅所欲言，尽兴而归。

⊙惺惺相惜

苏轼与王安石在江宁会面时，身着便装，于是开玩笑地说："苏轼今日敢以野服见大丞相。"王安石朗声笑道："礼仪难道是给我们这些人设置的吗？"

⊙题诗还债

有个制扇商向一个绸缎商赊了二万贯钱的绫绢，因当年夏天多雨，扇子的销路很差，又赶上老父病故，花去不少银子，所以到期未能偿还欠款。绸缎商将其告到太守苏轼那里，苏轼可怜制扇商，命其取来二十把上好的团扇，笔走龙蛇，在上面题诗作画，然后让他以每把一千文的价格拿到市场上去卖。消息传出，扇子很快被一抢而空，制扇商的债务也得以还清。

⊙囫囵吞枣

有个朋友在王安石家做客，王夫人向其抱怨，说她搞不清王安石究竟喜欢吃什么菜，朋友很奇怪，说王大人喜欢吃鹿肉丝啊，刚才进餐时，便见其将一盘鹿肉丝吃了个精光。王夫人问道："那盘鹿肉丝放在什么位置？"朋友答："就在王大人眼前。"王夫人说："你们明天把鹿肉丝放得远一点试试。"第二天吃饭，朋友故意将鹿肉丝放得远一些，而将昨日王安石一筷未动的一样菜摆在其面前。结果，王安石又将眼前的那盘菜吃了个干干净净。饭后朋友询问，王安石竟然不知餐桌上还有一盘鹿肉丝。

⊙赏白银九百

米芾为徽宗书写屏风，几天后，徽宗派宦官赏赐给他白银十八笏，米芾开心地对来者说："知臣莫若君。皇上真了解我啊。"徽宗听说后哈哈大笑（十八笏为九百，当时的人们以九百为傻，近似如今的二百五）。某宫殿修完后，徽宗让米芾去写字，还特意让他使用自己的御用砚台，没想到米芾用完后一本正经地说："这块砚台已经被臣濡染了，皇上使用了……"徽宗微微一笑，知道他是想要那个砚台，索性成人之美。米芾怕皇帝反悔，抱起砚台就跑，结果慌乱之下弄了一身的墨汁。

⊙不必放在心上

徽宗刚当上皇帝不久，有天拿出一些玉制的杯盏盘碗，小心翼翼地问众臣："我打算在国宴上使用这些东西，又怕有人觉得太奢华，会说三道四。你们以为如何？"蔡京反应迅速，义正言辞地说："天子本就应该享尽天下的荣华富贵，区区几件玉器算什么？何况又是在国宴上让大家享用，即便有人说什么也不必放在心上。"徽宗因而释怀。

⊙柱斧

赵匡胤有一柄象牙柄水晶头的特制"柱斧"，通常情况下从不离手。如身边人犯错，赵匡胤抢斧就打，而且越亲近的人打得越狠，目的是让人们长记性。

⊙岳飞戒酒

岳飞为人豪爽，酒量也不小，年轻时经常与人豪饮。后来高宗赵构限制他喝酒，说："等你收复了失地，打到河朔时再喝吧。"从此岳飞戒酒。

⊙一天偷一钱

张咏秉性耿直，任崇阳县令时，有次见一个小吏从府库出来时，鬓角的头巾里藏了一枚铜钱，经询问，得知正是府库里的钱。张咏很生气，命人对其实施杖责，小吏不服气，说："我不过就拿了一枚铜钱，有什么了不起的，至于这样打我吗！"继而咬牙切齿地叫板："你敢用棍子打我，却不敢杀了我！"张咏不动声色，提笔写判词道："一天偷一钱，一千天就是一千钱，绳锯木断，水滴石穿。"随后把笔一扔，挥剑将小吏杀死。

⊙近视眼

孙何眼睛近视，每次进殿上奏，都要熟背奏表，以防出错。一次奏牍不小心掉了，散了一地，捡拾之后顺序全乱了，待上奏时，孙何仍按背诵的顺序奏对，驴唇不对马嘴，赵光义很光火。孙何一慌，笏板又掉在地上，有司趁机弹劾他有失礼仪，赵光义这才感觉他的眼睛不对劲。退朝后，赵光义派太医为去给孙何诊视，太医要针灸，孙何坚决不同意，说："身体是父母给的，我却没能保养好，以致生了疾病，现在还要用针去刺它，万万不可。"

⊙真性情

李迪任宰相时，真宗已经病倒在床。有天丁谓与李迪一同奏事，退下后，丁谓矫诏，欲提拔亲信林特。李迪不胜忿怒，与丁谓据理力争，情急之下，要拿手中的笏板打丁谓，吓得丁谓落荒而逃。

⊙不穿毛衫

徐铉随李煜投降宋朝，朝觐时，见士大夫们都穿着御寒的毛衫，叹息道："自五胡乱华以来，才有这种蛮夷的风气。"说什么也不肯穿。后来徐铉被贬谪到邠州，冻死了。

⊙不服气

吕蒙正没中第时，曾去胡旦所在的县游玩，便顺便去拜访，胡旦为人孤傲，根本不拿吕蒙正当回事。朋友向胡旦介绍，说吕蒙正善写诗，胡旦问有什么好句子，朋友列举一篇，其中一句为"挑尽寒灯梦不成"，胡旦大笑道："这是一个'渴睡汉'啊。"吕蒙正闻听，恼怒不已，愤然离去。第二年科举中第，吕蒙正专门让人捎信给胡旦，说："'渴睡汉'中状元了。"胡旦不以为然，说："中状元有什么了不起，下次我去考，一样中状元。"转年胡旦参加科考，果然高中状元。

⊙如此吃药

张齐贤不仅饭量惊人，而且能把药当饭吃。汴梁天寿院所制风药黑神丸很有名，有活血化瘀之功效，一般人进服，吃上小小一丸便足够了，张齐贤竟以"五七两为一大剂"，而且是用胡饼夹着吃。

⊙透明的红萝卜

张咏的思维不同于常人，任崇阳县令时，郊区的百姓以种茶为业，都不喜欢种菜，所以常去市场上买菜来吃。有一次，张咏见到一个郊区老农在菜市场买红萝卜，便把他叫过来，说："城里的居民无地可种，买菜情有可原，你一个农民，为何不自己种菜却花钱买菜？"不由分说让人暴打了老农一顿，然后将其赶出城去。此后，郊区农民全都开始在自家地里种菜，对于所种红萝卜，则呼之为"张知县菜"。

⊙门前一竿竹

苏州吴县人许洞，是太子洗马许仲容的儿子，其居所门前只种了一株竹子，以示特立独行的节操。吴人因而称之为："许洞门前一竿竹。"

⊙特立独行

崔遵度德操清纯，淡泊名利。其在太宗赵光义身边做右史十余年，每次侍奉左右，都会侧着身子，或干脆躲在楹柱的边上，怕遮挡住皇帝的视线，也从不多说一句话。崔遵度精通琴艺，经常把自己关在屋子里，一弹就是一宿，连妻子都很难见上他一面。

⊙宰相年年出

王旦在朝中为相十二年，有次外出路过陕州，魏野送给他一首诗，曰："圣朝宰相年年出，公在中书十二秋，西祀东封俱已了，好来相伴赤松游。"回京后，王旦便上表称疾，告老还乡了。

⊙强盗诗人

布衣诗人杨朴性格怪僻，常独自骑驴到郊外游赏，见到草木茂盛处，便翻身下驴，趴伏在草丛中冥思苦想。如偶得妙辞佳句，便会突然一跃而起，路人常因此受到惊吓，还以为遇到了强盗。

⊙妻子的诗

真宗赵恒去汾阴祭祀，路过新郑，听说杨朴的大名，想召其入仕。杨朴到后，真宗问他："你来的时候，有人为你写诗送行吗？"杨朴说："没有，只有家妻写了一篇。"真宗让他念来听听，杨朴道："更休落魄贪杯酒，亦莫猖狂爱作诗。今日捉将官里去，这回断送老头皮。"真宗大笑，知道他不想做官，便赐给他一些布帛，又让他回去了。苏轼因乌台诗案被下狱，临行前，妻子大哭，苏轼安慰道："你为什么不像杨朴的妻子那样作首诗给我呢？"妻子听后不觉哑然失笑，苏轼这才上路。

⊙聊以效颦

郭忠恕身体特异，盛夏酷暑时，身上一点汗也不出；隆冬严寒时，则喜欢凿冰沐浴，洗完后，身旁的冰全都融化了。其为人放荡不羁，不与俗人为伍，喜欢游历，喜欢纵酒，还喜欢称呼别人为猫。宋太宗赵光义听闻其名，便召他入京，在内侍窦神兴处当差。郭忠恕留着一部长胡须，一天晚上忽然全部刮去，窦神兴不解，问其故，回答说："聊以效颦。"

⊙鬼神索贿

王嗣宗不信鬼神，生病时，家人焚烧纸钱为其祷告，嗣宗听说了，笑着说："何等鬼神，敢向我王嗣宗索取贿赂？"

⊙漂亮的玉带

有个商贩出售玉带，王旦的子女们见了很喜欢，便拿给王旦看，建议他也来选一条。王旦叫他们将玉带系在腰上，然后问他们："玉带系在身上，你们还能看到它漂亮吗？"子女们说："系在腰上当然看不见了。"王旦说："自己负重却让别人来欣赏夸耀，岂不是很累？速去退掉吧。"

⊙请吃馄饨

张咏性格急躁，在益州任知州时，有次在街上吃馄饨，每次低头，头巾的带子总要垂到碗里，垂一次，拿一次，最后张咏不耐烦了，将头巾解下来直接扔进馄饨碗里，说："你请吃吧。"自己起身走了。

⊙肯下本

寇准三十岁时，太宗赵光义有心重用他，又怕他年轻不老成，很纠结。寇准得知后，每天猛吃地黄和饵芦菔等中药，没几天便须发全白，顺利荣升参知政事（副宰相）的高位。

⊙急脾气

陈尧佐性急，有次游长安佛寺，在墙壁上挥笔题诗，侍从不小心打翻了砚台，弄脏了陈尧佐的鞋子，陈尧佐拿起毛笔就往侍从的鼻子上画去，游人见后无不大笑。

⊙掉臂而入

有次吕献可朗诵丁谓的诗，其中有"天门九重开，终当掉臂入"两句，王禹偁听后不以为然，说："既入公门，自当遵守礼仪，鞠躬尽瘁，怎么可以'掉臂而入'呢？此人必定不忠。"

⊙无欲则刚

有个姓许的道士，不管向谁介绍自己，从不说名字，都称"我"，时人谓之"许我"。贾昌朝任宰相时，曾邀请他好多次，均被拒绝，最后好说歹说，许我才答应去见。许骑驴直闯宰相府，被看门的拦下，说："这是宰相府，即便侍郎来了也得下马。"许说："我又不是来求宰相办事的，是宰相招我来的，如果非不让我进，那我走就是了。"随即骑驴绝尘而去。门子向贾昌朝禀报，贾再派人去请，却怎么也请不来了。贾昌朝由是感叹道："许道士不过一市井人物，只因他无求于人，所以从不卑躬屈膝，那些平时以道义自居的人，实在应该向他学习啊。"

⊙何必太计较

真宗感念宰相王旦辛苦，御赐十坛美酒，悄悄派人送到他的府邸。王旦的兄长见了，着急品尝，动手启封，王旦的老婆制止说："这是皇上赏赐的酒，还是等相公回来再启封吧。"说着让人将酒搬进屋。兄长大怒，抄起一根棍子把十只酒坛打了个稀碎，美酒飘香，流了一地。王旦老婆很厌恶，也不让人打扫，气呼呼地回屋了。王旦回家后，见满地狼藉，问是怎么回事，待了解情况后，看着气鼓鼓的老婆，微微一笑，徐徐道："人生能得几许光景？何必太过计较呢？"

⊙看得清

欧阳修被贬到蔡州任知州后，好几次上表请求退休。门生蔡承禧问他："大人的德望一向被朝廷看重，而且大人也还没到退休的年龄，怎么能就这样离开呢？"欧阳修回答说："我的名声气节是要被后人评说的，现在只有速退才能保全名节，不可以等着被朝廷驱逐。"

⊙看古玩

夏竦喜欢古玩珍宝，收集珍藏无数。每个月总有那么几天，夏竦都会在地上铺上青毡，然后把那些珍玩拿出来排列好，自己则斜躺在床上观赏，一看就是一整天。

⊙不喜欢

杜衍清瘦羸弱，刚过四十岁，便须发皆白了。其为人清廉节俭，平时家里不来客，绝不吃羊肉。仁宗喜欢赏赐朝臣，杜衍则每次都原封不动地退还。杜衍待客多用漆器，客人说："你是当朝宰相，怎么如此清贫呢？"杜衍让人取来白金燕器，放在客人面前，说："我不是没有这些，只是不喜欢罢了。"

⊙喝酒的理由

鲁宗道住在浴堂巷，旁边有个小酒馆，名为仁和酒肆，在京师很有名，鲁常偷偷换便服去饮酒。一天，真宗有急事召见鲁宗道，鲁正在酒肆喝酒，太监找寻不见，便在家里等，过了好一阵子，鲁宗道才醉醺醺地回来。太监和他商量："皇上如果嫌大人去得迟了，我该怎么回话呢？"鲁宗道说："实话实说。"太监又问："那大人不会被皇上怪罪吗？"鲁宗道正色道："饮酒乃人之常情，欺君才是大罪啊。"到得皇宫，真宗果然问为何迟了，太监如实以对，真宗问鲁宗道："你为什么私入酒家饮酒呢？"鲁宗道说："臣家境贫寒，没有喝酒的器皿，酒肆里酒具齐备，今天正好有亲朋过来，便一起去了。"真宗不高兴地说："爱卿作为宫臣，恐怕会被御史弹劾啊。"不过真宗认为此人诚实可靠，此后反对其高看一眼。

⊙能力改变差距

王尧臣中状元时，狄青还是普通一兵。发榜时，人们纷纷围观，争睹状元风采，狄青与几个士兵也在其中，有个士兵慨叹道："人家都当状元了，我们才是一个小兵，贫穷和富贵的差距真大啊。"狄青不以为然，说："你错了，这还要看将来有没有真本事。"士兵们笑其狂妄自大，狄青也不在意。后来此话果然应验，狄青任枢密使时，王尧臣为其副手。

⊙虫盖鱼

有次范仲淹在河边行走，想捞两条鱼来吃，随从说："这里的水不好，里面有虫子，鱼是人们常说的'虫盖鱼'。"范仲淹说："不碍事，虫子我也能吃。"

⊙低调的官二代

范正平是范纯仁的儿子，自小勤奋，去离家二十里外的觉林寺求学，而且穿着十分简朴，鞋子比普通的儒生还寒酸。范纯仁当宰相后，范正平依然勤俭如昔，上学从不坐车，来回都要步行，夏天时常拿一柄破扇子遮挡毒日头，谁都不知道他是当朝宰相的儿子。

⊙怕后人笑

欧阳修晚年，亲自修订平生所写文章，很认真，也很辛苦。其夫人想劝他休息，便开玩笑说："何必这么辛苦呢，难道还怕老师批评吗？"欧阳修笑道："不是怕老师批评，是怕后人笑我啊。"

⊙三谏官

庆历初年，兵部王素、校理欧阳修、校理余靖、工部鱼周询四人有声望，被朝廷同时任命为谏官，一时朝野人士争相庆贺。蔡襄时任校勘，不服气，便作诗道："御笔新除三谏官，士林相贺复相欢。"故意把鱼周询排除在外，鱼听说后，自我检讨道："我从不参与士大夫间的议论，有何脸面当谏官呢？"遂上书请辞。皇上应允，让蔡襄顶替了他。

⊙为母祈福

蔡襄对母亲非常孝顺，有次在路上遇到一个老态龙钟的妇人，看上去年纪很大，便上前询问，妇人回答说："一百零二岁了。"蔡襄长鞠一躬，嘴里默念道："祝愿我的母亲也能像这个老妇人一样长寿。"

⊙胡饼炉危机

尹洙性情偏执，气量狭小，有次在洛阳与欧阳修、梅尧臣等人一起游嵩山，尹洙无意间说了句："游此山应该带着胡饼炉来。"意思是搞搞野炊之类的。结果遭到众人反对，都说游山是为了享受自然，要随意才好，带着胡饼炉算怎么回事？岂有此理！群起而攻之。尹洙自知失言，又在众人的围攻下无法辩驳，急得用手扼住自己的脖子，大叫道："你们敢再说。"最后诸公苦苦相劝，尹洙才放手。

⊙怨孟子

李泰伯曾著书抨击孟子，后因才德优异被举荐，参加考试时，论题为"经正则庶民兴"，李不知出处，拍案而起，说："除了《孟子》，没有我没读过的书，这句一定是孟子的话。"拔腿便出了考场。

⊙狄青刺字

狄青是从士兵做到枢密使的，所以脸上仍留有黥文。副使王尧臣经常取笑他，说："字迹越来越清楚鲜明了。"狄青说："你喜欢吗？喜欢就送你一行。"仁宗皇帝也看不惯狄青脸上的刺字，让王尧臣晓谕狄青，设法消去黥文，狄青对王尧臣说："如果我脸上没有这两行字，怎么能发奋做到现在的地位呢？这个绝对不能去掉，我要让天下贫贱之人都知道，国家一样会重用他们。"

⊙匍匐图

福州人陈烈博学多才，为人却极有个性，他不喜欢跟风时代潮流，动辄便循尊古礼。蔡襄在莆田为父守丧时，陈烈欲凭吊，对门生弟子们说：

《诗经》上说，'凡民有丧，匍匐救之。'现在我就要和你们一起行这个礼仪。"于是戴上黑头巾，穿上皮制的靴子，和二十多个门生一起前往。到得蔡家，众人对着大门跪下，以手挂地，匍匐前进，边爬边嚎啕大哭。守灵的妇人们没见过这场面，吓得慌忙避走。蔡襄素知陈烈的性格，只笑了笑，接受了他的吊唁。当时李觏曾画过一幅匍匐图，说的便是彼时情形。

⊙不信佛

吴奎不信佛，父亲死了也不大张旗鼓地找僧人来做法事，对那些常和父亲来往的乡里乡亲们，只每人送了两块绢帛了事。

⊙近水楼台先得月

范仲淹镇守钱塘时，极力举荐幕僚，属下大多升了官，只有巡检苏麟一人，因常在外办公，范仲淹没留神，把他给落下了。苏麟不高兴，便写了首诗给范仲淹，说："近水楼台先得月，向阳花木易为春。"范仲淹见诗会心一笑，下次便推荐了他。

⊙吃谁的饭

尚书张方平每次用餐时，都要穿戴整齐。有年夏天，酷暑难当，张方平与女婿王巩一起吃饭，见王巩汗流浃背，便让他解开衣带凉快一下。见老丈人仍旧衣帽整齐，王巩连说不敢，张方平解释道："我从一介布衣做到现在的位置，每一餐饭都是皇上的馈赠，所以我要重视。你现在吃的是我的饭，就是穿内衣也没事。"

⊙不肯入座

王安石调任常州知州，路过苏州时，知府刘敞以高规格的礼仪接待他，并找来许多营妓侯列大堂，准备席间伺候。未想王安石并不领情，脸色一下变得很难看，望着那些营妓，坚决不肯入坐。刘敞见状，急忙打发那些营妓出去，这才邀请王安石上座。

⊙不受美食

石介与胡瑗、孙复并称"宋初三先生"。最初求学时，石介总是粗茶淡饭，条件极为艰苦，侍郎王渎听说后，给他送去一盘美食，未想却遭到拒绝，石介说："美味的食物我也想吃，但最好每天都能享用，如果只吃一顿，那明天又该怎么办呢？早上吃到美味，晚上便会讨厌那些粗劣的食物，这是人之常情，所以我不敢接受您的馈赠。"

⊙不一样的原因

元祐年间，宋哲宗赵煦启用文彦博为平章军国重事，并召程颐在崇政殿讲学。程颐讲究师道，每次侍讲，表情都很庄重，规劝时的用语也很委婉，比如课间休息时，哲宗会坐在小桌旁喝茶，随手折上一枝柳条把玩，这时程颐便会突然站起，劝道："春天正是万物荣生之时，不能无缘无故地摧折。"因此哲宗很畏惧他。文彦博对哲宗则十分恭敬，虽然年近九十，进士放榜唱名时，仍能侍立一整天，哲宗对他说："太师稍微休息会吧。"文彦博顿首拜谢，却仍不离去。有人对程颐说："人们都说先生刻板，和文潞公（文彦博）的恭敬不一样。"程颐说："潞公是三朝元老，现在辅佐幼主，不得不恭敬。我是以布衣的身份给皇上讲学，怎么敢不自重呢？这就是我和潞公不同的原因。"

⊙性命可轻

赵孟坚清放不羁，喝醉后用酒弄湿头发，手持红牙板，大唱古乐府诗词。他还喜欢收藏书画，有次得到一幅五字不损本兰亭帖，兴高采烈地乘船回家，快到岸边时，小舟忽然倾覆，行李全部落入水中。再看赵孟坚，浑身湿透地站在水里，手上拿着兰亭帖，大声说："兰亭在此，余不足惜。"为了纪念这次不平凡的经历，后来他还在帖首题写了八个字："性命可轻，至宝是保。"

⊙宁无一个是男儿

面对威严天子赵匡胤，后蜀国主孟昶的贵妃花蕊夫人毫无惧色，提笔写下《述亡国诗》一首："君王城上竖降旗，妾在深宫哪得知。十四万人齐解甲，宁无一个是男儿。"傲骨铮铮，掷地有声，酣畅淋漓。赵匡胤看后不怒反喜，将其封为贵妃，宠爱有加。晋王赵光义劝哥哥远离花蕊夫人，赵匡胤不听，后来在一次打猎时，赵光义拉满弓弦，突然指向花蕊夫人，可怜红颜，就此一命呜呼了。

⊙教他射这里

赵匡胤刚即位不久，有次车驾出宫，路过大溪桥时，突有一支冷箭射中了黄伞，侍卫们都吓坏了，赵匡胤却面不改色，拍着胸脯说："教他射这里，教他射这里。"回宫后，大臣们力请缉拿杀手，赵匡胤摆摆手，说不必了，后来再也没有发生过类似的事。

⊙只忌讳赃吏

包拯上任开封府尹，属下来问家讳，包拯说："我没有什么可忌讳的，只忌讳赃吏。"

⊙一而再

赵普很固执，有次举荐某人为某官，赵匡胤不许，第二天复奏，又不许，隔一天再奏，赵匡胤大怒，把奏牍丢在地上，赵普面不改色，几天后把奏牍补好又来上奏，最后赵匡胤终于同意。又有一次，一批大臣升官，赵匡胤将看不顺眼的几个人划掉，赵普则坚持为他们请求，赵匡胤大怒："朕就是不准，你待怎样？"赵普说："赏罚是天下之赏罚，陛下怎能因自己的喜恶而擅自更改呢？"赵匡胤不愿和他啰嗦，起身走开，赵普便在后面尾随，赵匡胤进了宫门，赵普便在门外守候，最后赵匡胤只得应允。

⊙女扮男装

名妓温琬儿时家贫，父亲死后，便托养在姨娘家中。姨娘让其穿上男孩子的衣服，与男孩子们一起入学堂学习，那些男孩子们和她一起度过了好多年，谁都不知道她是个女孩子。后来温婉成了士大夫们争相追捧的对象。

⊙与父亲对抗

太宗赵光义的长子赵元佐，自幼聪明机警，长得又像太宗，颇得太宗喜爱。元佐武艺精良，尤善骑射，曾随太宗出征太原、幽蓟。太宗迫害其弟赵廷美时，元佐极力为叔叔开脱，遭到太宗拒绝。后来赵廷美死于房陵，元佐闻知，悲愤成疾，竟至发狂，幸亏太宗命太医尽心调理，病情才稍有好转。雍熙二年（985）的重阳节，太宗召集几个儿子在宫苑中饮酒，因元佐尚未痊愈，便没请他来。散席后，陈王赵元佑去看望元佐，元佐得知父皇没请他，很生气，说："我这是被父皇抛弃了。"随后便一个劲儿地喝闷酒。到了半夜，赵元佐仍旧愤恨难平，索性放了一把火焚烧宫院，险些酿成大祸。太宗怒不可遏，将其废为庶人。

⊙寇准执拗

寇准很执拗，有次在大殿奏事，说话很不得太宗心思，太宗一怒之下，拂袖欲走，寇准居然扯住太宗的衣服不让他走，弄得太宗极为尴尬。

⊙你来干好了

王安石的新法触及宗室、外戚的利益，因而招致不满。一次，神宗同岐王赵颢、嘉王赵頵一起玩击毬游戏，以玉带为赌注，嘉王却说："我若胜了，不求玉带，只求废了青苗、免役二法。"还有一次，曹太后对神宗说："王安石是在变乱天下呀！"岐王赵颢趁机从旁劝说，要神宗遵从太后的懿旨，神宗气不打一处来，怒斥岐王道："是朕在败坏天下，那你来干好了！"

⊙在乎

金人攻陷汴京后，抢走了徽宗的乘舆、嫔妃以及大量金银珠宝，徽宗闻听毫不动色，当得知还抢掠了他馆藏的书画时，徽宗喟然良久。

⊙死了也值了

苏轼在常州居住时，有一士人擅长烹烧河豚，邀请他过去尝尝鲜。苏轼入席后，士人的家眷躲在屏风背后，想听听苏学士如何品评，然苏轼却只顾埋头大嚼，始终不发一言。家人正倍感失望之时，忽见苏轼喘了口气，大声赞道："就是死了也值了！"

⊙一担水三钱

有人送给孙甫一方砚台，据说价值三千钱。孙甫拿着砚台左看右看，不解地说："这砚台好在哪里？为何值这么多钱？"来人说："砚台的石料越润泽就越值钱，这块石料，只要呵上一口气，就会有水在上面流。"孙甫说："一天就是呵出一担水来，才不过三钱而已，何必这么费事！"拒不接受。

⊙没那么夸张

王安石有哮喘病，需紫团山人参医治，下人在当地怎么也买不到。有天薛师政来访，正好带有这种人参，便想送几两给王安石，王安石不要，家人苦劝，说你的病，必须用这种药才能医治，就别推辞了。王安石大摇其头，说："没那么夸张，此前没有紫团参，我还不是照样活到现在？"

⊙另类喝酒

石延年饮酒很另类：有时披头散发光着脚，还戴上枷锁，称为"囚饮"；爬到树上喝，称为"巢饮"；用禾秸秆把身子埋起来，然后探出头喝，称为"鳖饮"。总之是想怎么喝就怎么喝，而且没有一天不喝醉的。其宅第后面不远处有个小庙，石延年常去那里躺着喝酒，边喝边捉虱子，由此还给小庙起了个名字叫"扪虱庵"。石延年还喜欢豪饮，任海州通判时，有次朋友刘潜来访，二人在舟中痛饮，一直喝到后半夜。酒快喝光时，石延年仍未尽兴，见船中有一坛醋，便把醋掺在酒里接着喝，最后酒和醋都喝光了。仁宗心疼他，曾对侍臣说，他希望石延年戒酒，石延年听说后大为感动，果然不喝了，但没多久便生病而死。

⊙秋水来了

真宗赵恒宴请近臣，席间谈到庄子，急命太监叫"秋水"过来。众人正纳闷时，但见一翠衫绿衣的女童翩翩而至，站在众人面前，声情并茂地朗诵"秋水"一文，众人无不称奇。

⊙绿牙签、白牙签

孝宗赵奢吃饭时，桌旁放着二十根牙签，一半为绿色，一半为白色。酒上来后，赵奢如拿白签，侍从斟酒便只斟半杯；如拿绿签，则一定要斟满。不过孝宗使用绿签的时候不多，一共也就两三次，基本都是白签。

⊙看谁另类

翟耆年喜欢奇装异服，其头饰衣服全都仿照唐朝式样，起名为"唐装"。有一次，翟耆年去拜会朋友许彦周，许梳着一个发髻，身穿犊鼻裤，踩着木屐出来迎接。翟惊得目瞪口呆，许则若无其事地说："有什么好奇怪的，我这穿的是晋装，难道只许你穿唐装？"

⊙被污染了

　　周仁熟与米芾交好。一天，米芾极神秘地对周仁熟说："我得到了一方宝砚，绝非一般的俗物，你帮我看看。"周仁熟说："你虽知识渊博，但所获宝物往往真假各半，还真得帮你把把关。"周素知米芾有洁癖，于是洗手再三，做出一副郑重其事的样子，米芾果然很高兴。砚台拿出后，周仁熟连声称赞，说："这确实是个好东西，就是不知发墨效果如何？"米芾忙命人取水，周仁熟等不及，吐了点口水试墨，米芾见了脸色巨变，说："罢了罢了，砚台被你污染，不能用了，你拿去吧！"

如此浪漫

第三章

⊙多了也遭难

宋祁多内宠，家中穿红挂绿者甚众。一天宋祁在锦江游船设宴，偶感微寒，于是命人取马甲来穿。结果众婢妾争相送到，总计有十余件之多，宋祁一时不知穿谁的好，最后干脆"忍冷而归"。

⊙藏头词

宋人陈善在《扪虱新话》中记载：苏轼寓居京口时，官妓郑容、高莹二人曾贴身陪侍，很得苏轼喜她们，二人于是趁机请苏轼为她们脱籍（指解除妓女身份从良）。苏轼满口应承，然而始终未见行动。临别时，二女再次恳求，苏轼挥毫泼墨，写就一首《减字木兰花》词："郑容好客，容我楼前堕帻。落笔生风，籍籍声名不负公。高山白早，莹骨球肌那解老。从此南徐，良夜清风月满湖。"说："你们拿着这首词去找太守，他会明白的。"二人拿词去找太守，身份问题果然得到落实。原来，该词是一首藏头词，每句的首字连起来，正好是"郑容落籍、高莹从良"八个字。

⊙海棠虽好不吟诗

苏轼在黄州时，每次和官妓们喝酒，群妓都事先备好纸张，让他题写诗词。苏轼来者不拒，每次都满足她们的要求，只有一个叫李琦的，因不善言语，没得到过苏轼的赠诗。不过苏轼并没忘记她，有天苏轼喝高了，乘醉大书"东坡五载黄州住，何事无言赠李琦"两句，赠给了李琦。等苏轼将要离开黄州时，又给她续上了后两句："却似城南杜工部，海棠虽好不吟诗。"自此李琦身价倍增，人们都说苏轼将其比作杜甫诗中的黄四娘。

⊙歌欧词

欧阳修造访开封府尹贾昌朝，贾设宴款待，并找来许多歌妓，让她们唱词劝酒助兴。歌妓们唯唯诺诺，不置可否，贾昌朝不放心，又让管家去进一步交代，歌妓们依旧唯唯诺诺，含混其词。贾昌朝认为她们是山野村姑，没见过世面，也就不再强求。没想到宴席开始后，歌妓们热舞欢歌，唱词不断，欧阳修则把盏侧听，每每不用相劝便一饮而尽。贾昌朝很奇怪，问她们唱的什么，始知都是欧阳修本人的词作。

⊙干浴

苏轼在海南时，洗澡很不方便，常用"干浴"，为此还写了首《次韵子由浴罢》的诗，其中说："理发千梳净，风晞胜汤沐。闭息万窍通，雾散名干浴。"

⊙要赏

徽宗让蔡攸随童贯征辽，辞行那天，徽宗问他有什么要求，蔡攸指着侍立在徽宗两侧的两位宠姬说："大功告成之后，请陛下将这两位美人赏给微臣。"徽宗笑而不答。

⊙恍若神仙

宋祁每次修撰《唐书》前，都要先饮宴戏耍一番。等玩够了，便沐浴更衣，打开房门，垂下帘子，点燃两支巨大的蜡烛，开始工作。有几个婢妾服侍一旁，专门为其研墨展纸，远远望去，恍若神仙。

⊙苦乐皆潇洒

晁冲之很有才学，年纪轻轻便考中了进士。其为人风流倜傥，出手豪绰，曾轻裘肥马，畅游京师，遍访名妓，包括名噪一时的李师师，光送出去的缠头（古代歌舞艺人表演完毕，客以罗锦为赠，称"缠头"）便以千万计。绍圣初年，因朋党之争，许多人被罢了官，晁冲之厌倦世事，飘然隐遁于具茨山下。十年后重回京师，晁冲之找到先前的旧识，以诗寄之曰："一时鸡犬皆霄汉，独有刘安不得仙。"

⊙樽前听艳歌

寇准有个小妾叫茜桃，诗文了得。有次寇准设宴，招歌姬助兴，席间赠给她们每人一束绫，茜桃由感而发，作了两首诗，一曰："一曲清歌一束绫，美人犹自意嫌轻。不知织女寒窗下，几度抛梭织得成。"一曰："风动衣单手屡呵，幽窗轧轧度寒梭。腊天日短不盈尺，何似妖姬一曲歌？"寇准看后不以为然，和诗道："将相功名终若何，不堪急景似奔梭。人间万事何须问，且向樽前听艳歌。"

⊙卷帘人未老

吕夷简请求告老还乡，仁宗问他："爱卿隐退，何人可替代你？"吕推荐陈尧佐，仁宗深以为然，遂拜陈为相。陈尧佐感念吕夷简的知遇之恩，写了一首小词，让人唱给吕夷简听，词曰："二社良辰，千家庭院，翩翩又见新来燕。凤凰巢稳许为邻，潇湘烟暝来何晚？乱入红楼，低飞绿岸，画梁时拂歌尘散。为谁归去为谁来？主人恩重珠帘卷。"词句优美，歌声婉转，吕夷简听得心旷神怡，便多喝了几杯，笑着说："自恨卷帘人已老。"陈尧佐应声道："莫愁调鼎事无功。"

⊙晏殊宴客

晏殊喜欢交朋友，没有一天不宴饮宾客的。宴客时，杯碗盘盏皆不预先置办，而是客人来了临时购买，一会儿便准备停当。

⊙避暑新方法

杭州太守韩维喜欢声乐，盛暑之时常睡卧一榻，让婢女在一旁执板缓歌，自己则闭目听赏，或点头击掌，与之相和。如此便可解暑，根本不用扇扇子。

⊙蓬山不远了

宋庠、宋祁兄弟均以诗文闻名，并称"二宋"，宋庠为兄，称"大宋"，宋祁为弟，称"小宋"。有次宋祁路过繁台街，恰遇宫眷的车子经过，车内有人挑开珠帘，说了声："这是小宋。"宋祁大为得意，回来后写了首《鹧鸪天》的词："画毂雕鞍狭路逢，一声肠断绣帘中。身无彩凤双飞翼，心有灵犀一点通。金作屋，玉为笼，车如流水马游龙。刘郎已恨蓬山远，更隔蓬山一万重。"该词迅速唱遍京城，终于传入宫内，被仁宗获知。仁宗问后宫诸眷："你们谁给小宋打招呼来着？"有宫女回道："奴婢曾服侍过御宴，有次陛下宣翰林学士，有太监说：'那个是小宋。'后来在车中偶然见到他，便叫了一声。"仁宗即刻召宋祁入宫，宋祁不知何事，诚惶诚恐，仁宗则笑着说："蓬山不远了。"说完将那个宫女赏赐给了他。

⊙一树梨花压海棠

张先八十岁时娶了一个十八岁的女子作妾。婚宴上，张先激动之余，特赋诗一首，曰："我年八十卿十八，卿是红颜我白发。与卿颠倒本同庚，只隔中间一花甲。"苏轼即刻和诗一首相对，曰："十八新娘八十郎，苍苍白发对红妆。鸳鸯被里成双夜，一树梨花压海棠。"

⊙江南有美人

范仲淹在鄱阳时，喜欢过一个小妓，被召还回京后，还曾寄胭脂给她，并题诗曰："江南有美人，别后常相忆，何以慰相思，寄汝好颜色。"

⊙狂枝乱出墙

韩琦镇守真定时，其府上有个叫彭知方的门客，喜欢拈花惹草，晚上常翻墙出去，到烟花柳巷玩耍。门吏向韩琦报告后，韩琦并未加以责罚，只是写了一首《种竹诗》相规劝，其中有"殷勤洗濯加培植，莫遣狂枝乱出墙"二句。彭知方很愧疚，便也和了两句诗给韩琦，曰："主人若也怜高节，莫为狂枝赠斧斤。"韩琦觉得他确有悔过之心，索性花了一百两银子买了个漂亮的姬妾给他，好让他安心读书，一时传为美谈。

⊙潇洒地待客

苏颂好客，每有说话投缘的，一定会挽留款待。其待客事先并无准备，只在每人桌前放一空杯，然后命人斟酒，招歌姬跳舞助兴。与客人谈笑风生间，瓜果菜蔬相继而至，一会儿便摆满桌案。等天色稍晚，便挥手让歌姬散去，说："你们的才艺都展示了，现在轮到老夫献艺了。"说罢与宾客题诗相和，竟比风流。

⊙为情所困

韩缜任钱塘县令时，喜欢上一个妓女，经常留宿在妓女家中。一天韩缜起晚了，县吏有急事向他禀报，立在门外不走，韩缜只得临时在妓女家的中堂听完了汇报。第二天，韩缜招来县吏，命人打了他一百军杖，然后自动罢印解职，说："某无状不检，为吏所侮，无以临民，请解印归。"杭州知州范仲淹听说后，安慰他道："你是出类拔萃的豪杰之士，请自珍自爱。"之后仍让他回到岗位上去。韩缜任期届满后，带着那个妓女荡舟西湖，如漆似胶，堪堪过去一个月也不离开。范仲淹无法，只得在舟中摆酒，为其饯行，并招那个妓女前来服侍。韩缜喝醉后，范仲淹命人解开船索，待韩缜醒来，船早已离开钱塘数十里了。

⊙听琵琶入眠

范纯粹喜欢听琵琶，家中雇有两个专门为其弹琵琶的婢女。晚年时，范纯粹经常失眠，每次睡觉前，都要让这两个婢女弹奏一曲，一直到他睡着了，才悄然退去。

⊙性情中人

欧阳修任河南推官时，与一个妓女交好。当时钱惟演刚好出任西京留守，梅尧臣、谢绛、尹洙都是他的幕僚。一天钱惟演在自家后花园宴客，欧阳修和那个妓女也在邀请之列，却迟迟不见踪影。过了许久，欧阳修才带着那个妓女施施然赶到，众人相视以目，心照不宣。钱惟演不好责怪欧阳修，便问那个妓女："为何来晚了？"妓女说："中午在凉堂睡着了，醒来发现不见了金钗，故而寻找耽搁了时间。"钱惟演说："如果欧推官能够作一首词，金钗我来赔给你。"欧阳修出口成诵，当即吟道："柳外轻雷池上雨，雨声滴碎荷声。小楼西角断虹明，阑干倚处，待得月华生。燕子飞来栖画栋，玉钩垂下帘旌，凉波不动簟纹平。水晶双枕，傍有堕钗横。"吟罢举座称赞，钱惟演命妓女给众人满酒庆祝，又命人去房内取金钗给她，之后开怀畅饮。不过钱惟演的后人钱世昭，在其《钱氏私志》中说，欧阳修自此对钱惟演心生罅隙，后来在修撰《新五代史》《十国世家》时，对吴越钱氏多有贬损，在《归田录》中还列举了钱惟演几件糗事。

⊙春光不等人

韩维被贬谪后，每年春天，都会备上十个客人的酒具，畅游西湖。游湖前，韩维让仆人在湖边等候，有士大夫经过便邀他上船，直到邀满九人为止，然后与他们一起上船畅饮，从不问客人详情。有朋友问韩维："为什么不多了解一下他们的情况呢？"韩维说："你年轻不明白，我老了，不知道还能经历几个春天，如果找到了知己再和他们喝酒，我又能快乐几天呢，春光不等人啊。"

⊙海棠应恨我来迟

欧阳修在颍州遇到一个妓女，能背诵他的所有诗词，欧阳修很是欢喜，便开玩笑说，他将来一定来此地做太守。几年后，欧阳修果然从扬州转任颍州，结果那个妓女却不在了。上任第二天，欧阳修邀同僚在湖上饮酒，于岸边遍种黄杨树子，并在撷芳亭留诗道："柳絮已将春色去，海棠应恨我来迟。"

⊙美妙花香

张垍去洛阳拜见文彦博，饭后二人于亭间休息，对坐许久也不说话。当时亭边开满了兰花，不一会儿，文彦博说："香气来了。"张垍很惊讶，问："你既喜欢兰花的香气，为何不摘来一嗅呢？"文彦博摇摇头，说："黄庭坚有诗云：'披拂不盈怀，时有暗香度。'凡是花香，如果故意去嗅，一定不会太好，须微风将花香送来，才是最美妙的。"

⊙香饼来迟了

蔡襄为欧阳修的《集古录》石刻目录，字体遒劲有力，欧阳修很喜欢，便以鼠须栗尾笔一支、铜绿笔格一架，以及龙茶、惠山泉水等物送给他作润笔费。蔡襄见后大笑，连赞欧阳修清奇不落俗套。过了一个月，有人给欧阳修送来一盒清泉香饼（一种香料制成的小饼，可以佩戴，也可用来焚香），蔡襄听说后，慨叹良久，说："香饼来得迟了，假使用这个给我作润笔费，当是难得的佳物啊。"

⊙焚香

赵抃喜欢焚香，其所居住所，好几月香火不灭。他还特别喜欢用香薰衣服。

⊙吾家好子孙

陈亚藏书数千卷、名画数十轴，视为平生至宝。后来他又得到了一幅名为《华亭双鹤图》的名画，以及一些怪石异花，便开始担心自己死后这些宝物也不得善终，遂作诗告诫子孙说："满室图书杂典坟，华亭仙客岱云根，他年若不和花卖，便是吾家好子孙。"

⊙乞爱卿

李师中有诗名，韩琦督抚陕西时，曾邀其做客。席间，韩琦让一个叫贾爱卿的官妓作陪，媚眼桃腮的，李师中很喜欢，借着酒劲赋诗道："愿得貔貅十万兵，犬戎巢穴一时平。归来不用封侯印，只向君王乞爱卿。"

⊙云溪醉侯

种放嗜酒，隐居终南山时，曾自己种秫酿酒，说："空山清寂，聊以养和。"遂自号"云溪醉侯"。

⊙泪别

大将王权被派去边防抗金，与几十名妓妾泣别三日都未成行，以致贻误了军机。

⊙床下赋诗

周邦彦与李师师交好，有次二人正在你侬我侬，恰巧徽宗皇帝到来，周避之不及，慌忙藏于床下。徽宗带来一只鲜橙，说是江南刚刚进献来的，然后二人分享，吹笙调笑，好不温馨。周邦彦听了大受刺激，于床下赋《少年游》词一首，曰："并刀如水，吴盐胜雪，纤手破新橙。锦幄初温，兽香不断，相对坐调笙。低声问，向谁行宿？城上已三更。马滑霜浓，不如休去，直是少人行。"

⊙奇特的酒令

欧阳修在扬州任知州时，曾在蜀冈之上建造了一座平山堂，非常雄壮气派，数百里外的真州、润州、金陵都隐约可见。到了暑季，每天早上，欧阳修都会和朋友一起到那里游玩，然后饮酒行酒令。行酒令的方法很奇特，他派人从邵伯（地名，今属江都）弄来一千朵荷花，插在一百个盆里，让随行的妓女取出其中一支，递给众人轮流摘叶子，最后没叶子可摘的那位便要喝酒，如此往往一喝就到了后半夜，最后载月戴兴而归。

⊙半幅画

赵佶（宋徽宗）还没当皇帝时，与驸马都尉王诜（英宗之女昭庆公主的女婿）交好，二人经常一起光顾京城内有名的妓馆——撷芳楼。王诜藏有名画《蜀葵图》，只有半幅，每次在赵佶面前提起，都不掩遗憾之情。赵佶也酷爱书画，于是暗记于心，派人四处寻访，终于找到另外半幅。之后赵佶向王诜要那半幅画，王诜以为赵佶要收藏，便给了他，谁知赵佶将裱好的一幅完整的画送给了他，令王诜大为感动。

⊙吊柳会

柳永排行老七，人称柳七，在花街柳巷中如鱼得水，当时妓女中有言："不愿君王召，愿得柳七叫；不愿千黄金，愿得柳七心；不愿神仙见，愿识柳七面。"足见柳永之魅力。柳永死后，有上千妓女陆续到他墓地悼念，成为轰动一时的新闻。此后每年清明，都会有一些妓女带着酒去柳永墓前祭奠，时人谓之"吊柳会"，也称"上风流冢"。后人有诗写道："乐游原上妓如云，尽上风流柳七坟。可笑纷纷缙绅辈，怜才不及众红裙。"

⊙东坡肉

苏轼被贬黄州时，写过一首名为《猪肉颂》的打油诗，诗曰："黄州好猪肉，价钱等粪土。富者不肯吃，贫者不解煮。慢著火，少著水，火候足时它自美。每日起来打一碗，饱得自家君莫管。"其中"慢著火，少著水，火候足时它自美"，说的便是"东坡肉"的烹饪方法。

第四章

人在囧途

⊙到此为止

王安石被贬后，一次与苏轼论及朝廷的是非。事后，王安石再三叮嘱苏轼："今天这些话出自老夫之口，入于子瞻（苏轼字）之耳，千万不要对他人提起。"

⊙万点灯火

金兵来袭，赵构逃到海上。就在君臣将士们异常烦闷之时，突然发现远处有两艘海船乘风破浪，直冲逃难船队驶来，经拦截盘问，始知是贩橘子的商船。赵构下令将橘子悉数买下，分给众将士们吃。其时正值正月十五，当天夜里，风息浪静，水波不兴，赵构让将士们把火油灌到橘子皮里，点燃后放到海上，一时"数万点火珠，荧荧出没沧溟间"，甚是壮观。当地民众奔走相告，大饱眼福。

⊙艺高人胆大

张咏未中举时，有次路过汤阴县，与县令畅谈，很投脾气，临别时县令送给他一万文钱做盘缠。有人劝他，说前面有段路非常荒凉，且地势险峻，时有强盗出没，带这么多钱最好与其他客商结伴同行。张咏不听，背起短剑上路，并夜宿于路边一家客栈。此客栈本是黑店，店主见张咏盘缠很重，对他两个儿子说："今晚有大生意了！"张咏无意中听到此话，便顺手折了许多柳枝放在房中，店主问他做什么，张咏回答："明天要早点赶路，点了当火把用。"半夜，当店主的两个儿子摸进张咏屋中时，被早有准备的张咏一剑一个都给解决了，随后又杀了店主，用柳枝做了火把，连夜走了。

⊙患难见真情

宰相卢多逊兴旺时，门客士人众多，其中种放和苏易简二人最受器重。等卢多逊失势，被流放崖州时，众宾客全作鸟兽散，只有种放和苏易简二人徒步送他去崖州，之后又步行回来。

⊙情谊

韩亿和李若谷二人未考取功名时，家里都很贫穷，二人一同赴京赶考，共用一毡一席。后来李若谷先中第，授职许州长社县主簿，韩亿送他上任，给他背着行李箱子，快到长社时，李若谷对韩亿说："恐怕县吏会来接我，你还是先回去吧，我这箱子里只剩六百钱了，分你一半吧。"之后二人洒泪而别。后来韩亿也考中了，两家世代连姻，友情一直得以延续。

⊙精神寄托

范纯仁谪居永州时，心情郁闷，每天闭门不出，人们极少能见他一面。如有朋友苦苦哀求，非要见他，范纯仁也勉为其难，但不和他多交谈，只说些嘘寒问暖的客套话，随后便让小书童整理好榻铺，放上枕头，请朋友一起到榻上相对而卧。不一会儿，范纯仁鼻息如雷，朋友不方便起身，便也睡去。范纯仁曾给远方的朋友写信说："这里的羊面和北方的没什么差异，我每天闭门在家吃，就忘了身在远方了。"每月的初一、十五，范纯仁都要在堂屋陈列出家中所藏的四朝皇帝御赐的墨宝和器具，率领子孙膜拜，然后长幼相拜，喝茶而退，月月如此，一直到他被重新召回京城。

⊙人生会有相逢处

贾似道当国时，颁行公田、关子二法，百姓甚苦。钱唐人叶李上书力诋，贾似道很生气，将其下狱。狱吏审问，劝叶李说："你只要做一个麻糊（不清楚、不认真，现在多写作马虎）就可以了，何必这么较真！"叶李当即口占一诗作答，云："如今便是一麻糊，也是人间大丈夫。笔里无时那解有，命中有处未应无。百千万世传名节，二十三年非故吾。寄语长安朱紫客，尽心好上帝王书。"最后叶李被流放岭南。后来贾似道被贬漳州，正赶上叶李大赦而还，二人偶遇路上，叶李很是感慨，遂写诗相赠："君来路，吾归路。来来去去何时住？公田关子竟何如，国事当时谁与误？雷司户，崔司户，人生会有相逢处。客中邂逅乏蒸羊，聊赠一篇长短句。"

⊙目断天南无雁飞

在五国城流放期间，徽宗写了首《在北题壁》的诗，流传甚广，诗曰："彻夜西风撼破扉，萧条孤馆一灯微。家山回首三千里，目断山南无雁飞。"

⊙饿坏了

高宗赵构称帝后，金兵大举南下，很快突破长江防线，直扑临安。赵构无路可退，只得入海暂避，在温州沿海漂泊了四个月之久。由于衣食物资无法正常供给，将士们全都饥饿难耐，有天高宗也饿得受不了了，便冒险下令停船靠岸，亲自步行前往一家寺院索食。僧人来不及准备，只好先以五个炊饼进献，赵构竟一口气吃了三个半，显然是饿坏了。

⊙冤家路窄

卢多逊发配到崖州时，有次路过一小店休息，见店中老妪举止和淑，还了解许多京城之事，感觉不一般，便主动上前搭话，老妪说："我家本在汴京，世代为官，我有个儿子在任州官，因为卢丞相结党营私，我儿子上书反对，反被他诬陷，流放到了这南方荒凉之地，有一年了。现在我的家人全都死光了，就剩我这把老骨头，也就来到了这里。听说那卢丞相欺上罔下，倚势害人，也被发配到南方来了，我如果能在死前见到他，也就心满意足，了无遗憾了。"说着便痛哭流涕，嚎啕不已。卢多逊尴尬异常，顾不上吃饭歇息，赶忙催着上路。

⊙好一江水

侍中曹利用最初被贬随州，后又贬房州（今湖北房县），走到襄阳时，内臣杨怀敏指着江水对曹利用说："侍中好一江水。"意思是让他投江自杀。曹充耳不闻，杨再三言之，曹始终不予理会。

躺着也中枪

第五章

⊙代笔门事件

张咏任御史中丞时，听到宰相张齐贤管参知政事（副宰相）温仲舒叫乡弟，说话鄙陋，有失体统，便在真宗面前参了他一本，张齐贤由此怀恨在心。后来张齐贤终于抓到张咏的把柄，也参了他一本，对真宗说："张咏这人其实没什么文采，凡他所写的奏章，都是他的亲家王禹偁代笔的。"张咏急忙向真宗辩解："臣潜心做学问，这个大家都知道。说臣找人代笔，不但诬陷臣，而且还掩盖了皇上的圣明。"真宗说："爱卿有多少著述，拿来看看。"张咏将自己的大作呈进，真宗在龙图阁阅览，还没看完，便大加赞赏，赐坐说："今天天气很热。"然后让太监拿自己的红绡金龙扇给他扇。张咏告辞时，将扇子放回几案，真宗说："朕今天看到好文章高兴，扇子就赏你吧。"

⊙三同如今百不同

章惇与晁端彦同年生人，同榜及第，又同在崇文院任职，彼此常以"三同"相呼，章惇还曾作诗说："寄语三同晁秘监。"可见二人之亲密。绍圣初年，章惇升任宰相，再见晁端彦，便不像先前那般亲了，其行为做派也日见乖张。晁端彦出言相劝，章惇竟然翻脸，找个理由将他贬谪到了外地。临行时，晁端彦对亲朋不无感慨地说："三同如今百不同矣。"

⊙红网兜

侍中曹利用极受真宗器重，一天真宗约近臣参加钓鱼宴，曹利用和翰林学士彭乘也在其中。按宫中规矩，钓鱼要按顺序来，皇上没钓到鱼时，臣属们即便钓到了，也不能起杆，所以真宗自然钓到第一条鱼，左右侍从赶忙将鱼装在一个红丝网兜里，众臣起身纷纷道贺。这时彭乘也钓到一条，想起杆，侍从制止道："宰相、侍中没有钓到鱼时，学士也不能起杆。"彭乘只好等待。一会儿，宰相钓到一条，侍从用白网兜装了，等曹利用钓到时，却又改为红网兜装，曹利用也不制止。回来后彭乘逢人便说："曹公权位如此，很难长久。"不久，曹利用果然被贬。

⊙煮粥上失手

张齐贤被罢相后，曾出知青州六年，为政一方，深得百姓爱戴。后来有人诽谤他居官傲慢，朝廷又将他召回京中。为此张齐贤不无感慨地说："以前做宰相，还好没犯过什么大的过错。现在负责一郡，却招致这么多的非议。真是监管御厨三十年，临老反在煮粥上失了手。"众人听了，无不叹惜。

⊙都是酒惹的祸

寇准喜欢喝大酒，一次设宴，枢密副使曹利用喝酒不积极，寇准不高兴，责怪他说："我劝太尉喝酒，太尉为何不喝？"曹勉强举杯，但也只沾了沾嘴唇。寇准大怒，说："你不过是一个匹夫罢了，竟敢这样糊弄于我！"曹利用也急了，起身厉声喝道："皇上命我在枢府任职，你却称我为匹夫。明天咱们皇上那儿见，好好说道说道。"说完拂袖而去，二人也由此生隙。

⊙捧杀

真宗赵恒想立刘氏为后，参知政事（副宰相）赵安仁认为刘氏出身寒微，不能母仪天下，力荐出身相门的沈德妃。真宗心里虽然不高兴，可赵安仁说得句句在理，想治他的罪，一时也挑不出毛病。改天，真宗与王钦若论及当今大臣谁最有本事，王钦若想排挤赵安仁，趁机说："当推赵安仁。其先前被故相沈义伦所器重，至今不忘旧德，常有报恩之心。"真宗默然不语，第二天赵安仁便被罢了官。

⊙大人物对话

熙宁二年，富弼因反对王安石新法主张，被神宗贬去汝州任职，路过南京时，顺道拜访了江宁知府张方平。张府的下人们很好奇，纷纷议论说："二公都是名满天下的大人物，不知他们之间会谈些什么？"便躲在屏风后面偷听。但听富弼慢条斯理地说："人心真的很难理解啊。"张方平说："你说的是王安石吗？他岂只是难理解啊。仁宗皇祐年间，我任主考官，有人推荐王安石给我当副手，说他很有文学造诣，我便应从了。没想到王安石来了之后，考院中的大小事，他都想变更。我讨厌他的做派，便辞退了他，从此再也没和他说过话。"富弼听完低头，脸现愧色。

⊙两面三刀

王钦若做宰相时，为人阴险，善玩权术。翰林学士李宗谔有才气，宰相王旦想推荐他做参政（副宰相），便和王钦若商量，王钦若表面同意，还说了李宗谔不少好话，私下里却向真宗打小报告，说："李宗谔欠王旦三千贯钱，王旦引荐他，是想要回自己的钱。"王钦若之所以这样说，是因为按当时的惯例，参知政事被任命谢恩时，皇上会例行赏赐三千贯钱。后来王旦推荐李宗谔，真宗果然一脸的不高兴，也没批准。

⊙低调宰相

杜衍被罢相后，便不再穿官服，只着便装。有天去河南府做客，杜衍主动坐在末席，当时府尹不在，侍奉的小吏不认识他，见他也不向众人揖礼，便没好气地问道："你原先是干嘛的？"杜衍望了小吏一眼，这才慢吞吞地回答："同中书门下平章事（宰相）。"

⊙携酒哭青春

晏殊欣赏翰林宋子京的文采，常与其高谈阔论，饮酒赋诗。晏殊被罢相时，文书是宋子京起草的，宋不念旧情，挥毫疾书，罗列罪名，毫不手软，晏殊慨叹士风日下，却也无可奈何。一天，晏殊听到一个故事，说有个叫刘苏哥的营妓，与一个下级军官相好，但其母却反对他们的婚事，后来该军官突然暴毙，刘苏哥在坟前祭奠痛哭，最后也气绝而亡。晏殊联想到宋子京对自己前后的差别，很是感慨，遂写诗吊念刘苏哥道："苏哥风味逼天真，恐是文君向上人。何日九原芳草绿？大家携酒哭青春。"

⊙被人当枪使

范仲淹作《百官升迁次序图》，批评宰相吕夷简用人不当，为吕夷简所忌恨，后来便转任陕西经略安抚使，负责防御西夏事宜。参知政事（副宰相）宋庠也对范仲淹有意见，范仲淹写了篇《答元昊书》，报到中书录本呈奏，吕夷简见了，自言自语道："哪有边将与叛臣通书的？"又说："不知他要说些什么？"实则故意说给宋庠听，想让宋庠弹劾范仲淹，拿他当枪使。第二天上朝，宋庠果然拿这个说事，结结实实地参了范仲淹一本，说范仲淹与西夏元昊阴谋通敌。仁宗沉吟良久，说："范仲淹不至于这样。"吕夷简见仁宗不听，这才慢条斯理地出来解围，说："范仲淹擅写答书不能说没错，然而就此说他有私心，也不对。"宋庠沮丧，不久便被外调到扬州去了。过了两年，范仲淹出任参知政事，宋庠给他写了封长信谢罪，说被小人蒙蔽了。再后来宋庠官拜宰相，极力举荐范仲淹的次子范纯仁到崇文馆任职，然范纯仁因为父亲的缘故，坚辞不就。

⊙早晚的报复

富弼为宰相时，神宗曾在众臣面前夸赞河南太守李中师，说他治理一方，成效甚大，想重用他。富弼知道这是有宦官在神宗那儿吹了风，因为李中师一向喜欢巴结贿赂那些宦官，便故意问道："陛下是从哪里知道的？"神宗一时语塞，此事就此搁置。李中师恼恨富弼阻挠自己升迁，等富弼退休回到老家洛阳后，便命人将其家中户口登记造册，让他和那些富户一样，缴纳免役钱。

⊙青沙烂

狄青做枢密使后，自恃有功，日渐傲慢轻浮，每次给士兵们发衣粮，都说："这是狄家爷爷所赐。"宰相文彦博听说后，建议外调狄青去陈州任节度使，仁宗应允。狄青想不通，便对仁宗发牢骚，说："无功而受两镇节麾，无罪而出典外藩。"仁宗将这两句话转告文彦博，并说："狄青是忠臣。"文彦博反问道："太祖（赵匡胤）难道不是周世宗的忠臣吗。"仁宗默然。狄青不知文彦博在搞鬼，向其探寻原因，文彦博说："没什么，朝廷怀疑你了。"狄青惊怖，倒吸了一口凉气。赴陈州前，狄青向亲朋好友辞行，说："狄青此行一定会死的。"人们问何故，狄青说："陈州出产一种梨子，叫'青沙烂'，我这次去陈州，也一定会烂死在那里。"到陈州上任后，仁宗每月都派使臣去慰问，而狄青一听说有使臣到来，便怀疑是朝廷前来监督他，或要治他罪的，因而惶惶不可终日，不到半年便生病死了。

⊙小人得罪不起

宦官阎守忠恃宠而骄，目中无人。范纯礼任尚书右丞时。一天正在府院办公，阎守忠过来传皇帝手谕，指手画脚，十分乖张，众人均不敢作答，一个劲儿地冲着阎守忠拱手作揖，唯有范纯礼勃然作色，说："你一个老奴怎地如此没大没小？"阎守忠没想到有人敢顶撞他，惊愕之下应声说道："守忠不敢。"在场诸人无不为范纯礼捏一把汗，私下议论说："范公在这里一定呆不长了。"不久宫内果然传出圣旨，说范纯礼说话冒犯了圣御，外调他去颍昌府任职。

⊙害怕富弼

英宗赵曙刚登基时，韩琦为宰相，曾公亮为次相，赵康靖和欧阳修为参相。凡有关政令方面的问题，韩琦都要把几个人叫到一起商量：如是典章制度上的事，就问赵康靖；如涉及文学，则问欧阳修；而一些重大问题的决策，则往往自己拍板。人们都说他处事得体，很信服他。不过当时的枢密使富弼却不买他的账，有次韩琦打算提拔几位官员，上书说："这些人策立有功，应当予以重用。"富弼反驳道："先帝将皇位传给陛下，和这些人有什么关系呢？"弄得韩琦尴尬万分。后来韩琦督帅长安，曾向范纯仁提及此事，范纯仁感叹道："韩公这是害怕富弼啊。"

⊙爱莫助之图

神宗朝，因为王安石变法，朝中分为两派，争论不休。到了徽宗时，韩忠彦任宰相，废除了新法，这种争斗才稍稍减弱，人们也都松了口气。当时有个叫邓绾的成都人，熙宁初年在甯州任职，曾上书支持王安石，说青苗法不错，王安石很高兴，便举荐他做了中丞官。蜀地人骂他奴颜婢膝，邓绾不以为然，说"唾骂从汝，好官须我为之"。徽宗时，邓绾的儿子邓洵武任徽宗的起居郎，乘机上言恢复旧法，徽宗为之犹豫不决。有人给邓洵武献策，说："新法是神宗施行的，韩琦曾经百般阻挠，现在韩忠彦废除新法，这是继承他父亲的遗志。韩忠彦尚且不忘其父，陛下是天子，怎么能忘了父亲和兄长（指徽宗的父亲宋神宗和哥哥宋哲宗）呢？"邓洵武闻听，态度更加坚决起来。此后徽宗崇宁改元，转而支持熙宁新法，便是邓洵武起了作用。当时邓洵武给徽宗进献了一张"爱莫助之图"，将丰祐党人一分为二，支持改革的在左边，只有温益等一两个人，不支持改革的在右边，举朝几乎无一遗露。在左边，用纸盖着一个人的名字，就是蔡京，意思是只有启用蔡京才能解决这个问题，如此便有了蔡京专权擅国二十年的事实。

⊙做点事真难

英宗即位之初，因悲伤而生病，慈圣太后垂帘视事。时间久了，韩琦觉得皇上的病好得差不多了，便想让太后归政。当时正值京师一带大旱，韩琦请求英宗祷雨，京城百姓争相围睹，山呼万岁，韩琦趁机上奏，要求太后归政英宗，太后虽然嘴上答应，也下了诏书，但态度并不十分坚决，此后依然垂帘。一天早朝前，韩琦突然从袖子里拿出诏书，说："皇太后圣德光大，顷许复辟。现在诏书在这里，请予以施行。"太后还没来得及作答，韩琦便对一旁的太监说："撤帘。"太后无法，悻悻回了寝宫。当时富弼刚进枢密院，正准备向太后奏事，却见帘子已经卷起来，只有英宗一人在殿上，知道是韩琦的主意，很愤怒，韩琦私下解释说："不是故意不和你商量，是考虑到如果意见不统一，那么皇上的归政问题就遥遥无期了。"

⊙没想到

中书舍人晁说之，曾著书抨击孟子。建炎年间，宰相李纲上表，打算提拔重用他，没想到高宗气不打一处来，厉声说："孟子主张王道，这个晁说之算什么，敢非难孟子。"降旨让他退休回家了。

⊙不流于俗

王安石任参知政事（副宰相）时，与刘攽交好。有次刘攽到访，王安石正在吃饭，便请他先到书房喝茶。刘攽见桌上砚台下压着一份草稿，便取出来看，是王安石写的兵法之道。刘攽记忆力超人，过目不忘，看完又放回原处，然后去外面随便溜达。王安石吃好饭，又将其请入书房喝茶，二人寒暄一阵，王安石问："贡父（刘攽字）最近写些什么文章？"刘攽说："近日写了一篇《兵论》，还只是草稿。"王安石来了兴趣，问他大概什么内容，刘攽于是将王安石的稿子倒背如流。王不知刘已看了自己的书稿，又从不愿流于俗套，沉默一会儿，便从砚台下取出稿子撕了。

⊙ 连带责任

宋太祖赵匡胤规定：各级官员推荐的干部，如在任上贪赃枉法，则"举主坐之"，就是推荐人也要受到连带责任。宋太宗赵光义也规定："被举荐的人如果为官清白，要表彰举荐之人；如贪赃枉法或是无所作为，则举荐人也要受到处罚。"

⊙ 谁忠心

赵匡胤削夺禁军将领的兵权后，想让天雄军节度使符彦卿统领禁军。符彦卿是周世宗及皇弟赵光义的岳父，颇得太祖礼遇，但赵普却以符彦卿名位已盛，不可再委兵柄为由劝止。太祖不听，说自己待符彦卿不错，他一定会忠心耿耿的。赵普反问道："那陛下为何要负周世宗呢？"太祖默然无语，此事就此作罢。

⊙ 朝夕鸟

王安石被第二次罢相后，神宗改年号为"元丰"，开始亲自主持变法。元丰二年（1079 年），四月，苏轼调任湖州，按惯例向神宗上表致谢，中有"知其生不逢时，难以追陪新进；查其老不生事，或可牧养小民"一句，有发牢骚的味道。支持变法一方逮住这个机会，弹劾苏轼讥讽朝廷，妄自尊大，请求对其严办。御史李定、何正臣、舒亶等人，又从苏轼其他诗文中断章取义，罗织罪名，最后苏轼被免职下狱，交御史台审讯。与苏轼关系密切的亲友，如苏辙、司马光、张方平、欧阳修、文同等二十多人也受到牵连，这便是史上有名的"乌台诗案"["乌台"是御史台的别称，据《汉书·朱博传》记载，御史府（台）中种有许多柏树，常有数千只乌鸦栖息在树上，晨去暮来，号为"朝夕乌"，因此后人将御史台称为"乌台"]。

⊙梦断车盖亭

元祐元年，蔡确被罢免相位，调任陈州知州，第二年又转任安州。在安州游车盖亭时，蔡确写下了《夏日游车盖亭》十首绝句，被吴处厚获知。吴处厚曾在蔡确手下为官，因未获提拔而对其怨恨。吴处厚将蔡确的诗上呈朝廷，说诗中"矫矫名臣郝甑山，忠言直节上元间"二句（郝甑山是唐高宗时的忠直之士，唐高宗曾想让位给皇后武则天，郝甑山上奏反对），是在谤讪朝廷，将高太后比做武则天，高太后怒不可遏，将蔡确贬去岭南的新州。吕大防以蔡确母亲年老，岭南路远为由，要求高太后高抬贵手，给蔡确换个地方，高太后坚定地说："山可移，此州不可移。"范纯仁听说后，对吕大防感慨道："岭南之路长满荆棘七八十年矣，今日重开，日后我们难免有此下场。"

⊙去昭州试试

宰相章惇贬逐旧党人物时，喜欢拆字决定被贬的地点。比如苏轼字子瞻，"瞻"字与"儋"字偏旁相同，所以将他贬去儋州；苏辙字子由，"雷"字下有"田"字，所以贬到雷州；刘挚贬新州，因为"新"字音近似刘挚字莘老之"莘"；黄庭坚贬宜州，因为"宜"字似其字鲁直之"直"字。刘安世遭贬逐时，因有人说刘安世曾算过命，而且命运极好，章惇顺手在昭州上一指，说："刘某既命好，那就让他去昭州试试吧。"

⊙赌徒的孤注

澶渊之役，宋真宗让寇准硬逼着上了前线，澶渊之盟后，真宗可算出了一口长气，自此对寇准更加敬重。当时主张迁都避让的王钦若心里很不是滋味，问真宗："陛下敬重寇准，是不是觉得他对社稷有功呢？"真宗回答说："是。"王钦若又问："澶渊之役，陛下不觉得耻辱，反说寇准有功，这是为什么？"真宗不明所以，王钦若接着说："城下之盟，《春秋》上认为是可耻的事，澶渊之役，皇上以万乘之尊，亲临一线督战，最后却签订了城下之盟，还有什么事比这个更可耻的呢？"见真宗有所动，王钦若又说："陛下听说过赌博吧？赌棍在钱快输光时，会把所有的钱全都押上，称为孤注。陛下就是寇准的孤注，当时实在是太危险了。"不久，寇准便被罢了相。

⊙送信

丁谓被判流放时，朝官们为避嫌疑，都不敢为他求情，也不敢与他通信。丁谓无法和仁宗取得联系，便心生一计，给当时的执政写了封信，因为他料定执政不敢私拆而一定会献给皇上的。执政见是丁谓的信，果然直接呈送给了仁宗，仁宗看完，才知是丁谓为自己开脱的奏表。言辞恳切，读来令人同情。仁宗心生恻隐，遂将其改流内地。原来，丁谓苦于无法和皇上通信，写给执政，料到执政会有此举。

⊙纠结的鸡汁

宋孝宗为高宗守丧，百天后依然吃素，以至于身体虚弱得厉害。吴夫人于心不忍，便偷偷交代送饭的太监，将鸡汁浇在素菜里让孝宗吃，结果被孝宗发觉。太监很害怕，把吴夫人供了出来，孝宗很生气，要治吴夫人的罪。皇太后听说后，过来极力劝解，但吴夫人最后还是被逐出了宫外。

正能量

第六章

⊙以德报怨

郭进任西山巡检时，有人告密说他私通河东的刘继元，意图谋反。赵匡胤不信，怒斥来人陷害忠良，并将其绑了，交由郭进处置。郭进对那人说："你如果能替我夺取刘继元的一座城池，我不仅免你一死，还会为你谋个官当当。"一年后，此人果然用计诱使一城来降，郭进于是奏报赵匡胤，为其请官。赵匡胤说："他诬害朕的忠良，现在不过刚刚将功赎罪，怎么还能赏他呢！"郭进劝道："假如臣说了不算，以后很难服众的。"赵匡胤勉为其难，便给了那人一个小官做。

⊙好好读书

王旦的侄子王睦，读书很辛苦，便写信要求做宰相的叔叔推举他做进士，王旦严词拒绝道："你的功利心太强了，这很不好，若再用不正当的手段同那些贫寒的读书人争功名，就更不应该了。好好读你的书，别再想这些歪门邪道的事了。"

⊙何必讳言

仁宗退朝后，常让侍臣在迩英阁给他讲读诗书。侍中贾昌朝讲《春秋左氏传》时，每次讲到诸侯淫乱的事，便省略不提，仁宗颇不以为然，说："《六经》（《春秋》为六经之一）上之所以记载这些事情，就是为了让后来的帝王们引以为戒，你又何必忌讳呢？"

⊙人生何处不相逢

丁谓与冯拯同在中书省,寇准被贬崖州时,丁谓为执笔,对冯拯说:"你觉得再比崖州远一点如何?"见冯拯不表态,丁谓感到不好意思,便将崖州改为雷州,寇准被贬去任雷州的司户。后来丁谓也被贬崖州,有好事者调侃说:"若见雷州寇司户,人生何处不相逢?"寇准得知丁谓要来,备好蒸羊等酒食在边境上迎接他,还把僮仆们留在家里,以免说出什么不得体的话,让丁谓感到尴尬,大家都认为寇准做得很周到。

⊙臣子也可称龙

宰相王珪有天神色凝重地对神宗说:"苏轼对陛下确有不忠之心。"神宗很吃惊,问:"此话怎讲?"王珪拿出苏轼写的一首名为《王复秀才所居双桧》的诗给他看,指着其中的两句"根到九泉无曲处,世间惟有蛰龙知",说:"陛下飞龙在天,而苏轼却要求知于地下的蛰龙,这难道不是不忠吗?"神宗听后不以为然,说:"诗人的话怎么能这样理解呢?他不过是在描写桧树而已,不关朕的事。"一旁的翰林学士章惇也解释说:"龙并不惟独指国君,做臣子的也可以自称为龙。"神宗点点头,说:"自古自称龙的人很多,如诸葛孔明自称卧龙,他也并不是国君。"王珪这才不吭声了。

⊙独旺不如众旺

范仲淹在苏州时,曾买过一块宅基地,有个风水先生看了连声叫好,说:"这个地方风水好,会世代出卿相的。"范仲淹说:"独旺不如众旺,如果真是这样的话,我不能只让它兴旺我们一家。"便将这块宅基地捐出来建了苏州府学。

⊙寇准穿龙袍

寇准罢相后出任陕州(今河南陕县)知府,有一次过生日,寇准大摆筵席，广邀宾客，并穿着一件黄色绣龙的新衣服忙前忙后。消息传到京城，真宗把宰相王旦叫来，问他："寇准穿黄龙袍，这是要造反吗？"王旦听后大惊，当即表示说："此事交与臣来处理吧。"退下后，王旦急忙写信斥责寇准，让他做事收敛些，之后王旦又极力为寇准掩饰，此事才不了了之。

⊙一颗红心

范仲淹任秘阁校理（秘阁是宋朝皇家藏书楼之一，校理为负责藏书的整理和校勘的官）时，见刘太后独揽大权，把仁宗当成傀儡，便直言上谏，奏请太后还政。有人劝他不要这样，他说："我的官职很小，俸禄不算多，但每年也有三百贯铜钱，相当于两千亩地一年的收成。如果我坐食禄米，不去为国为民立功，那和专门糟蹋粮食的蝗虫又有什么区别？人们都说犯颜直谏会给自己惹祸，不是明哲保身之计，其实说这种话的人才是最没眼光的，他们不知道，只有朝廷内外的官员们都敢于直言，君主才不会犯错误，百姓才不会有怨言。而只有政治上清明了，天下才能太平无事。这不正是远离祸乱、保全自身的根本之计吗？"之后他依旧坚持上谏。不久，范仲淹便被刘太后贬去河中府（今山西永济县蒲州镇）任职了。

⊙珍贵的琉璃盏

司马光退休在家时，有天请洛阳府尹来家吃饭，家里的一只非常珍贵的琉璃盏被一位官奴不小心打碎了。洛阳府尹大怒，下令将官奴逮捕，听候司马光发落。司马光只淡淡一笑，说："玉爵弗挥，典礼虽闻于往记；彩云易散，过差宜恕于斯人。"挥手将官奴放了。

⊙若无其事

范纯仁曾寓居在永州的东山寺，当时他的孙子还小，一天玩耍时冒犯了寺僧，寺僧大怒，对其叱骂不已，言辞犀利，对范纯仁他老人家也多有冒犯。家人听到后，第一时间将此事汇报给范纯仁，没想到范纯仁既未发怒，也未表态。第二天，寺僧觉得自己做得有些过分，心生愧疚，便去范纯仁那里道歉，范纯仁反对他好生安慰了一番。此后范纯仁对该僧依旧以礼相待，就像什么事都没发生一样。

⊙苏贤良

苏轼在凤翔府任判官时，知府是陈公弼，对其很不以为然。在制举考试中，苏轼以"贤良方正能直言极谏科"被皇帝钦点为最上等，此后人们便尊其为"苏贤良"。有一天正赶上陈公弼心情不好，突听得有人这样称呼苏轼，便没好气地说："一个小小的判官，有什么贤良的？"二话不说将那人打了一顿板子，弄得苏轼极其难堪。

后来陈公弼建了一座"凌虚台"，让苏轼写记文。苏轼挥笔写道："……欲以夸世而自足，则过矣。盖世有足恃者，而不在乎台之存亡也。"趁机对陈公弼大肆讽刺挖苦了一番。陈公弼见了笑着说："我对苏洵就像对自己的儿子一样，那苏轼就如同我的孙子，我平时之所以对他分外严格，也不给他好脸色，是因为看他年纪轻轻就声名在外，担心他骄傲自满，故意挫挫他的锐气，没想到他对我满肚子的不高兴啊！"于是命人将该篇记文一字不易地刻在石碑上，立于凌虚台旁。

⊙文人不相轻

欧阳修奉命主持修撰《唐书》（指《新唐书》），最后完成了本纪和志两部分，列传部分则是由尚书宋祁完成的。因一本书出自两人之手，体例和文风不能统一，朝廷便又让欧阳修对列传部分进行增删润色，使其成为一体。欧阳修领命，却叹气说："宋公是我的前辈，并且人和人的看法见识本来就不一样，怎么能强求统一呢！"遂对列传部分一字不易。书成后，有人建议说："按照惯例，史书如有多人修撰，撰者只写官职高的那个，你的官职比宋祁高，就写你吧。"欧阳修说："宋公对于列传部分的写作功力深厚，而且耗费了很多时间和精力，我怎么可以埋没他的功劳呢？"最后该书本纪、志部分写欧阳修的名字，列传部分则写宋祁的名字。宋祁听说后很高兴，说："自古以来，文人都是不相谦让却喜欢相互凌辱，像欧阳公如此做法，过去还没听说过。"

⊙寇准服气

大中祥符七年（1014 年）六月，在王旦的力荐下，寇准被重新起用，任枢密使。王旦当时掌管中书，而中书送到枢密院的公文，寇准却总是挑错，然后奏报给真宗。有人便对寇准建议，说："中书和枢密院公文往来频繁，以前双方有错误，都是互相知告一声，没有直接上报皇帝的。"寇准对此置之不理。真宗责怪王旦，说你们中书省做事为何总是出错？此后中书对枢密院报来的公文，也开始千方百计挑错，然而王旦看后，却只让人将公文返回枢密院修改，并不汇报给皇上。寇准听说后非常惭愧，感叹道："王同年（王旦）大度如此耶！"

寇准被罢枢密使时，托人求王旦为自己寻个使相当当。王旦很惊讶，说："这种事怎么能自己提要求呢？"便拒绝了。寇准对其怀恨在心。后来真宗问王旦，该给寇准安排个什么差事，王旦说："寇准的才能和威信都很高，可以担任使相一职。"任命下达后，寇准对真宗感激涕零，说："如果不是陛下了解微臣，绝不会这么安排的！"真宗说这是王旦推荐的你，寇准再次愧叹道："王同年的器识，真不是我所能揣测得到的啊。"王旦病重之际，真宗让他推荐接班人选，王旦说："知臣莫若君。"真宗于是一一点名询问，王旦始终不说话。真宗无法，坚持让王旦表态，王旦这才说："在臣看来，只有寇准能当大任。"真宗说："寇准的性格偏执狭隘，不合适，你再想想别人。"王旦坚持说："其他人臣不了解。"

⊙仗义执言

王安石告老还乡后，一次与苏轼交谈，正酣畅间，苏轼突然变了一副严肃的面孔，说："穷兵黩武、大兴冤狱，这是汉唐盛世灭亡的先兆。自从太祖皇帝立朝以来，以仁厚治理天下，就是为了避免重蹈覆辙。如今朝廷连年与西夏交兵，且屡战屡败，而蔡确等人却在东南一带大兴冤狱，您为什么不挺身而出，仗义执言，解救这种危难的局面呢？"王安石竖起两根手指，无奈地说："这两件事情都是吕惠卿他们做的，我现在告老在家，哪里还敢多说话？"苏轼严肃地说："在其位则言其政，这是大臣侍奉皇上的常规礼仪。当今圣上以非常之礼待您，您又怎能以常规之礼对待圣上？"王安石说："子瞻（苏轼字）不必再说，我一定向皇上进言！"

⊙不抱怨

范纯仁被章惇流放时，已年近古稀。在路上，其夫人每遇不如意事，就大骂章惇说："受这小人冤枉诬陷，我才到了这般田地。"范纯仁听后总是一笑。一次船过橘洲时遇到大风，翻了，被救起后，范纯仁抖着湿漉漉的衣服对夫人开玩笑说："难道这次翻船也赖章惇吗？"

⊙心里没鬼

苏轼入狱后，某晚正昏昏欲睡，忽听得牢门打开，一人径直进来，将手中包袱一丢，倒头便睡。苏轼以为是新来的犯人，未加理睬，不一会儿便又鼾声大作。四更天时，那人将苏轼摇醒，连声说："恭喜学士，贺喜学士！"苏轼莫名其妙，问是怎么回事？那人微微一笑，说："您只管睡你的觉便是。"说完拎起包袱走了。此人实则是神宗派去观察苏轼的小太监，回去后向神宗汇报，说苏轼昨晚举止坦然，一夜熟睡，鼻息如雷。神宗高兴地对左右说："朕早就知道苏轼胸中无事，心里没鬼。"

⊙纵容盐贩子

张咏做杭州知州时，有年赶上饥荒，老百姓只得纷纷贩卖私盐度日，官府为此缉拿了数百人，而张咏却只简单教诲几句，便将他们全部无罪释放了。属下不解，说："这些私盐贩子如果不重罚的话，风气恐怕很难禁住。"张咏说："钱塘有十万家，十之八九吃不饱，如果再不贩盐求生，就会作乱为盗，酿成大患。等秋收过后，百姓家里有了余粮，再禁也不迟。"

⊙朱熹治足疾

朱熹有足疾，一江湖道人为其针灸，立感腿脚轻便不少。朱熹十分高兴，重金酬谢，并送诗一首："几载相扶籍瘦筇，一针还觉有奇功。出门放杖儿童笑，不是从前勃窣翁。"道人满意而去。不几天，朱熹足疾再次发作，且比之前更为厉害，急忙派人去追道人，那道人却早已没了踪影。朱熹叹息说："我不是想惩罚他，只不过想追回我那首诗，怕他拿着招摇撞骗，耽误了别人的病情。"

⊙回报乡亲

范仲淹退休时，积攒了三千匹绢，回到江苏老家后，全部散给了乡亲们。乡亲们和他客气，范仲淹说："你们都是从小看着我长大的，在家时，我得到你们的照顾，外出求学时，你们还为我送行，我没什么可以回报的。我能取得今天的成就，是因为祖宗积德，咱们都是家族的子孙，我怎么可以独享富贵呢？"范仲淹后来还花钱购买了几千亩地，为乡亲们建了一个义庄。

⊙鸡舌汤

吕蒙正未发达时，家境极贫，等富贵之后，喜欢上了喝鸡舌汤，而且每天早上都要喝。一天晚饭后，吕蒙正到后花园游赏，朦胧中看见墙角处有一堆凸起，以为是小山，问左右："这山是什么时候弄的？"回答说："这不是山，是杀鸡时褪下来的鸡毛。"吕蒙正很惊讶，说："我没吃多少鸡啊？哪来这么多鸡毛？"左右反问："一只鸡只有一个鸡舌，为相公做一次汤要用多少鸡舌呢？而相公喝鸡舌汤又喝了多久呢？"吕蒙正猛醒，自此再也不喝鸡舌汤了。

⊙烈马伤人

谏议大夫陈省华有匹烈马，总是踢咬伤人，一般人根本驾驭不了，其三子陈尧咨当时为翰林学士，便自作主张把它给卖了。一天陈省华去马厩，不见了烈马，便诘问马倌，马倌回话："陈翰林将马卖给一个商家了。"陈省华立刻命人找来陈尧咨，怒斥道："你是贵臣，尚且不能制服此马，那商人怎么能驯服它呢，你这是移祸于人。"让他又把那匹马赎了回来。

⊙坐怀不乱

自王均李顺起事后，凡是去蜀地任职的人，大多不会拖家带口，张咏上任益州知州时，便单骑赴任，潇洒得很。当时益州府上下忌惮张咏严厉，谁都不敢蓄养婢妾，张咏不想断绝人情，便率先招了一个婢妾来服侍他，此后其他属僚也开始蓄婢。张咏一共在蜀地待了四年，始终未与那个婢妾同床，张咏被召回京城时，把那个婢妾的父母叫来，给了他们一些钱，让他们选个好人家把女儿嫁出去。

⊙杖碎金鱼缸

陈尧咨从荆南回来后，母亲冯氏问他："你治政一方，有什么好的方法？"陈尧咨说："荆南地处交通要塞，十分繁华，儿每天无事，就和同僚们比试箭法，这些人没有不服的。"冯氏听了很生气，说："你的父亲教育你，让你尽心辅助国家，现在你却不务正业，把心思用在那些匹夫的伎俩上，你对得起列祖列宗吗？"边说边用拐杖捶地，一不小心，将旁边的金鱼缸也给打碎了。

⊙以德报怨

范纯仁在庆州任知州时，被军事总管种诂弹劾，朝廷于是派御史彻查，最后种诂被停职，范纯仁也遭到了罢免。后来范纯仁被重新启用为枢密副使，种诂仍在停职中，范纯仁不计前嫌，推荐他任永兴军路的兵马钤辖（官名），后来又进一步推荐他做了隰州的知州。人们问范纯仁为何要这样做，范纯仁总是说："我们父亲一辈曾是世交（指范纯仁的父亲范仲淹和种诂的父亲种世衡）。"并且还总是自我检讨，说："我肯定有什么地方做得不对，所以才被他弹劾的。"

⊙为何不都拿出来

王钦若每次奏事，都要在怀中揣好几个奏章，奏报时只拿出其中一两个，退朝后，却谎称这些奏章真宗全都批准了。有次王钦若和马知节一同奏事，将退下时，马知节看着王钦若，大声说："你怀里的奏折为何不都拿出来呢？"

⊙官是国家的

陈执中当宰相时，有次女婿向他谋求官职，陈执中正色道："官职是国家的，不是我家箱子里的东西，怎么可以随便给呢？"

⊙冬烘柿解暑

晏殊在陈州时，有天在后花园宴客，当地名士李宗易也被邀请。时值三伏天，酷热难当，晏殊无比向往地说："听说江南盛产一种冬烘柿，吃了可以解暑。"晏殊本是随口一说，未想李宗易接话道："这个很容易，请大人借给我四个食盒。"晏殊虽惊异，也没多问，便命人找来食盒给他，李宗易拿着食盒便出去了。不一会儿，李宗易回来，掸衣入座，打开食盒，里面装着满满四盒冬烘柿，上面还带有一层霜粉，好似隆冬时节刚熟的，然后分给在座的诸位品尝。晏殊后来对人说："这个人连这样的事都能做到，还有什么他不能做的？"从此便疏远了他。

⊙诱人的秘方

范仲淹曾和一个术士一同游历，后来术士卧病在床，感觉命不久矣，便把范仲淹找来，说："我摸索出一套将水银炼造成白金的方法，现在我要死了，我的孩子还小，不足以托付后事，我就把这个秘方交给你吧。"说完把封好的秘方和炼成的一斤白金硬塞到范仲淹怀里，停止了呼吸。十多年后，术士的儿子长大了，范仲淹将秘方和白金交与他时，信封依旧完好无损，从未打开过。

⊙一码归一码

天圣年间，因为茶法问题，曹利用大力指摘鲁宗道，二人由此生隙。曹利用被贬时，鲁宗道正卧病在床，女婿张昷之向他报喜，说："今天有个好消息。"鲁宗道看着女婿眉飞色舞的神态，肯定地说："一定是曹利用被罢黜了。"接着又问："已经宣旨了吗？"张昷之说："已经被押出大门了。"鲁宗道大惊，说："诸公误事了，曹利用有什么过错？其在枢密院恪尽职守，忠于朝廷，只是平时不爱做学问，脾气又偏强，不识好恶罢了，此外并无大的过错啊。"嗟惋良久，竟一时气塞。张昷之急忙召医生来诊视，医生说："这是遇到了不如意的事，动了真气，现在脉相已绝，没得救了。"

⊙争论与人品

庆历年间，韩琦以资政学士的身份出任扬州知州，当时王安石刚中第，被授予校书郎之职，与韩琦政见颇有不同。到了嘉祐末年，韩琦出任宰相，王安石任制诰（为皇帝起草诏令），与韩琦的争辩更加激烈。王安石任参知政事（副宰相）后，上书要求变法，遭到韩琦的强烈反对，二人唇剑舌枪，互不相让。不过王安石一向敬重韩琦的人品，每次评论近几年的宰相，都把韩琦放在一个很高的位置。韩琦死后，王安石为他写了两副挽联，一曰："心期自与众人殊，骨相知非浅丈夫。"二曰："幕府少年今白发，伤心无路送灵輀。"

⊙仗义疏财

曾公亮还未考取功名时，有次畅游京师，下榻在一间旅店，突听得邻屋传来女子哭泣声，便上前询问。原来，该女子的父亲借了一些官钱，被催得紧，只得将女儿卖给一个商人，得了四十贯钱，女儿马上要和父亲诀别了，所以抱头痛哭。曾公亮对其父说："商人流离辗转，居无定所，而且最是无情无义，你哪如将女儿卖给我呢？我至少还是个读书人。"其父说："我已和那商人签字画押，变不了。"曾公亮说："那就还他钱，把签字文书要回来，否则就告官。"曾公亮于是给了他四十贯钱，约好三天后在水门接他女儿，自己乘船先去办点别的事。其父回绝了商人，三天后带着女儿如期来到水门，却不见曾公亮的踪影，一打听，原来三天前早走了。

⊙一笑泯恩仇

赵概性情敦厚，沉默寡言，与欧阳修同在馆阁任职，欧阳修很瞧不起他。欧阳修升任制诰（为皇帝起草诏令）后，便以赵概没文采为由，将其贬为天章阁待制。后来欧阳修的外甥女与人淫乱，有人趁机弹劾，仁宗要治欧阳修的罪，群臣谁也不敢多说话，只有赵概上书为其开脱，说："欧阳修是因为文采出众才成为近臣的，陛下不能因为这种事就处罚他，我和欧阳修交往很少，他对我也不好，但我这是为了朝廷大计着想。"最后虽然仁宗没听，仍将欧阳修贬了官，但自此欧阳修却对赵概消除了芥蒂。赵概八十岁时，有次路过颍州，专门去拜访欧阳修，欧阳修当时也已退休多年，且有病在身，遂有感而发，写了一首诗，说："古来交道愧难终，此会今时岂易逢。出处三朝俱白首，凋零万木见青松。

公能不远来千里，我病犹堪醼一钟。已胜山阴空兴尽，且留归驾为从容。"
赵概走后，欧阳修专门斥资修建了一座"会老堂"，以示纪念。

⊙不唯上，只唯实

范仲淹向朝廷上万言书，抨击朝政得失，大言民间利弊，得到宰相王曾的赏识。次相晏殊想推荐一个人去崇文馆任职，王曾反对说："你不推荐范仲淹却推荐这个人，我替你否了，你推荐范仲淹吧。"晏殊便推荐了范仲淹。不久，礼部想拍章献太后的马屁，议定冬至这天让皇上率百官在朝堂上为其献寿，遭到范仲淹的反对。晏殊听说后很害怕，又自恃有推荐之功，便把范仲淹招来大骂，说他太猖狂了。范仲淹正色道："仲淹能得到明公的厚爱，自然很感激，可我所有的议论都出于公心，怎么就错了呢？"晏殊羞愧得无以言对。

⊙文如其人

江邻几与欧阳修的交情不深，因而在晚年的著述中，多有贬损欧阳修的话，梅尧臣将此事告知欧阳修，欧阳修也不多加询问。江邻几死后，欧阳修去凭吊，哭得很伤心，对江邻几的孩子们说："你们父亲的葬礼，我自当全力帮着操持。"后来欧阳修著书，对江邻几一句贬低的话都没有，人们不禁竖指称赞，说："欧阳修心胸包容，假如后世看到欧阳修的文章，一定觉得他和江邻几交情深厚，不会相信江邻几曾诋毁过他。"

⊙孤儿寡妇船

范仲淹任越州知州时，户部有个姓孙的越州人死在任上，留下妻子和两个年幼的孩子。范仲淹得知后，拿出一百贯俸银给她们，群僚也纷纷解囊，凑钱买了一条小船，并找来一个老吏送她们去京城。临行前，范仲淹写了一首诗，交代老吏说："过关卡时拿我的诗给他们看。"诗曰："一叶轻帆泛巨川，来时暖热去凉天，关津若要知名姓，此是孤儿寡妇船。"

⊙丢失的小黄牛

范纯仁治理河南时，很有政声。有次谢克家路经此地，在一家客栈歇息喂马，看见一个老翁在墙根底下悠闲地晒着太阳，一会儿店里的小厮跑来告诉老翁："你的小黄牛被人偷了。"老翁听了不为所动，依旧晒他的太阳，也不多问。小厮纳闷，以为老翁没听见，又说："你的小黄牛被人偷走了。"老翁这才慢悠悠地说："不用担心，一定是邻居故意开玩笑给藏起来了。"谢克家很惊异，问道："你家丢了小黄牛，为啥你一点也不着急啊？"老翁笑着说："这是范公（范纯仁）的地界，谁肯做盗贼呢？没有这个道理啊。"

⊙司马光的画像

司马光当政后，高调推翻王安石时期的法令，傅尧俞和苏轼提醒司马光，应该考虑一下后果。司马光闻听，起身拱手，大声说道："大宋若想长久，一定不能允许这样的事情存在。"傅苏二人无言以对，讪讪离去。司马光病重时，仍让人用小轿抬了，去找吕公著商量政事。司马光死时，屋内除了一张床，枕边一卷书，别无长物，京城百姓罢市吊唁，甚至卖了衣服买来祭品祭奠他，前去送丧的百姓数以万计。当时京城还有人画了司马光的像刻印出售，人们争相竞买，抢购一空。

⊙不带利刃

有天韩琦去孩子们的卧房，见枕边放着一把剑，便问："这剑是做什么用的？"诸子回答："防备晚上有贼人出现。"韩琦笑道："假如你们真把盗贼杀了，贼死在这里，你们又该怎么处理呢？况且此剑万一落到贼人手里，你们就有危险了。"接着又说："晋朝的王献之有天晚上睡觉，小偷进来偷东西，刚要把东西带走时，王献之说话了：'青毡是家传之物，可不可以留下呢？'小偷吓得落荒而逃。这个故事难道你们不记得了吗？前辈们常说：'晚上走夜路，身上千万不能带着利刃。'我们怎能想着去伤害别人呢？你们这样做只会惹人讨厌。"

⊙气节女

巴陵一地有个女子叫韩希孟，是韩琦的五世孙，嫁给贾尚书的儿子贾琼为妻，岳州城被元军攻破后，韩希孟也做了俘虏。当时她曾撕下衣衫写了首诗，告诉世人，她将为大宋守节，诗云："宋未有天下，坚正臣礼秉。开国百战功，每阵惟雄整。及侍周幼主，臣心常炯炯。帝曰卿北伐，山戎今有警。死狗莫击尾，此行当系颈。即日辞陛下，尽敌心欲逞。陈桥兵忽变，不得守箕颍。禅让法尧舜，民物普安静。有国三百年，仁义道驰骋。未改祖宗法，天胡赐太眚。细思天地理，中有幸不幸。天果丧中原，大似裂冠衽。君诚不独活，臣实无魏丙。失人焉得人，垂戒常耿耿。江南无谢安，塞北有王猛。所以戎马来，飞渡巴陵境。大江限南北，今此一舴艋。本期固封疆，谁谓如画饼。烈火燎昆冈，不辨金与矿。妾本良家子，性僻守孤梗。嫁与尚书儿，衔署紫兰省。直以才德合，不弃宿瘤瘿。初结合欢带，誓比日月昺。鸳鸯会双飞，比目愿长并。岂期金石坚，化作桑榆景。蚩头势正然，蚩尤气先屏。不意风马牛，复及此燕郢。一方遭劫房，六族死俄顷。退鹢落迅风，孤鸾吊空影。簪坚折白玉，瓶沉断青绠。一死空冥府，忧心长炳炳。意坚志不移，改邑不改井。我本瑚琏器，安肯作溺皿。志节匪转石，气噎如吞鲠。不作燡火然，愿为死灰冷。贪生念蜉蛾，乞怜羞虎豠。借此清江水，葬我全首领。皇天如有知，定许血面请。愿魂化精卫，填海使成岭。"写毕投江而死。

⊙正者无敌

富弼为枢密使时，与范仲淹等人一起推行"庆历新政"，失败后，他先被贬到郓州，后又去了青州，朝中反对、诽谤甚至弹劾他的人也多了起来。时值河北饥荒，流民陆续迁徙到青州的不下六七十万人，富弼来者不拒，全部予以收留，还专门划出一片灾民区，为他们建房子，并配备饮食、医药等。有人劝他，说这样容易招惹是非，恐生祸端，富弼大义凛然地说："我怎么能以六七十万人的性命，换取我一个人的安危呢！"依然故我，直到第二年河北丰收，富弼才让这些人回去。朝野上下对富弼此举无不佩服，就连那些反对、诽谤甚至弹劾他的人，也都竖指称赞。

⊙欧阳修换衣

英宗死后，欧阳修哭临时，在丧服里面穿了件紫底皂花的紧丝袍，被刘庠看到，奏报给了神宗。神宗不动声色，悄悄派人告知欧阳修，欧阳修赶忙去换了衣服。

⊙被浇灭的炭火

张咏在成都时，曾挑选了十个良家女子，在府中做些洗洗涮涮、缝缝补补或是端茶倒水的杂差。赵抃接任知府一职后，不想和她们过于亲近，便把她们安置到了别处，只在有宴会时才召她们过来。一次宴会中，赵抃喝多了，看中了其中一个女子，散席后便把她留了下来，然后命一个老兵打水洗脚，准备共度良宵。当时正值寒冬，屋内烧着炭火，老兵端水进来，突然将水浇在炭火上，霎时浓烟四起，赵抃一下惊醒，忙打发那个女子走了。

⊙马默驴鸣

马默批评刘敞轻慢不恭，有人悄悄告诉了刘敞，刘敞说："他既然叫马默，为何又要驴鸣呢？"并立时作《马默驴鸣赋》一篇，其中有"冀北群空，黔南技止"的精彩句式。

⊙犬也羞

谢太后命贾余庆、刘岊和文天祥等人为祈请使，与元人交涉，贾余庆、刘岊二人却相继投靠了元军。一天晚上，元将在留远亭前点燃篝火，把宋朝使者叫来，一起喝酒聚会。席间，贾余庆、刘岊二人极尽巴结之能事，贾余庆甚至破口大骂，把大宋贬得一文不值，以此来讨好元将，元将很受用，微笑不止。刘岊讨好的方式是大讲黄色笑话，讲到兴处，元兵还找来一个村妇，让她坐在刘岊腿上，然后鼓动刘岊抱着妇人，做出各种调笑动作，以此取乐。文天祥见后不胜悲愤，遂口占二绝讽刺二人，写贾余庆的是："甘心卖国罪滔天，酒后猖狂诈作颠。把酒逢迎酋虏笑，从头骂坐数时贤。"写刘岊的是："落得称呼浪子刘，樽前百媚佞旃裘。当年鲍老不如此，留远亭前犬也羞。"

⊙不忘本

北宋中期有个叫刘庭式的读书人，自小与田家女子订有婚约。刘庭式中进士后，女家以"庸耕不敢姻士大夫"为由请求辞婚，刘庭式不答应，坚持将女子娶进门，婚后二人和和睦睦，甚是美满。南宋初年，福州永福县（今福建永泰）也有个读书人叫黄龟年，未及第时家里很穷，但主簿李朝旌却很欣赏他，愿意将女儿嫁给他，于是定下亲事。后来黄龟年登第，李朝旌却死了，家里生活举步维艰，连衣裳都卖光了。李朝旌的妻子对黄龟年说，你现在中第了，应该与那些名门望族结亲，这门亲事就算了吧，亲戚朋友们也这样劝他，但黄龟年还是将这李朝旌之女娶进了门。

⊙文天祥绝笔

文天祥兵败被俘时，曾服二两冰片自杀，结果没死成。元军送他去厓山，要他写信劝幼主赵昺投降，被文天祥严词拒绝。祥兴二年（1279年），陆秀夫背着赵昺投海，南宋灭亡，文天祥听说后，面向南方失声痛哭，并拒绝元兵的劝降。在押送大都（今北京）的路上，文天祥一连绝食八天求死。在囚禁大都的四年中，元人用尽各种手段，甚至忽必烈亲自上阵，也未使文天祥变节，最后忽必烈怕留祸患，这才决意杀掉他。文天祥死时年仅47岁，死前有绝笔系于衣带间，这便是著名的《衣带赞》，文曰："孔曰成仁，孟曰取义，惟其义尽，所以仁至。读圣贤书，所学何事？而今而后，庶几无愧。宋丞相文天祥绝笔。"

⊙暗箭子

有人来鼓动刘攽，说："某某人有不为人知的过失吗？听说御史大人准备鸣鼓而攻之。"刘攽说："他自可鸣鼓儿，老夫却难为暗箭子。"来人大笑而去。

⊙宋朝苏武

高宗擢升洪皓为徽猷阁待制假礼部尚书，出使金国请归二帝。行至太原后，洪皓被金人扣留了近一年，第二年转到云中（今山西大同），权臣完颜宗翰逼他到伪齐刘豫那里去当官，洪皓严词拒绝，说："我万里受命，不能护送二帝南归也就罢了，刘豫我恨不能将其车裂，更加不可能去投靠，既然我左右都是死，那就给我来个痛快的吧。"宗翰大怒，下令将其推出去斩首。面对两名凶神恶煞的武士，洪皓面不改色，昂首而行，一位金人贵族见了，不觉失声赞道："真乃忠臣也。"遂下跪请求宗翰免其一死，最后洪皓被流放到了偏远的冷山（今黑龙江五常境内的大青顶子山）。洪皓在金15年，始终威武不屈，直至绍兴十三年（1143年）金熙宗大赦天下时方得南归，时人称之为"宋之苏武"。

⊙辽使者是人

哲宗赵煦自小聪明伶俐，八九岁时便能背诵《论语》，字也写得漂亮，颇得父亲神宗的喜爱。有次神宗宴请群臣，小赵煦也在场，表现极为得体，受到众人一致夸赞。赵煦即位时，辽国派使者前来吊唁神宗。因两国服饰不同，宰相蔡确怕年幼的赵煦（刚十岁）害怕，便反复给他普及一些契丹人的衣着及礼仪常识，赵煦先是沉默不语，待蔡确唠唠叨叨讲完，忽然正色道："辽朝使者是人吗？"蔡确一愣，急忙回答："当然是人，不过是夷狄。"赵煦道："既是人，怕他做甚？"蔡确无言以对，惶恐退下。

⊙骂不绝口

靖康二年（1127 年）徽、钦二帝被金人废为庶人。当金人逼迫二帝脱龙袍时，吏部侍郎李若水抱着钦宗不让他脱，还大骂完颜宗翰为狗辈。完颜宗翰恼羞成怒，命人割断李若水的舌头，李若水口不能骂，仍旧怒目而视，以手相指，完颜宗翰又命人挖去他的双目，砍断他的手指，最后李若水壮烈殉难。

⊙天下太平

有人问岳飞，天下何时才能太平，岳飞说："文臣不爱钱，武臣不惜死，天下太平矣。"

⊙勇于担当

孝宗即位后，任用张浚北伐，不到一个月，宋军便以失败告终。不过孝宗不但没有责怪张浚，反而宽慰他说："抗金之事，朕还要倚仗你，你千万不可畏惧人言而心存犹豫。北伐一事是朕与你共同决定的，现在也应该共同承担。"

⊙尽力了

崖山海战失败，宋军败局已定。陆秀夫把自己的妻儿赶下大海，然后对幼主赵昺说："事已至此，陛下当为国捐躯。德祐皇帝（指宋恭帝赵㬎，后被元军俘虏）当年受尽凌辱，陛下不可以再重蹈覆辙了！"赵昺于是身穿龙袍，胸挂玉玺，随陆秀夫一起蹈海自尽，大宋的官员、女眷、将士们也纷纷随之投海，霎时间海面上漂满了浮尸。张世杰带着杨太后突围，听到赵昺的死讯，杨太后悲痛之余投水自尽。张世杰率残部逃到海上，却突遇暴风雨，张仰天疾呼："我为赵氏已经尽心尽力了，一君亡，又立一君，如今又亡了。如果老天不容我赵氏，就让大风吹翻我的船吧！"话音刚落，狂风陡起，掀翻了大船。

⊙心术不正

王安石在神宗的支持下推行新政，大胆启用新人。邵州武冈县知县郭祥正想拍王安石马屁，主动上书朝廷，要求神宗以后"专听王安石区划，凡议论有异于王安石者，虽大吏当屏黜"。神宗问王安石："你认得此人吗？"王安石回答："以前在江东时认识，此人有些才能，善于察言观色，但心术不正，决不可重用。"郭祥正闻知，吓得赶紧辞官回家了。

⊙不落俗套

司马光的父亲曾做过郡太守的佐官，当时官场奢靡成风，士宦家如无宫廷秘制的酒、奇异的果品或是珍贵的菜肴，都不敢请客。而司马光的父亲却从不与之为伍，他在洛阳与文彦博、范纯仁等人聚会，也只吃粗茶淡饭而已，为此他还写了首诗，其中两句为："随家所有自可乐，为具更微谁笑贫。"

⊙节俭的官员

李若谷在长社当县令时，每天在墙上挂一百个铜钱，用完为止；苏轼被贬到齐安后，每天的花费也不过一百五十个铜钱，用竹筒装着，用不完就留着招待客人。他在《与李公择书》中说："口腹的欲望是没有穷尽的，而节俭也不失为一种惜福延寿之道。"范仲淹也说："我每晚睡觉前，都要默默计算一下当天的各种费用，以及所做的事，如果和自己的身份、财力相称，就会鼾鼻熟寐。若不相称，就会彻夜难眠，第二天一定要找出补救的办法。"

⊙富弼的人缘

富弼性格温和，为人宽厚，而又不拘小节。做宰相时，无论官员还是百姓来访，他都以礼相待，从不摆宰相的架子，客人走时还要送至门口，看着客人上马后方才转身回去。富弼卸任回到老家洛阳后，却十多年不出门，到了晚年，更是以有病为由，谢绝所有来访。家人对此不理解，富弼解释道："对待他人，无论富贵贫贱、贤达愚钝，都应该一视同仁，以礼相待。我家世代居住洛阳，亲朋好友成百上千，如果有的见有的不见，便不是同等对待了。可若人人都见，我的病情就会加重，承受不了啊。"人们理解他的苦心，对他更加尊重了。有次富弼乘小轿去老子祠，路过天津桥市场时，百姓闻风而动，纷纷上前问候，并一路跟随到安门，以致市场一下为之冷清。

⊙王安石拒妾

王安石做京官后，其太太买了一个女子，想让他纳妾。王安石回家看到那女子，问她是干什么的？女子回答："我是夫人买来服侍大人的。"王安石又问："你是谁家的女子？"女子怆然道："我的夫君本来是军队中的将领，因为押送粮船失事，把家中所有财产都赔上了还不够，只好把我卖了钱凑数。"王安石听了很心酸，不无怜悯地说："太太用多少钱把你买来的？"女子说："九十贯。"王安石于是派人将女子的夫君找来，又送给他们一些钱，让他们自谋生计去了。

⊙向皇上要人

范讽任开封知府时，有个富贵人家前来告状，说儿子娶亲才三天，儿媳突然被招进宫去,半个月了也没消息。范讽将此事汇报给仁宗,说:"陛下不近声色,这个朝野共知,怎么会出现这样的事呢?况且此民妇已完婚,再强娶了来,如何向天下交代呢?"仁宗说:"朕倒是听皇后说过,近来有人献了一个漂亮女子,朕还未曾见过。"范讽说:"如果是这样,希望陛下把她交给微臣,微臣再将其交还给她父母,否则,人们一定会说陛下闲话的。"仁宗应允,范讽顺利将女子带回了家。

⊙仁宗裁人

一日退朝后,仁宗回到寝室,忽觉头皮痒痒,忙唤梳头宫女过来。此梳头女平时很得仁宗宠爱,弄头发时发现仁宗手边放着一本疏稿,便问:"上面写的什么?"仁宗说:"是御使的奏折。"女子又问:"说的什么事?"仁宗回答:"说朕的嫔妃宫女太多,应该适当减裁。"女子说:"那些两府两制的大臣们,不管是宰相、枢密使,还是翰林学士、中书舍人,哪家没有许多歌舞美姬,可皇帝身边只要多了一两个妃嫔,他们就吵嚷说什么阴气太盛,需要裁减,敢情只许他们自己快活。"仁宗听了不说话,女子再问:"他说的就一定要施行吗?"仁宗说:"御使的谏言,怎么能不执行呢。"女子自恃得宠,撒娇说:"如果一定要施行,那就从奴俾这里开刀吧。"仁宗不置可否,未想第二天降旨:裁减三十名宫嫔出宫,其中头一个便是那个梳头女。慈圣太后问仁宗:"官家一向喜欢那个梳头的宫女,为何第一个就裁撤她呢?"仁宗说:"此女劝我拒绝纳谏,怎能放在身边呢?"

⊙朱万拜的气节

朱浚是朱熹的曾孙,也是理宗皇帝赵昀的驸马,曾任吏部侍郎。贾似道当权时,朱浚极尽巴结之能事,每次给贾似道递交公文,落款必称"朱某万拜",人们看不惯他的嘴脸,背后都管他叫"朱万拜"。后来元兵南下,朱浚被俘,元人劝他投降,朱浚大义凛然地说:"哪有朱晦翁(朱熹号)

的孙子失节的道理！"遂自杀而亡。

⊙仙鹤与灵芝

徽宗赵佶还是皇子时，杨震在其身边做事，处事谨慎而周详。一天，有两只鹤落到王殿的前庭，人们都说仙鹤出现是祥兆，纷纷来向赵佶道贺，结果杨震把他们全都轰了出去，并大声说："这是鹳（长相酷似鹤，没有丹顶），不是鹤。"又有一天，赵佶的寝阁内忽然长出了灵芝，人们听说后又来道喜，杨震又把他们挡在门外，说："这是菌类，不是灵芝。"自此赵佶对杨震愈加信任。

⊙背生龙肉

仁宗时，大名府有一个营兵，背上长了赘肉，蜿蜒似龙。府尹程天球见了很害怕，说："这是犯禁的事！"急忙将那人下了狱，并第一时间向皇上作了汇报，要求将那营兵治罪。仁宗看完奏折，哑然失笑，说："这不过是赘肉罢了，何罪之有？"下旨将营兵释放了。

⊙园林随处可见

范仲淹要退休时，子弟们请求在老家为他修建园圃，范仲淹拒绝道："西都的园林随处可见，何必还要自己修呢？谁还能挡着不让我去看不成？"

第七章

机智·妙语

⊙吃糠咽菜为哪般

宋庠、宋祁兄弟在安陆求学时，很清贫。冬天有客人来访，宋庠对宋祁说："咱们没什么可招待的，只有这把祖传的剑，剑鞘上的包口银子大概有一两，可以换些酒菜来。"宋祁苦笑道："冬天吃剑鞘，等过年就该吃剑了。"二人及第入仕后，宋祁经常通宵达旦地和歌妓们醉饮嬉戏，宋庠听说后，便派人送去口信，说："听说你昨夜燃灯夜宴，穷极奢侈，不知还记不记得某年上元夜，我们一起在某处州学内吃糠咽菜的情景？"以此提醒弟弟不要忘本。未想宋祁看信即回复："不知某年同在某处州学吃糠咽菜是为了什么？"

⊙为何两处吃饭

赵匡胤派兵攻打南唐，南唐抵挡不住，便派徐铉出使宋国，试图通过外交解决争端。徐铉对赵匡胤说："陛下您这次师出无名，李煜他并没犯什么错啊。李煜是地，陛下如天。李煜是子，陛下如父。天能够盖住地，父亲也应该庇护儿子。"赵匡胤说："既是父子，为何要在两处吃饭呢？"徐铉无言以对。

⊙宰天下之志

胡旦晚年生了眼疾，在家闲居。史馆要为一个贵侯作传，此人出身贫贱，曾以杀猪为业，史官很为难：不写就不是实录，写又恐犯忌讳，便相约去向胡旦请教。胡旦听完大笑，说："这有何难，就说其曾'操刀以割，示有宰天下之志'不就行了。"史官闻言莫不叹服。

⊙要澡豆干吗

王安石面色黧黑，下人担心他生了什么病，便问询大夫，大夫说："没什么，就是该洗澡了。"第二天，下人弄来一些澡豆奉上。王安石不解，说："我天生如此黑，要澡豆干嘛？"

⊙拜与不拜

赵匡胤到相国寺，在佛像前烧香，问僧录赞宁："拜还是不拜？"赞宁坚定地说："不拜。"赵匡胤问为什么，赞宁回曰："现在的佛不拜过去的佛。"赵匡胤微笑点头，此后"天子见佛不拜"便成了定制。

⊙一家哭与一路哭

范仲淹任参知政事（副宰相）时，曾主持庆历新政的改革。他选派了一批精明强干的按察使，到各路检查官吏，每得到报告，便翻开官员花名册，把不称职的人毫不客气地勾掉。枢密副使富弼有些担心，便劝他说："大人勾掉一笔很容易，但这一笔之下，会让一家人痛哭啊！"范仲淹愤慨地说："一家人哭总比一路人哭好！"

⊙苏轼的禅机

苏轼任杭州太守时，很欣赏名妓琴操的才华，常与其吟诗作对。有次游西湖，苏轼有意戏弄琴操，说："我假装是长老，你来问我禅机吧。"琴操应声问道："何谓湖中景？"苏轼答："秋水共长天一色，落霞与孤鹜齐飞。"琴操又问："何谓景中人？"苏轼答："裙拖六幅湘江水，鬓耸巫山一段云。"又问："何谓人中意？"苏轼答："随他杨学士（杨日严），鳖杀鲍参军（鲍照）。"琴操再问："如果这样将来会怎样呢？"

苏轼答："门前冷落车马稀，老大嫁作商人妇。"琴操大悟，此后竟削发为尼。

⊙司马很牛

蔡绦所著《铁围山丛谈》称，苏轼于元祐年间做了翰林学士后，"以高才狎侮诸公卿"，对谁都不客气，唯独不敢褒贬司马光。某日，苏轼与司马光讨论政事，意见不合，但苏轼却始终毕恭毕敬，回到家，脱帽解带之后，苏轼这才发作，连声高喊："司马牛！司马牛！"不过苏轼在其《调谑编》中，记载略有所不同，二人发生政见分歧，苏轼说："相公此论，故为鳖厮踢。"司马光不明所以，问："鳖如何能踢？"苏轼笑答："所以说你是鳖厮踢嘛。"

⊙以迂为直

苏轼因乌台诗案被神宗下狱。宰相吴充问神宗："陛下以为曹操这人如何？"神宗回答："不值一提。"吴充接着说："陛下视尧舜为楷模，自然鄙视曹操。但曹操尚能容忍击鼓骂他的祢衡，陛下如何就容忍不了苏轼的几句怪话呢？"神宗默然良久，说："朕不过是想澄清是非，很快就会放了他的。"

⊙不敢言而敢怒

某晚，苏轼在诵读杜牧的《阿房宫赋》，每读完一遍，都要感慨叹息一番，直到三更半夜也不休息。堂外两位守候的老兵受不了了，一人小声抱怨道："总是念来念去，也不睡觉，不知这文章有什么好的？"另一人说："其中一句还不错：'天下之人不敢言而敢怒！'说的不正是你我吗！"说完二人相视一笑。

⊙众狗不悦

苏轼被贬到惠州后，买不起羊肉，便买没人要的羊脊骨，熬汤或烧烤，倒也吃得津津有味。他在给弟弟苏辙的信中，风趣地写道："吃羊骨头就像吃螃蟹吃鲎鱼，很补身子，不过这样说狗听了可能会不高兴。

⊙多胡与繁须

秦观与老师苏轼闲谈，苏轼取笑他胡须太多，秦观开玩笑说："君子多胡（乎）哉！"苏轼回道："小人繁（樊）须也！"（"君子多乎哉"与"小人樊须也！"均出自《论语》。）

⊙"僧"与"鸟"

苏轼与佛印和尚交情不错，一次对坐，苏轼故意拿他逗趣，说："古人有诗云：'时闻啄木鸟，疑是叩门僧。'又说：'鸟宿池边树，僧敲月下门。'看来古人喜欢将'僧'与'鸟'相对。"佛印眼里闪着光，答道："没错，正如现在我与居士对坐！"

⊙石压蛤蟆

苏轼与黄庭坚的文章并称苏黄，不过二人互不服气，还常相互讥诮，苏轼评价黄庭坚说："黄鲁直（黄庭坚字）诗文，像美味的海鲜，格韵高绝，让人忍不住要食之殆尽，然而却不可以多吃，多了就会发风动气。"黄庭坚回评："先生诗文妙绝一世，但和古人相比还有差距。"苏轼评论黄庭坚的书法："你的字虽清劲，但笔势有时太瘦，犹如树梢挂蛇。"黄庭坚反唇相讥："先生的字褊浅，甚似石压蛤蟆。"

⊙热血刺客

护卫亲军兵变，张浚把韩世忠、张浚手下的军官们召集起来，厉声说："叛贼悬重赏要我的脑袋，你们要觉得我该杀，就拿了这颗头去领赏。不然，就跟着我去杀贼，有退缩者，严惩不贷。"结果众人感愤，都表示愿意服从他的领导。一天深夜，一个刺客突然出现在张浚面前，从怀里掏出一张纸，说："这是重金悬赏要你脑袋的文书。"张浚说："既如此，你为何不拿走呢？"那人回答："我虽是个粗人，却也分得清好赖，怎么会为贼所用呢？我来是为了提醒你，我走后，恐怕还会有人来行刺，你要多加防范。"说完飞身上房，飘然而去。张浚于是随便找了个兵变的士兵杀了，对外放风说：刺客已被击毙。

⊙有螃蟹无通判

宋时，知州为地方行政长官，通判为其副手。不过通判往往由朝廷派京官充任，可直接向皇帝奏报，以防范知州独断专行。有个爱吃螃蟹的人，拟任知州一职，有人问他想去哪里，他回答说："只要有螃蟹而无通判的地方都行。"

⊙赋诗退敌

冯拯因诗文出众，被委派到枢密院任职。在澶渊时，有次南殿前都指挥使高琼请真宗亲临北城视察，说："陛下不到北城，北城的百姓就像死了亲爹亲娘一样。"冯拯在一旁看不惯，呵斥道："不得无礼！"高琼斜了他一眼，不屑地说："你文章写得好，现在大敌当前，何不赋诗一首退敌呢？"

⊙不学无术

张咏听说寇准要进京出任宰相之职，不屑地说："寇准是个奇才，治理国家也一定是把好手，只可惜学问不行。"当时张咏在益州的任期已满，也准备去京城补缺，路过陕西时，寇准摆酒设宴，热情接待。临别，寇准鞠躬，让张咏多指教，张咏说："也没什么可指教的，只是《霍光传》不能不读。"寇准不明所以，回家后取《霍光传》，看到"不学无术"四字，方才恍然大悟，大笑说："张公原来是说我不学无术啊。"此后寇准潜心读书，学问大有长进。

⊙鼓乐齐鸣

景德初年，契丹进扰河朔，真宗准备亲临澶渊督战，京师的百姓都很恐惧。车驾出发时，杜镐请求乐队奏乐，真宗问为何，杜镐回答："武王伐纣，后舞前歌。此举正是为了安稳民心。"真宗很高兴，于是锣鼓喧天地出了城，百姓见了果然踏实许多。

⊙没处安顿文章

河中教授晁咏之，文采斐然，有次上书言事，触怒龙颜被罢了官，改去西京（西安）管库房。西京留守蔡元度对他甚为礼遇，只是苦于晁咏之被打入黑名单不能举荐，有次他忽然问晁咏之："像你这样的才子，当时何必要上书呢？"晁咏之猛然被问，不知所措，继而徐徐说道："只是没处安顿文章。"蔡元度听后大笑。

⊙不识字快活

梅询为翰林学士时，一日案牍颇多，很是费思劳神，便起身循阶而行，换换脑筋。正走着，忽见一老兵在阶下卧睡，伸臂抻腿，很舒服的样子，梅询感叹说："真快活啊！"然后问老兵："你识字吗？"回说："不识。"梅询若有所思，说道："那就更快活了。"

⊙皇上就是父母

杨大年七岁入翰林，与人谈论，颇为老成。十一岁时，太宗赵光义闻其大名，召来问道："你久离家乡，可想念父母吗？"杨大年不假思索地回答："臣见到陛下，就像见到臣的父母一样。"赵光义听后连连点头赞叹。

⊙四畏

王钦若的夫人悍妒，虽贵为一品，却不置姬侍。王宅有堂名"三畏"，杨亿戏之曰："可改作四畏。"王钦若问："可有讲究？"杨亿答："兼畏夫人。"

⊙换玉带

丁谓随真宗出游，真宗下诏，赐给随从众臣每人一条玉带。当时一同跟随出游的辅臣有八人，而玉带只剩七条，此外还有一条尚衣玉带，价值数百万。丁谓想要尚衣玉带，又掂量自己的资历尚浅，怕得不到，便对发玉带的人说："不必发尚衣玉带了，我自己带着一条小玉带，可以用它谢恩，将来回到京城再补发也不迟。"有司于是照办。等谢恩时，众人玉带皆宽绰光鲜，唯有丁谓的玉带只一指来宽，真宗见状，对有司说："丁谓的玉带和众爱卿的悬殊太大，赶快换掉。"有司回奏："只剩一条尚衣玉带了。"真宗说："赐与丁爱卿。"

⊙君子与小人

杨大年在翰林时，有个得宠的太监想拉拢他，杨大年不从，太监劝他说："君子知微知章，知柔知刚。"杨大年正色道："小人不耻不仁，不畏不义。"

⊙苏轼的机智

熙宁年间，辽国使臣来京，神宗让苏轼作陪。辽使傲慢地问苏轼："你会赋诗吗？"苏轼淡然一笑，说："赋诗很容易，不过看懂诗句却很难。"辽使不解，问："哪有看诗比赋诗还难的道理？"苏轼说："你若不信，我即刻赋诗一首，看你能否看懂。"说完挥笔写下十二个字："亭景老拖筇首云暮江蘸峰"，其中"亭"字写得很长，"景"字写得很短，"老"

字写得很大，"拖"字横着写，"筇"字写得很瘦，"首"字反着写，"云"字缺了一笔，"暮"字的日是斜的，"江"字的水字旁是弯弯曲曲的，"蘸"字倒过来，"峰"是侧着的。这些字以意相连，合起来是一首诗："长亭短景无人画，老大横拖瘦竹筇。回首断云斜日暮，曲江倒蘸侧山峰。"辽使顿时傻了眼。

⊙我不辜负你

党进酒足饭饱，摸着肚子说："我没有辜负你啊。"左右笑对："将军没辜负肚子，可肚子却辜负了将军。"（这是在揶揄党进没学问。）

⊙脸不大

吕蒙正做宰相时，有人给他送来一面珍藏的古镜，说其光能照二百里，结果吕蒙正并不稀罕，拒绝道："我的脸也就是碟子般大小，干嘛要照二百里远？"闻者无不叹服。

⊙心头似幞头

胡旦在襄州任通判时，学士谢泌为知州。有次胡旦喝了酒，面红耳赤，身上又恰巧穿的红色衣服，谢泌于是戏言："舍人面色如衫色。"胡应声道："学士心头似幞头。"（幞头又名软裹，为一种包头的软巾，因其所用纱罗通常为青黑色，故也称"乌纱"。）

⊙江豚宰相

宰相张齐贤身体肥胖，王禹偁将其比作江豚，作诗讽刺他说："食啖鱼虾颇肥腯，"因民间传说，江豚一出能招来风雨，王禹偁又写道："江云漠漠江雨来，天意为云不干汝。"

⊙打下手

马尚亮的女儿嫁给了陈省华的长子陈尧叟，过门后每天都要下厨房，很不适应。马尚亮心疼女儿，有天见到陈省华，便对他说："小女在家娇生惯养，从没下过厨房，还请多多照看些。"意思是以后就别让她下厨房了。没想到亲家并不买账，一脸严肃地回道："老夫从未让你女儿主过灶，只是帮着拙荆打打下手罢了。"马一时为之语塞。

⊙前朝已定

王钦若善于逢迎，很得真宗喜欢，每次升他的官，真宗都要问："爱卿出任此官可满意吗？"有次真宗去泰山封禅，完事后与众臣一起观看前代的碑刻，见其中一块碑上刻着"朕钦若昊天"的字样，便回过头对王钦若开玩笑说："此事原来前朝就已经定了，这明明写着'朕'和'钦若'两个人嘛。"（"钦若昊天"为《尚书·尧典》中的话，原文为："乃命羲和，钦若昊天，历象日月星辰，敬授人时。"）

⊙鱼畏龙颜

丁谓为人机敏聪明，有次真宗问他："你知道唐朝的酒价是多少吗？"丁谓脱口而出："每斗三百钱。"真宗问何以得知，丁谓答说："有杜甫诗为证：'速宜相就饮一斗，恰有三百青铜钱。'"又一次，真宗钓鱼，半天没一条上钩，很不高兴，丁谓见状，上前献诗道："莺惊凤辇穿花去，鱼畏龙颜上钓迟。"真宗龙颜大悦，竟赏咏再三。

⊙拙妇也能做

晏殊的曾孙晏景初任尚书时，有次请一位和尚住持一座禅院，和尚以禅院太简陋没法管理为由推辞。晏景初说："如果你真有本事，这点困难算不了什么。"和尚说："巧妇难为无米之炊啊。"晏景初说："如果有米的话，那拙妇也能做。"和尚听了羞惭而退。

⊙多情到了多病

韩维每次喝完酒，都喜欢吟诵柳永的词。有次吟诵《多情曲》，其中有一句"多情到了多病"，家里一个老婢听到，把"情"当成了"晴"，疑惑道："寻常人刮风下雨时身体才会不舒服，大人晴天也要生病吗？"韩维为之莞尔。过了几天，有同僚来访，交谈甚欢，临别时，韩维一揖手，客气道："今天不敢长谈，早晚我在家里恭迎大驾，咱们再详谈。"同僚开玩笑说："不如趁天'晴'把话都说了吧。"韩维听后哈哈大笑。

⊙缓一缓

李若谷教门生，告诉他们四字真言，曰：清、勤、和、缓。门生说："清、勤、和这三个字学生们懂，'缓'字又作何解释呢？"李若谷微微一笑，说："天下这么多事，不缓一缓岂不要忙坏了？"

⊙三个俘虏

金兵围困开封，种师道受命守城，一日捕获三个俘虏，问他们金军的军事部署情况。一人死也不说，被推出去斩了。第二人害怕，便如实招来，说金兵粮草断绝，支撑不了多久了。种师道遂将第三人剖腹，以验证那人话的真假，结果其肚内果然没米，只有一些尚未消化的豆类。种师道高兴地一拍桌子："金兵粮草已绝，是时候进攻了。"之后把那个俘虏放了回去。金将听了俘虏的讲述，大吃一惊，于是决定和谈。

⊙两面钱

南方风俗崇尚鬼神。狄青征侬智高时，大军走到桂林偏南时，遇到一座大庙，听说里面的神很灵验，狄青便入庙祷告，拿出来一百枚铜钱，说："如果这次能打胜仗，那就让这些钱全都正面朝上。"左右副官急忙制止，说万一掷出的钱有反面的，恐怕会影响军心，狄青不听，大家只得凝神屏气，看狄青撒钱。结果狄青挥手一掷，一百枚钱居然全都正面朝上，一时三军欢呼，声振林野。狄青也很高兴，命左右取来一百枚钉子，将一百枚钱牢牢钉在地上，然后用青纱围护起来，说："等凯旋之日，再来谢神取钱。"打败侬智高后，狄青又回到庙中，取下钱来给将士们看，原来两面全是一样的。

⊙丁谓的口彩

丁谓任礼部侍郎时，喜欢讨个口彩，卜个吉兆。有个叫于庆的无赖，家里穷得叮当响，快要冻死了，想投到丁府混口饭吃，又怕丁府不接纳，便向一个老儒生请教，老儒说："你想进丁府，必须改个名字。"于是赐他三个字：丁宜禄。于庆半信半疑，试着去投奔，结果丁谓果然很高兴，很顺利地将他收在门下。不久，丁谓当了宰相，对于庆更加宠信，于庆也由此荣登富贵。于庆感激老儒，问他当时所起姓名为何意，老儒笑着说："宰相的奴仆称作'宜禄'，丁宜禄即为'宰相丁谓的奴仆'，寓意丁谓将来会做宰相，那丁大人当然会高兴了。"

⊙笑皇上

宋初，每年开春，皇帝都要召集一些重要的文武官员，在皇宫后苑赏花钓鱼赋诗，后来西夏起兵，战事吃紧，这项活动也就取消了。嘉祐末年，仁宗又重新恢复这项活动，一时君臣相和，其乐融融。有次韩琦赋诗："轻云阁雨迎天仗，寒色留春入寿杯，二十年前曾侍宴，台司今日喜重陪。"内侍任守忠一向以滑稽得宠，遂一本正经地说："韩大人这诗是在笑陛下。"仁宗愕然，问"笑"从何来，见效果达到，任守忠这才嬉皮笑脸地解释道："韩大人是觉得陛下宴请频繁，对大臣们太好了，内心高兴，所以发笑。"仁宗为之展颜。

⊙你的儿子不如你

韩琦任宰相时，有年京师郊县发生蝗灾，朝廷派人到各地督促灭蝗事宜。有个朝官从外地回来，去见韩琦，自以为是地说："各县虽有蝗虫，但却不吃庄稼。"韩琦很惊讶，故意问道："那它们会繁育后代吗？"朝官没想到韩琦有此一问，慌忙回答："会。"韩琦叹气道："我只怕将来你的儿子不如你啊。"朝官大为尴尬，慌忙灰溜溜退下。

⊙犯罪情境

欧阳修与朋友饮酒作令，要求各吟两句诗，内容必须涉及犯罪，而且要犯徒刑（五刑之一）以上的罪行。一人说："持刀哄寡妇，下海劫人船。"一人说："月黑杀人夜，风高放火天。"都很恐怖。轮到欧阳修了，则慢慢吟道："酒黏衫袖重，花压帽檐偏。"大家说这里面没有犯罪啊，欧阳修反问："在这种情况下，难道还不会犯徒刑以上的罪吗？"众皆叹服。

⊙养生秘诀

文彦博退休时快八十岁了，身体依然健朗，神宗问他："爱卿有什么养生秘诀吗？"文彦博回答："没什么，臣只是能做到悠然闲适，不因外物而动气，也不做超出能力之外的事。自得其乐，适可而止，不知这算不算养生的秘诀？"神宗表示同意。

⊙苏轼的对子

哲宗时，辽国使者来朝。其人善对，想借机难为一下诗文巨擎苏轼，对他说："我们辽国有副对联只有上联：'三光日月星'，没有下联，征遍全国无人能对，不知苏学士能否对出？"苏轼说："这有何难，我对'四诗风雅颂'。"（《诗经》包括风、雅、颂三部分，其中雅又分大雅和小雅，故曰"四诗"）辽使正思索之际，苏轼又说："我还有一句可对：'四德元亨利。'"辽使不解，说："你这'四德'不全啊。"苏轼不屑地说："我大宋乃礼仪之邦，自然要避讳的。"（"四德"本为元、亨、利、贞，因宋仁宗名赵祯，故而"贞"字避讳。）辽使无言以对。

⊙雷霆之怒

丁谓为人阴险狡诈，但也有恻隐之心。有一次真宗对一个朝官发怒，丁谓在一旁一句话也不说，朝官退下后，真宗还没消气，又冲丁谓发火："他这样可恨，你刚才为什　么一句话都不说？"丁谓说："陛下正发雷霆之怒，臣如果再多说一句，那人的脑袋恐怕就不保了。"真宗默然。

⊙四只麻雀

苏轼请朋友吃饭，桌上有一盘油炸麻雀，一共四只，朋友狼吞虎咽地吃了三只，方才抬头不好意思地说："还剩一只，你吃了吧！"苏轼说："还是你吃吧，我不忍心拆散它们！"

⊙平息欲火

赵抃任成都知府时，有次去酒楼，认识了一个叫戴杏花的妓女，对她开玩笑说："鬓上杏花真有幸。"妓女应声回道："枝头梅子岂无媒？"赵抃惊讶其文思敏捷，非常喜欢。有天晚上赵抃想起这个妓女，便问一个值班的老兵："你知道戴杏花家住哪儿吗？"老兵说："知道。"赵抃说："你替我把她叫来。"老兵走后，赵抃又觉得此举不妥，便派人去追老兵回来，没想到老兵却忽然从帐幕后面出来。赵抃很奇怪，问他怎么会在这里，老兵说："我知道大人只是一念之差，不出一个时辰就会改主意的，所以虽然领命，却并未走远。"

⊙细细品味

苏轼被贬海南的儋州，弟弟苏辙被贬到雷州，途中二人相遇于藤州，惊喜之余找了个路边摊吃面条。苏轼兴致颇高，一大海碗面条转瞬之间便见了底，苏辙却只吃了几口便放下筷子，苏轼见弟弟情绪不佳，故意逗他说："莫非你想细细品味吗？"

⊙何为风骨

临安城快被元兵攻破时，文天祥对将佐们说："事已至此，我们该怎么办？"一将说："一团血！"文天祥问："怎么讲？"回说："大人殉国，我们定当一同赴死。"文天祥听了笑着说："你们知道当年的刘玉川吧？喜欢上一个娼妓，二人情投意合，相约白头到老。娼妓从此谢绝宾客，一心一意对待刘玉川。刘玉川中第授官后，娼妓想和他一起赴任，刘玉川很是厌恶，便骗她说：'朝廷规定不许携带家属，不过我绝不会丢下你一人不管的，不如咱们一起去死，永远在一起。'于是刘玉川备好一杯毒酒，让娼妓先喝了一半，剩下一半给刘玉川，结果刘玉川并不喝。今天你们各位不会效仿刘玉川吧！"将佐无不大笑，气氛一时融洽。

⊙茶喝多了

刘攽在长安时喜欢上一个叫茶娇的妓女，茶娇漂亮而聪明，刘攽常和她在一起饮酒。后来刘攽被召还入朝，茶娇为他送行，二人喝了一夜的酒，临别刘攽还作了一首诗："画堂银烛彻宵明，白玉佳人唱渭城。唱尽一杯须起舞，关河风月不胜情。"到了京城，欧阳修出城迎接，见刘攽无精打采，便问原因，刘攽说："一路走来，亲朋好友摆酒款待，酒喝多了，因而生病。"欧阳修有意戏谑他，便故意叹气道："贡父（刘攽字），不只酒能让人生病啊，茶（该处意指茶娇）喝多了也会病的。"

⊙心中有妓

程颢、程颐同赴宴，见座中有妓女，程颐拂袖而去，程颢则尽情欢宴。第二天说到这件事，程颐仍有怒色，程颢笑道："我当时只是在喝酒，座中虽有妓，我心中却无妓；现在这里虽无妓，可你心中却有妓。"程颐听了既羞又愧。

⊙不如不知道

吕蒙正初入朝时，有人在背后指着他说："凭他的学识，怎么做得了参知政事（副宰相）？"吕蒙正假装没听见，头也不回地走了。同僚不平，要去查个究竟，吕蒙正急忙制止，说："如果知道了他的姓名，便终身不能忘了。还是不知道的好。"

⊙书生酒徒

赵匡胤设宴，翰林学士王著喝醉了，借着酒劲大声喧哗，赵匡胤念其为前朝（后周）旧士，也没责怪他，只命人把他扶出去了事。未想王著死活不肯出去，抱着屏风大声痛哭，最后左右万难才把他拽出了去。第二天有人上奏，说："王著昨天大哭，是在思念世宗（指后周世宗柴荣）。"赵匡胤不以为然，说："他不过是一个酒徒罢了，世宗时我就知道他。况且一个书生哭世宗，能干得了什么呢。"

⊙东坡吃草

有天闲来无事，苏轼去金山寺拜访佛印大师，开门的是一个小沙弥，苏轼大声道："秃驴何在？"小沙弥极淡定地一指远方，答道："东坡吃草！"

⊙承担怨恨

王曾提拔用人，事先从不让被提拔的人知道，范仲淹对此毫不讳言，说："正大光明地选用人才，是宰相的职责所在，您一向德高望重，唯独这方面做得不够好！"王曾说："宰相如果总想着把恩德归于自己，那谁又来承担怨恨呢？"范仲淹表示赞同。

⊙国家的福气

太宗赵光义册立襄王赵元侃（即后来的真宗赵恒）为太子，大赦天下，举国欢庆，京师百姓见到太子后都欢呼："真社稷之主也！"太宗听说后很不高兴，召来寇准说："四海之心如果都归属了太子，那朕又摆在什么位置呢？"寇准说："这说明陛下没有选错人，这是国家的福气啊。"太宗听后气消，与寇准饮酒，至大醉方休。

⊙捉鸡不着

孝宗当了太上皇后，有次去东园游宴，按惯例光宗（孝宗之子赵惇）应前往侍奉，可一直到宴席开始仍不见其踪影。几个太监便故意在园中放出一群鸡，来回跑着捉，但又捉不着，于是相互呼喊："今天捉鸡不着！今天捉鸡不着！"临安本地人管向人乞要酒食为"捉鸡"，以此暗指孝宗的尴尬处境。

⊙今日断屠

韩宗儒爱吃肉，每次得到苏轼的书法，便去殿帅姚麟家换几斤羊肉来吃，黄鲁直调侃苏轼道："以前王羲之的书法被称作'换鹅书'，如今你的书法可称作'换羊书'了。"有次苏轼正在翰林院上班，韩宗儒派人捎来信，索要苏轼的书法，而且很着急，苏轼这次不慌不忙，笑着对来人说："回去告诉你家主人，今日断屠（旧时汉族岁时风俗，即禁绝杀生）。"

⊙假蝗虫与芦多损

贾黄中为宰相时，卢多逊为其副手。一天忽报京城周围出现蝗虫，卢多逊故意笑着说："我听说这些蝗虫是假蝗虫（假蝗虫谐音贾黄中）。"

贾黄中应声回道："我也听说这些蝗虫没有伤害庄稼，只是芦苇多损（芦多损谐音卢多逊）罢了。"

⊙水出高原

安鸿渐行事滑稽，往往不按套路出牌。老丈人死后，安鸿渐大声嚎哭，却无一滴眼泪，妻子不满意，抱怨说："你哭了半天怎么也不见眼泪出来，明天再来哭临，一定要我见到眼泪。"第二天，安鸿渐把一张纸弄湿了，放在额头上，大磕其头，妻子看了纳闷，小声问道："眼泪都是从眼睛里流出来的，你怎么从额头上流出来呢？"安鸿渐回道："这叫'水出高原'。"

⊙卖宅子的人

郭进建新宅第，之后宴请工匠，让儿子们坐在下手作陪。有人不解，问："怎么诸公子反而坐在那些工匠们的下手？"郭进指着那些工匠说："他们都是为建新宅子出过力的人，理应上座。"又指着儿子们正色道："这些都是将来要卖我宅子的人，当然要坐在下手。"郭进死后，这座宅子果然被儿子们变卖了。

⊙校书如扫尘

宋绶博学多才，喜欢收藏珍贵书籍，每获一本，都要亲自校勘整理一番。朋友问他："何必在这上面如此费心呢？"宋绶说："校书如同打扫灰尘，一边打扫，一边又生。一部书往往校勘三四遍，仍会有脱字和错字，万万马虎不得啊。"

⊙成群与作对

安鸿渐和几个儒生在街上闲逛，偶遇僧人赞宁，见其身后还跟着几个僧人，想到唐末诗人郑谷的诗"爱僧不爱紫衣僧"，便和赞宁开玩笑说：

"郑都官（郑谷曾任都官郎中之职）不爱之徒，时时作队。"赞宁应声回道："秦始皇未坑之辈，往往成群。"

⊙钱如蜜

仲殊年轻时放荡不羁，妻子一气之下给他碗里下了毒，最后仲殊虽然没死，但也就此看破红尘，出家当了和尚。为解身上的毒，仲殊常吃蜜糖，因而人们都管他叫"蜜殊"。有次仲殊去浙江一带游玩，身上只背着一个铺盖卷，看到一个卖糖稀的，便向路人乞要了一枚铜钱，买了一点糖稀吃。借住在寺庙时，不管是僧人还是俗客来访，仲殊都要问他们要钱，如果这些人不愿给，说："身上没带多少钱。"仲殊便说："钱如蜜，一滴也甜。"所以每次都能要到一点。

⊙姓秤

苏轼在荆南时，听说禅师玉泉皓机锋敏捷，想领教一下，于是换了身便服去拜见。玉泉皓问："尊官高姓大名？"苏轼故意说："姓秤，就是称天下长老的秤。"以试玉泉皓的反应，未想玉泉皓突然大喝一声，说："那你称一称我这一喝有多重？"苏轼无言以对。

⊙语气助词

赵匡胤来到朱雀门，见上面写着"朱雀之门"四个字，便问身边的赵普："为何不只写'朱雀门'，还加个'之'字有什么用？"赵普回话说："这不过是语气助词罢了。"赵匡胤笑着说："'之乎者也'又能助得了什么事呢！"

⊙在上面饮酒呢

宰相韩侂胄驱逐赵汝愚后，独揽朝政大权。赵汝愚死后，太学生敖陶孙在三元楼的墙壁上赋诗凭吊他，写完放下笔继续喝酒，刚喝了两杯，墙壁上的诗便被人抄走了，敖陶孙知道一定是有人要给韩侂胄报信，急忙换了衣服开溜，结果下楼时刚好碰到前来抓捕他的人。来人问他："敖陶孙上舍（宋代太学有外舍、内舍和上舍之分，学生按年限和条件依次而升）在上面吗？"敖陶孙故意左右看看，然后小声回答说："正在上面饮酒呢。"说完急忙走掉，逃到福建去了。

⊙赵匡胤的邻居

太祖赵匡胤很体恤囚徒。有次视察监狱，一个囚徒自称是赵匡胤的乡邻，赵匡胤以为是他早年家乡的邻居，急忙询问，囚徒这才说："小民家住东华门，是陛下现在的邻居。"赵匡胤哈哈大笑，竟将其无罪释放。

⊙獐旁为鹿

王雱是王安石的儿子，自小聪明机警。有次朋友给王安石送来一头獐和一头鹿，戏问小王雱："你知道哪个是獐？哪个是鹿吗？"王雱不认识这两种动物，眼珠一转回答说："獐的旁边是鹿，鹿旁边的是獐。"朋友啧啧称奇。

⊙环滁皆山

欧阳修在滁州时，有次朋友邀他参加宴会，找了个颇有姿色的妓女作陪。欧阳修听说这个妓女通晓文章，便问她姓名，回答说："齐下秀。"欧阳修故意戏谑道："脐下臭？"妓女急忙跪下，揶揄道："大人真是学识渊博啊。"欧阳修大怒，说："这简直是个山野村妓。"妓女应声道："环滁皆山也。"满座为之哄笑。

⊙无肠可食

尤延之身材矮小，绰号"秤锤"。有次孝宗皇帝问他："外面的人为何都管你叫'秤锤'啊？"尤延之回答说："秤锤虽小，斤两分明。"
孝宗对这个回答很满意。除"秤锤"外，杨万里还常戏呼尤延之为"青蟹"，
尤延之则回敬杨万里为"羊"。一次二人吃羊白肠，尤延之戏弄杨万里说：
"秘监锦心绣肠，也是要被人吃掉的。"杨万里听了笑着说："有肠可吃，
总比无肠可吃的好。"（世称蟹为"无肠公子"，所以杨万里有此一说。）

⊙多吃笔墨灰

欧阳修给苏轼讲了一个故事："从前有个艄公，行船遇风得了病，
大夫于是命人取来艄公的船桨，在他经常拿着出汗的地方，刮下来一些
木屑，和着丹砂煎了一副药，艄公吃完居然病愈。可见这治病其实就是
一种意念。"苏轼不以为然，反问道："如果真像你说的这样，那么现
在那些昏惰的读书人，应该多吃些笔墨灰才是。"

⊙石学士

学士石延年有次去报宁寺游玩，赶车的车夫没控住马，马一下惊走，
石延年摔在地上。起来后，石延年自我解嘲说："幸好是石学士，若是
瓦学士，岂不要摔碎了！"

⊙河豚赝品

米芾善于临摹，每次借到古画，都会临摹一幅，然后和原画一起拿
给人家，让对方判断哪幅是真的，对方分辨不清，最后往往拿走了赝品。
杨次翁任丹阳太守时，有次米芾路过，便留他小住，将走时，杨次翁狡
黠地说："今天特地为你准备了河豚羹。"结果上桌后，只是一条普通
的鱼而已，米芾不解，正茫然间，杨次翁却哈哈大笑说："这是河豚的
赝品。"

大跌眼镜

第八章

⊙判断失误

苏轼赏识李廌，也很喜欢他的文章。李廌应省试时，正巧苏轼任主考官，阅卷时，苏轼对其中一篇文章很感兴趣，于是手批数十字，并非常肯定地对副考官黄庭坚说：这篇一定是李廌的文章。等拆去封印一看，却是章致平的答卷。李廌因而落榜。

⊙不如畜生

党进让人为其画像，见眼睛画得没有神采，遂大怒道："画老虎还用金纸贴眼呢，难道我还不如那畜生吗？"

⊙官给小了

嘉祐年间的诸翰林，后来多被选入两府（指中书省和枢密院），唯有包拯仍屈居三司使之职。宋祁在郑州任地方官，政绩显赫，却得不到提拔重用。于是京师有谚语说："拨队为参政，成群作副枢，亏他包省主，闷杀宋尚书。"后来二人均获提升：包拯任枢密副使，宋祁到翰林院供职。宋祁不高兴，便给宰相梁适写了首诗，说："碧云漫有三年信，明月常为两地愁。"意思是官给小了，顶不济也得在两府谋个职位啊。

⊙怕烟气

赵匡胤派大军平定南唐，一名大将有幸得到后主李煜的一个宠姬。

晚上就寝，宠姬一见油灯便闭上眼睛，将军问为何，答曰："有烟气。"
将军于是命人将油灯换为蜡烛。未想宠姬仍不睁眼，说："烟气更重了。"
将军疑问："你在宫里时就不点灯吗？"宠姬回道："不点，宫中每到
夜晚便悬挂大宝珠，光照四射，如同白日。"

⊙想当然

苏轼参加礼部考试，所写文章为《刑赏忠厚之至论》，其中说："故
天下畏皋陶执法之坚，而乐尧用刑之宽。"主考官欧阳修问他："这个
典故出自哪里？"苏轼随口答道："在《三国志》中的孔融部分。"欧
阳修回去将《三国志》中有关孔融的内容通读了一遍，并未找到这个典故，
便又找来苏轼询问。苏轼说："当年曹操灭掉袁绍之后，将袁绍的儿媳
妇赏给了自己的儿子，孔融对此不满，说：'当年武王伐纣时，将纣王
的宠妃妲己赏赐给了周公。'曹操问哪里有记载？孔融说：'哪里都没有，
想当然罢了，今天既然能发生这样的荒唐事，那古代肯定也有。'我想，
尧帝为人宽厚，司法官又非常严厉，想必会发生这样的事吧。"

⊙坐驴车狂奔

宋辽高梁河之役，太宗赵光义亲自督战，结果惨败。激战中，赵光
义腿部受伤，慌忙坐了一辆驴车狂奔，才侥幸逃离了虎口。

⊙高俅发家史

高俅最初是苏轼门下的一个小厮，后来转去侍奉驸马王晋卿。徽宗
赵佶未登基前，与王晋卿关系极好，一次赵佶外出，途中想修饰一下鬓
发，却忘了带篦刀，便借王晋卿的来用，感觉很合手。王晋卿告诉赵佶，
他还有一把和这个一样的新篦刀，回头让人给你送过去。回来后，高俅
奉命去送篦刀，正赶上赵佶在园子里踢蹴鞠，便站立一旁观看，赵佶见
他看得用心，便问："你也会踢这个吗？"高俅说会一点，于是结结实

实地露了一手。赵佶大为中意，派人回复王晋卿："篦刀我很满意，送篦刀的人我也很满意，一并留下了。"自此，高俅开始平步青云。

⊙壮士的窘态

钦宗登基后，派中央禁军两万人去保卫黄河渡口。欢送壮士出征时，老百姓惊奇地看到：这些好不容易爬到马背上去的健儿们，竟双手紧紧搂着马脖子不敢撒手。

⊙保住脑袋

伪齐军七十万人打着金兵的旗号南下，南宋众臣吓坏了，纷纷要求退守长江，只有张浚一人主战。在说服了高宗赵构后，张浚星夜急驰到采石，严令前线的刘光世部："若有一人渡江后撤，我要你的脑袋。"刘光世惶恐异常，在动员会上说："弟兄们往前打，千万保住我的脑袋。"最后，在张浚的指挥下，宋军反扑，伪齐军全线溃退。

⊙坐在钱眼里

张俊贪财。高宗赵构在宫中大宴群臣，召优伶演出助兴，一优伶知天象，自称能看出众人是何星宿下凡，引起大家浓厚兴趣，纷纷请他一测。但见这位优伶掏出一枚铜钱，对着高宗比划了一下，说看到了帝星，又对准宰相，说看到了相星。最后他将铜钱对准张俊，左看右看，好半天也不说话。张俊大急，连问看到了什么，优伶这才叹了口气，幽幽地说："没看到星宿，只看到一个坐在钱眼里的将军。"众人听了无不大笑。

⊙重金买驴

方勺在《泊宅编》中记载了一件宰相冯拯死后发生的怪事。说冯拯死后的第二年，京城一户人家的驴下了一头小驴，肚子上的白毛依稀凝成"冯拯"二字，冯拯的家人遂出重金将驴买下，偷偷在自家后院喂养。

⊙掉书袋

太尉党进不识字，有次朝廷调派他去护卫边疆，早上出发时，照例应向皇帝辞行，说些场面上的话。使吏知道党进不会说，特别对他开恩，说："边臣不须如此。"没想到党进却不答应，认为使吏小瞧自己，坚决要求照章办事。使吏无奈，只好将几句得体的话写在笏板上，然后逐字逐句教他背会。等见了赵匡胤，党进早已将笏板上的话忘了个精光，吭哧半天，忽然抬头说："臣闻上古其风朴略，愿官家好将息！"众人听了无不哑然失笑。事后有人问他怎么说出那样的话来，党进说："别以为咱是粗人就不会掉书袋，我就是想让皇上知道，我并非那不学无术之人。"

⊙丢失的笔筒

钱惟演治家俭朴，钱家子弟没零花钱时，便偷偷将他十分珍爱的一个珊瑚笔筒藏起来，钱找不到笔筒，便发出悬赏，说谁能找到赏谁十贯钱，最后结果自然是皆大欢喜。这种小把戏一年要玩上好几次，钱惟演始终不知道有人在故意搞鬼。

⊙烙饼作诗

太宗赵光义殿试，往往以先交卷者为第一名。有年孙何与李庶几一同参加殿试，二人夺冠的呼声都很高。相比之下，李庶几文思敏捷，成文极快；孙何则每每苦思，写得较慢。当时正好有人给太宗上言，说："举子们写文章很轻率，往往不求义理，只求速度。"孙何趁机说："李庶几曾在饼铺和人比作诗，以烙熟一张饼为限，谁先写成谁取胜。"因此那年的殿试，李庶几虽第一个交卷，却被赵光义轰了出去，孙何则被钦点为状元。

⊙得卖韭黄

杨大年时常告诫他的学生，写文章要避免用一些俗语。有次杨大年写了篇奏稿，其中有句"伏惟陛下德迈九皇"，学生郑戬见了，觉得"德迈九皇"读音颇似"得卖韭黄"，便和老师开玩笑说："不知先生什么时候'得卖生菜'？"杨大年听后哈哈大笑，提笔将那四字改了。

⊙差别

学士陶谷买了一个婢女，原是党进家的丫鬟。有次下雪，陶谷命婢女取雪烹茶，见其技艺娴熟，便问："党太尉（党进）家也常这样做吗？"婢女回答："他只会饮羊羔美酒，从不喝茶。"

⊙改诗

仁宗景祐五年（1038 年），张士逊和章得象一起拜相，时年七十五岁，当时还是谏官的韩琦揶揄他说："朝廷岂是养老的地方啊。"张士逊很羞愧，于是上书请求告老还乡，临走时给章得象留了首小诗："赭案当衙并命时，蒹葭衰朽倚琼枝。如今我得休官去，鸿入青冥凤在池。"有好事者将其改为："赭案当衙并命时，与君两个没操持。如今我得休官去，一任夫君鹘露蹄。"闻者大哂。

⊙你傻呀

仁宗皇后对吕夷简的夫人说："皇上想吃淮白鱼，但是祖制规定，不让随便吃外面的东西，所以宫里没有这些东西。你们老家在寿州，应该有这个吧。"夫人说有，回去后即命人装了十盒淮白鱼准备进献。吕夷简见了，问她这是要做什么，夫人如实以告，吕夷简说："那进献两盒就行了。"夫人说："为皇上准备玉食，为何如此吝啬？"吕夷简语重心长地说："宫里都吃不到的东西，做臣子的家里，哪能有十盒那么多啊！"

⊙先贤后奸

王安石和吕公著交情不错，他常对人说："吕公著不作宰相，天下不太平。"又说其有"八元、八凯之贤"，并极力推荐他做中丞，以帮助自己变法。半年后，新法条令在实施过程中出现了许多弊端，吕公著转而反对新法，说新法行不通，王安石因吕背叛自己而怒，又想将其驱逐出朝廷，说他有"欢兜、共工之奸"。（八元、八凯，为古代传说中的才德之士。传说高辛氏有才子八人：伯奋、仲堪、叔献、季仲、伯虎、仲熊、叔豹、季狸，忠肃共懿，宣慈惠和，天下之民谓之"八元"；高阳氏有才子八人：苍舒、隤敳、檮戭、大临、尨降、庭坚、仲容、叔达，齐圣广渊，明允笃诚，天下之民谓之"八恺"。欢兜与共工等人"作乱"，被视为奸邪之人，舜帝将他们流放到崇山。）

⊙东坡帽

苏轼常戴一项高筒短檐帽，士大夫们争相效仿，遂成时尚，被称作"子瞻样"或"东坡帽"。当时醴泉书院有个书生很自负，常夸自己的文章无人能比，众人问为何，他自鸣得意地说："你们没看我头上戴着'东坡帽'吗？"有人于是作联戏之曰："伏其几而袭其裳，岂真孔子；学其术而戴其帽，未是苏公。"

⊙都在上面

赵匡胤常在殿前召问各军所辖兵马数额，诸将便将各种数据预先写在笏版上，以备皇上随时问及。党进不识字，也让军校将其所管兵骑器甲之数都写在笏板上，结果赵匡胤问他时，党进一个字也看不懂，竟举着笏板说："都在上面。"赵匡胤不怒反喜，连夸其忠厚老实，还赏赐了他。

⊙剑走偏锋

南唐吏部尚书徐铉，以博才多学闻名于世。一次李煜派徐铉给大宋朝贡，按惯例，宋廷需派官员监督陪伴，结果大臣们都因口才不如徐铉而心生胆怯，谁也不愿去。赵匡胤不以为然，说："朕自有办法。"于是召来几个目不识丁的太监，指着其中一个说："此人即可。"陪伴中，徐铉口若悬河，太监无以应付，只不住地点头，徐铉不知其深浅，使出浑身解数，结果那人仍只点头，不置可否。最后徐铉筋疲力尽，再也不吭声了。

⊙玩砸了

种放喜欢喝酒，与母亲隐居在终南山的豹林谷时，曾自己种高粱酿酒，称："空山清寂，聊以养和。"并自号"云溪醉侯"。陕西转运使宋维翰听说其才名，向太宗赵光义上表推荐，赵光义于是让当地政府给了种放一些安家费和盘缠，让他来京城做官。种放拿不定主意，便与好友张贺商量，张贺说："你现在应诏，最多给你个簿尉的小官。不如谎称有病，等再召你再去，那时一定会重用你。"种放觉得有理，于是谎称有疾，赵光义闻听，鼻子里哼了一下，说："一个山野村夫，不用也罢！"自此不再召用。一直到宋真宗时，宰相张齐贤又上表推荐，真宗才任用种放为左司谏，这次种放不再称病，麻溜地上任去了。

⊙他们是同类

江直木隐居庐山，打鸣报晓的鸡被狐狸吃了，江怅然若失，扬言要为此鸡报仇，于是拿着钱在路边等候，遇到猎户打了兔子，便买下来，割其肉以祭鸡。有人告诉他这是兔子不是狐狸，江直木不屑地说："它们是同类。"

⊙打来的状元

汾州人王嗣宗，是太祖年间的进士，司马光在《涑水纪闻》中说，殿试时，王嗣宗与赵昌言难分上下，赵匡胤便让二人徒手相搏，谁赢了谁就是状元。赵昌言是个秃子，王嗣宗上去一下将其帽子扯落，随后叩头说："臣胜了。"赵匡胤大笑，钦点王嗣宗为状元，赵昌言为榜眼。王明清在《玉照新志》中则说，王嗣宗当时打斗的对象是陈识。

⊙寇准劝酒

寇准喜欢喝酒，而且酒量极大，罢相后到永兴任职，经常召集官吏宾客一起宴饮，座次不按官职大小，也不分长幼尊卑，而是以酒量大小排序。曾有个官吏因连日豪饮，不胜酒力，不想喝了，寇准不答应，最后那人的老婆跑到公堂去闹，寇准这才饶了他。后来有一个道人来拜访寇准，说自己擅长喝酒，能用瓶子喝，要求和寇准比试比试。寇准立即来了兴趣，二人很快对干了一瓶。未想道人喝完一瓶又拿起一瓶干了，寇准这才傻了眼，说这样喝我不行，道人不依，非要寇准喝，寇准连连求饶，说："酒量有限，不能再喝。"道人这才劝道："那大人今后也不要强迫别人喝酒。"自此，寇准果真再也不强逼别人喝酒了。

⊙堆墨书

陈尧佐善写八分书，用墨浓重，世人称之为"堆墨书"。任枢密直学士时，有次同僚石少傅想戏弄他，见堂内有一个长五六尺的黑板床，便取来白土粉，在上面堆了一尺见方，然后很神秘地对陈尧佐说："我最近在学你的'堆墨书'。"说着让人抬出黑板床，指着说："你看，我现在已经能写'口'字了。"陈为之怅然良久。任河南知府时，有次设宴，一个伶人和陈尧佐开玩笑，取出一张大纸用浓墨涂黑，再用粉颜色在上面点了四个点，然后故意问另一个伶人："这是个什么字？"回答说："此乃用'堆墨书'写的田字。"众宾客听后大笑，搞得陈尧佐很尴尬。

⊙误送的纸条

真宗想找一个既擅长射箭、长相又俊美潇洒的人，陪他一起去射猎，当时符合这两个条件的人，非陈尧咨莫属。陈尧咨是真宗咸平三年（1000年）庚子科的状元，时任龙图阁待制、知制诰，真宗于是招来翰林学士晏殊，对他说："陈尧咨如果肯做武官，朕就授他节钺（即符节和斧钺，多授予将帅，作为加重权力的标志），你可以把这个意思转达给他。"其时陈尧咨的母亲冯夫人尚在，家教很严，陈尧咨回晏殊说："我要先请示母亲大人。"结果母亲大人以拐杖敲地，厉声斥责，坚决不同意。真宗想知道谈话结果，便派小太监给晏殊送去个小纸条，上写："主皮之议如何？"结果小太监误送到中书。中书大臣看后茫然不解，于是找真宗请示，真宗暗笑，掩饰说："朕不明白这句经义，所以向你们询问。"（主皮最初指的是用兽皮制成的箭靶，后来成为射箭的代名词。主皮之议即为关于射箭的问题。）

⊙失态的表现

王钦若做翰林学士时，很得真宗赏识。某晚和陈彭年一起当值，二人正在闲饮，忽有宫内太监过来，召王钦若入宫，并对陈彭年说："你就不要等候了。"真宗与王钦若喝酒谈心，之后命人持烛相送，烛火排列，宛若星辰。回到翰林院，已是四更天，王钦若见陈彭年还在那儿坐着，便笑着说："同院怎么还没休息？"陈彭年回答："恭候长官，哪里敢先睡觉呢。"王钦若听了很高兴，手舞足蹈，酒劲上来，几近不能解衣脱袜，之后坦胸露乳地吹牛："我本江南一介贫寒书生，却遇到了真君明主，刚才皇上和我连连碰杯，还抚掌欢笑，就像你我一样。"说罢倒头睡了。第二天王钦若酒醒，感觉昨晚说话有些失态，洗漱完毕，对陈彭年说："昨晚酒喝多了，不记得什么时候回来的，我没有在你面前失态吧？"说毕连连道歉，陈彭年忙说没有。一同出门时，王钦若还是不放心，拉着陈彭年的手，不好意思地小声说："昨晚的事，只有你一人知道。"陈彭年为之莞尔。

⊙承受不起

丁谓年轻时曾拜郁先生为师，后来他以参知政事（副宰相）的身份去昇州任知州，专门去拜访了郁先生，送给他两套朱红色的官服，然后跪下磕头。郁先生慌得大呼小叫，说："你这一拜折杀老夫了，快快起来。"之后二人对坐叙旧，丁谓说："我儿时顽劣，承蒙先生鞭打教诲才发愤图强。我能有今日，都是先生的功劳啊。"搞得郁先生又激动又不安，没几个月竟死了。

⊙五百万贯与两贯

夏竦统兵征西夏，贴出榜文："有得元昊头者，赏钱五百万贯，封西平王爵。"元昊听说后，也散发榜文："有得夏竦头者，赏钱两贯。"夏竦闻听，急忙派人收缴榜文，可惜消息散播，已然尽人皆知了。夏竦羞愧难当，很是沮丧。

⊙假惺惺

江淮饥荒，百姓流离，乞丐遍地，朝廷特命王随为安抚使去安抚。王随没有拯伤救弊的本事，只是让人带着钱去疏散那些乞丐。每次散钱，乞丐们都会充塞道路，拥挤不堪，这时王随就会变作一副怜悯忧伤的面孔，殷切地上前嘘寒问暖，百姓见了无不嗤之以鼻。

⊙不说俗语

宋绶不喜欢俗语。在应天府任职时，有次与众官吏一起审理案件，宋绶问囚犯："汝与某人素有何冤？"囚犯听不懂，茫然不知所对。其他官吏忙解释："你和某某人平时有什么过节？"囚犯这才回话。

⊙吃到尾巴了

程琳去京师应试时，曾寄宿在其伯父家。当时程琳身无分文，只骑了一头驴，便将驴子卖掉，换了几千铜钱。程琳的伯父平时轻财好施，对族人们很好，程琳到后，他每天都让程琳摆酒招待四邻，想看其器度。后来程琳终于顶不住了，哀求伯父道："驴儿已经吃到尾巴了。"

⊙放鹤

林逋隐居孤山，不娶妻不生子，专门植梅放鹤，人称"梅妻鹤子"。他平时畜养的两只鹤，放飞时能直入云霄，盘旋许久之后仍飞回笼中。林逋经常自己划着小船，畅游西湖的各个寺庙，如有客人来访，便由家里的书童先代为招待，入座，看茶，然后开笼放鹤，林逋看到鹤飞，知道有客到了，便会划着小船回去。

⊙涧上丈母

颍川陈恬在当地很有才名。因为家里穷，陈恬和弟弟同居一室，和弟弟的感情很好，每次弟弟不听话，陈恬都只是亲昵地捶他一下，乡里人因而称其为"岂弟君子"。（岂弟意为和乐平易。出自《诗·小雅·蓼萧》："既见君子，孔易岂弟。"）后来陈恬隐居阳翟涧，给自己取号为"涧上丈人"，乡里还有个小伙子，凡事总以陈恬为榜样，却打扮得油头粉面，举止妖娆，乡亲们于是呼之为"涧上丈母"。

⊙包拯受骗

包拯任开封府尹时，明察秋毫，断案神明，却也有被骗的时候。有次一个案犯当受杖脊，施刑的小吏受了贿，对案犯交代说："今天府尹大人一定会对你施刑，到时候你就大呼小叫地为自己辩解，我有办法减轻你的处罚。"到得公堂，包拯审案，吓唬案犯说，如不从实招来就要大刑伺候。案犯按照小吏的交代，兀自辩驳不已，小吏上前大声呵斥道："快快出去受脊杖，瞎啰嗦什么。"包拯怪小吏滥用职权，命人将小吏按倒当庭打了一顿板子，反而放宽了对那个案犯的处罚，只按一般从犯的标准实施了杖刑，以此警示众吏不可太嚣张。不想却正着了那小吏的道儿。

⊙把帐子熏黑了

胡瑗、孙复、石介、李觏等人，与范仲淹的次子范纯仁交好，常在一起戏耍，到了晚上，就在帐子里点上灯接着玩，以至于帐顶都给熏黑了。后来范纯仁显贵，做了大官，其夫人便将那顶帐子收起来，时不时地拿给孩子们看，指着帐顶被灯熏黑的地方对他们说："你们的父亲年少时勤学苦读，晚上在帐子里点灯看书，把帐子都熏黑了。"

⊙吃荔枝

北方民俗办红白喜事，有专门负责招呼客人或者供使杂役的人，唤做"白席"，有时表现得非常滑稽。韩琦在邺地任职时，有次参加一个人的婚礼，见桌子上有荔枝，伸手想拿一个剥来吃，白席见了，马上拉着长声唱道："资政（韩琦曾任资政殿学士）要吃荔枝，请众宾客一同吃荔枝。"韩琦讨厌他啰嗦，伸出去的手又缩了回来，没想到白席继而唱到："资政生气了，请众宾客放下荔枝。"韩琦不禁为之莞尔。

⊙亭与柳

欧阳修任扬州知府时，在蜀冈上的大明寺建了一座平山堂，并于堂前亲手植下一株柳树，人们称其为"欧公柳"。欧阳修有词"手种堂前杨柳，别来几度春风"，说的就是这事。后来薛嗣昌接任知州后，效仿欧阳修，也在堂前种了一株柳树，并自我标榜为"薛公柳"，人们无不嗤之以鼻，薛嗣昌卸任后，这"薛公柳"便被人砍了当柴烧了。无独有偶，徽宗政和年间，唐恪出任滁州知州，便效仿欧阳修咏叹的醉翁亭，另建了一座亭子，取名为"同醉"，还写了一篇游记，让人刻在石头上，当地人亦是不屑一顾。

⊙瓜皮搭李皮

林逋常对人说："世间上的事什么都可以做，唯独不能挑粪和下棋。"后来有个叫林洪的，不知道林逋梅妻鹤子，终身未娶，四处炫耀说自己是林逋的七世孙，姜石帚作诗嘲笑他说："和靖当年不娶妻，因何七世有孙儿？若非鹤种并梅种，定是瓜皮搭李皮。"

⊙烧鹅掌

《说岳全传》描写，金人把徽钦二帝俘虏后，老狼主传令把银安殿的地面烧热，让二帝脱去鞋袜穿上青衣，戴上狗皮帽子，身后挂一条狗尾巴，腰间挂上铜鼓，衣带上挂六个铃铛，手上绑上两根细柳枝，让他们站在烧烫的地上，二帝烫得双脚乱跳，柳枝随之挥舞，铜鼓和铃铛也一齐奏响，老狼主们则在一旁饮酒观赏。书中所描写的这个虐待形式，实则是女真人虐食动物的一种手段，名为"烧鹅掌"。方法是在地上支起一块铁板，用火烧热，然后把活鹅放在上面，用铁笼子罩住，鹅被烫得不停跳跃，不一会儿鹅掌便被烙熟，之后取出活鹅生割鹅掌来食，调以佐料，味道鲜美无比。

⊙忌口驴肠

韩缜爱吃驴肠，每次宴客，驴肠都是必不可少的一道菜。烹调驴肠需要很高的技艺，肠入汤锅，时间短了煮不熟，咀嚼不动；时间长了又会糜烂，变得寡淡无味。而且驴肠必须新鲜才行，过夜就会变质。厨师担心做不好，便想了一个点子：每逢宴会，事先准备一头驴子拴在厨房旁边，待宾客入座，斟酒传杯时，他便提刀豁开驴肚子，抽出驴肠，洗净切碎之后立即下锅，如此便可保证驴肠味美而新鲜。如果客人来得多，一头驴不够用，便多备几头。韩缜督帅陕西时，一次宴请，席间一位客人起身如厕，经过厨房旁时，见好几头被取了肠的驴在那儿疼得不住踢腾、哀鸣，地上鲜血淋漓，不觉毛骨悚然。自此，这位好吃驴肉和驴肠的关中客算是彻底忌口了。

⊙无处安放的胡子

蔡襄长着一部漂亮的胡子，有次仁宗问他："爱卿的胡子很漂亮，不知晚上睡觉时，是把它盖在被子里面呢，还是放在外面？"蔡襄从未注意过这个问题，想了半天，不知如何回答。回家后晚上就寝，突然想起仁宗的问话，顺手把胡子放在被子里面，觉得不妥，又放在外面，感觉也不合适，辗转一宿，竟彻夜不能寐。

⊙器量不够

范仲淹因献《百官图》讽刺宰相吕夷简，被贬去了饶州。梅尧臣当时是建德的县令，听说范仲淹遭贬，便作了篇《灵鸟赋》寄给他，以示安慰，范仲淹见后也给他回了一篇，二人以文会友，很是融洽。等范仲淹再次被启用，仕途依然暗淡的梅尧臣觉得自己和范仲淹有交情，认为他一定会大力举荐自己，结果范仲淹根本没理他这茬儿，却推荐了孙明复、李泰伯等人。梅尧臣很恼火，便又作了一篇《灵鸟后赋》寄给范仲淹，兴师问罪，大意说："当年你遭贬，我同情你，专门作赋安慰你，现在你发达了，不与鸿鹄相亲，却喜欢那些燕雀的依附。"人们都说梅尧臣心胸狭小，器量不够。

⊙孟子不如美酒

李觏不喜佛法，也不喜欢孟子。一天，有个达官贵人给他送来几斗美酒，一个士人见了，想喝美酒，又一向知道李觏的好恶，便作诗道："完廪捐阶未可知，孟轲深信亦还痴。丈人尚自为天子，女婿如何弟杀之。"李靓见诗大喜，挽留他在家交谈数日，结结实实地骂了一番孟子。一直到美酒喝完，士人才告辞而去。过了几天，又有人给李靓送来美酒，士人听说后，二话不说，一口气写了三篇诋毁孟子的文章，拿着就去找李靓。李靓看完，笑着说："你的文采很好，只是今天断不敢留你了，我要留着这些酒自己消遣。"

⊙鲍孤雁窘状

鲍当擅作诗，在河南府做法曹时，起初薛知府看不上他，对他态度很生硬，后来鲍当献上一首孤雁诗："天寒稻粱少，万里孤难进。不惜充君庖，为带边城信。"薛知府看了大加赞赏，对他的态度也来了个一百八十度的转弯，人们因而称鲍当为"鲍孤雁"。有次薛知府造访鲍当，正值酷暑天，鲍当袒胸露背、披肩散发地在院子里乘凉，听说薛知府驾到，仓皇入屋穿衣服，之后出来拜见知府大人，慌忙中却忘了戴头巾。因薛知府一向严厉，左右见了谁也不敢出声相告。鲍当礼貌周到地和薛知府聊了很久，一直到月上柳梢，这才在月光下看到自己披头散发的样子，一时窘迫难当，慌忙用衣服遮住头跑进屋里。

⊙包拯立威

包拯任开封府尹时，极有威严。有次一个巷子里着火，众人正拼命地组织抢救，有个无赖却乘乱调笑，在人群里大呼小叫，说："你们挑的水是从甜水巷里取来的？还是从苦水巷里取来的？"孰料正好包拯赶来，听到无赖聒噪，不由分说让人斩了他。自此人们更加畏惧包拯的威严了。

⊙孔子的后人

孔道辅是孔子的第四十五代孙，性情狷介刚直，还有些自以为是。有人见他为升迁之事着急上火，便劝他去疏通下关系，孔道辅不屑，昂然道："我是孔子的后代，难道和那些姓张姓李的人一样吗？"闻者无不大笑。

⊙儿臣做不得

宁宗赵扩即位时，颇具戏剧性。当太皇太后吴氏命赵扩穿上龙袍时，年方27岁的赵扩居然吓得绕着殿柱逃跑，口中还兀自大声呼喊："儿臣做不得，儿臣做不得！"最后还是吴氏令大臣们夹扶着赵扩，强行给他披上龙袍，登上了皇位。

⊙不讲规则

彭几迂腐而又诙谐。有天家中来客，彭几指着自己养的两只鹤夸道："这是仙禽。世上所有禽类都是孵卵而生，唯独仙鹤是胎生。"话还没说完，彭几的园丁前来报告："咱家的鹤昨夜下了个蛋，有鸭梨般大小。"彭几面红耳赤，连忙挥手将其喝退。过了一会儿，但见那鹤舒展开两腿，趴在地上许久不动，彭几用手杖将其惊起，地上赫然又留下一枚鹤蛋，彭几更加不知所措，叹息道："没想到鹤也不讲规则啊！"

⊙客人多了

丁讽喜欢纵情声色，后来生了病力不从心，便找来许多年轻漂亮的婢女伺候他，以便大饱眼福。见客时，丁讽让两个漂亮的婢女搀着，客人告辞，则令一婢女送到门口，说："多谢来访。"由此，丁讽家的来客比他没生病时还多。

⊙水泊改良田

王安石喜欢谈农田水利，有小人拍他马屁，向他献策说："把梁山八百里水泊淘干，改成农田，绝对是造福百姓的事。"王安石听了很高兴，继而徐徐问道："那淘出来的水放到哪里去呢？"一旁的刘贡父插话说："这好办，再从旁边凿出个八百里水泊，不就可以容纳了吗？"王安石大笑，小人羞得无地自容。

⊙命该如此

郑獬有学问却很自负，国子监考试，郑獬排名第五，心里很不服气，在拜谢主考官时，便说了些诸如"李广事业，自谓无双；杜牧文章，止得第五"，以及"骐骥已老，甘驽马以先之；巨鳌不灵，因顽石之在上"的牢骚话，以发泄心中的不满，主考官深以为恨。廷试时，主考官见其中一张试卷像郑獬的，便毫不犹豫地将其打入末等。等开封验卷，郑獬却高中状元。

⊙评价很中肯

陕西人姚嗣宗，为人放任不羁，号为"关右诗豪"。杜衍督帅长安时，喜欢谈论人物，有次问经略判官尹洙："姚嗣宗这人怎么样？"尹洙说："让他穿白衣入翰林他能胜任，但要判他个流放海岛也不冤屈。"姚嗣宗听说后，高兴地说："这个评价很中肯。"

⊙口头革命派

蜀人塞材望，在湖州任副知州，元军南下时，他大义凛然地指天发誓，要以死殉国，并制做了一面锡牌，上刻"大宋忠臣塞材望"几个大字，又把两锭银子凿了孔，用绳子拴在锡牌上，之后修书一封："如果有人找到了我的尸身，请代为埋葬，碑上题'大宋忠臣塞材望'，这两锭银子权作埋葬费用。"一切做好后，塞材望挂着牌子和银子遍告亲友，交代后事，人们对他既同情又钦佩。丙子年（1276 年）正月初一，元兵破城而入，人们怎么也找不到塞材望，纷纷猜测他可能早已投水殉国了。然而没过多久，有人便看到塞材望一身蒙古装束、骑着高头大马回来了。一打听，才知这小子早在城破的前一天便出城投降了，而且还被元人任命为该州的同知。

⊙酒留下

有人风传丁讽死了，京师诸公争相前去吊唁，一时间纸钱美酒充塞门庭。丁讽见了却并不恼火，说："酒留下，纸钱你们拿回去做别的用吧。"

⊙宫里的老鹰

东京汴梁的老鹰很多，皇宫内尤甚。皇帝每次在宫庭摆酒设宴，招待群臣，即有千百只老鹰飞来，黑压压一片，翔舞于庭下，桌上的饭菜也多被老鹰叼走。后来再设宴时，便事先在邻殿放置些肉食，吸引老鹰过去吃，好让它们吃饱了飞走。

⊙仁宗挨打

仁宗赵祯宠爱尚美人和杨美人，郭皇后吃醋，有次路过仁宗寝宫，听到仁宗正和两位美人调笑，郭皇后怒从心头起，推门就奔向两位美人扑了过去，一顿劈头盖脸。仁宗一看来者不善，赶忙起身保护，结果郭皇后"误批上颈"，打在仁宗脸上。仁宗挨了郭皇后一记耳光，于是召集大臣商议废后。结果，宰相吕夷简等人支持废后，参知政事（副宰相）范仲淹等反对，由于意见不统一，此事只好暂时搁置。

⊙说韩信

党进逛街，见瓦舍里有人说书，便停马问道："你在说什么？"说书人回话："说韩信。"党进闻听大怒，说："你在我面前说韩信，见到韩信一定会说我，如此两面三刀，该打。"吩咐左右赏了说书人一顿军棍。

⊙兵士书

宗室赵宗汉为了让人避自己的名讳，规定府内一律将"汉"称做"兵士"。有次他老婆供奉罗汉，还请人来教儿子《汉书》，奴婢向赵宗汉禀报时说："今天夫人请僧人供十八大阿罗兵士，还请来教官教授世子《兵士书》。"一时传为笑柄。

⊙送鱼

苏轼下狱后，其长子苏迈每天去监狱给他送饭。由于父子不能见面，便暗中约好：平时只送蔬菜和肉食，若死刑判决，则改送鱼，以便早做心理准备。有一次苏迈有事，未能给父亲送饭，便托一个朋友代劳，朋友不知二人约定，偏巧给苏轼送去一条鱼。苏轼见后大惊，遂给弟弟苏辙写了两首绝命诗，一曰："圣主如天万物春，小臣愚暗自忘身。百年未满先偿债，十口无归更累人。是处青山可埋骨，他年夜雨独伤神。与君世世为兄弟，更结来生未了因。"二曰："柏台霜气夜凄凄，风动琅珰月向低。梦绕云山心似鹿，魂飞汤火命如鸡。眼中犀角真君子，身后牛衣愧老妻。百岁神游定何处，桐乡知葬浙江西。"苏辙见诗后悲伤不已，于是上书神宗，希望能以自己的官爵来赎哥哥的罪。神宗读了绝命诗，亦是感慨不已，下令对苏轼从轻发落，贬去黄州任团练副使了。

⊙不降则走

元兵刚南下时，京口知州洪起畏慷慨激昂，并贴出安民告示，说："家在临安，职守京口。北骑若来，有死不走。"结果元兵一到，洪起畏举郡出降，有好事者遂将告示改为："家在临安，职守京口。北骑若来，不降则走。"

⊙以诗问路

西夏元昊起兵后，朝廷广招关中豪杰，姚嗣宗在驿站墙壁上题诗，其中有"踏碎贺兰石，扫清西洛尘。布衣能效死，可惜作穷鳞"的豪言壮语，督帅韩琦看了很欣赏，便奏请朝廷给他补了个环州军事判官的缺。一个姓张的平庸之士见到了契机，觉得自己黑面威严，文采亦不逊于姚嗣宗，便也拿着一首诗作名帖去拜见杜衍，诗曰："昨夜云中羽檄来，按兵谁解埽氛埃。长安有客面如铁，为报君王早筑台。"杜衍很欣赏，也奏请朝廷给他补了个官缺，未想这人胸无一物，不久便因贪赃枉法被免职了。

⊙冠冕堂皇的理由

南宋建立后，金朝称其为"江南"。高宗绍兴八年（1138 年）十一月，金派"江南使"张通古去诏谕南宋，竟要求高宗跪拜受诏，奉表称臣。即便这样高宗都能忍，还冠冕堂皇地说："只要百姓能免于兵戈之苦，朕可以牺牲体面来换取和议。"后因朝廷内外群情激愤，高宗才以为徽宗守孝为借口，委派秦桧等人代他向金使行跪拜礼，并接受金朝的国书。

⊙百岁之后再说

孝宗到德寿宫太上皇高宗的住处请安，常兴致勃勃地谈论光复大计。一次高宗终于忍不住了，极粗暴地打断孝宗的话，不耐烦地说："你们还是等我百岁之后再谈这事吧！"

⊙有几分相像

彭几非常佩服范仲淹，有次端详他的画像，情不自禁地口念"新昌布衣彭几幸获拜谒"，对着画像一拜再拜。拜完又端详了半天，忽然说："有奇德者，必有奇形。"然后拿过镜子自我欣赏了一番，最后得出结论："我和范公倒有几分相像！只是少了几根耳毛，估计年纪大了就有了。"

⊙一律批可

宁宗赵扩脑子不好使，凡大臣的奏章，一律批"可"，即便两位大臣的奏章针锋相对，也照批"可"字不误，弄得臣属们大伤脑筋，不知如何是好。每次面见群臣，不管大臣们的奏章有多长，宁宗都和颜悦色，耐心听完，无丝毫厌倦的样子，但听完是听完，他既不表态，也不决断，上奏者虽已口干舌燥，最后仍不得要领。

⊙巧奔妙逃

随着蒙古铁骑的逼近，临安城内人心惶惶，同知枢密院事、临安知府曾渊子等几十名大臣，率先乘夜逃走，签书枢密院事文及翁，以及同签书枢密院事倪普等人急了，竟暗中指使御史台和谏院弹劾自己，以便卸任逃走，可御史的奏章还没上去，二人早已溜之大吉了。气得谢太后大骂："我大宋朝建国三百余年来，对士大夫从来以礼相待。现在国君蒙难，你们这些臣子竟内外合谋，接踵宵遁。……生何面目对人，死何以见先帝！"尽管声色俱厉，却也于事无补，德祐二年（1276年）正月短暂的休战后，仅剩六名官员出现在朝堂上。

⊙和尚偷饼

苏轼和黄庭坚借住在金山寺。一日二人做面饼，商定谁也不告诉佛印和尚。饼熟后，二人先摆到观音菩萨座前，例行下拜祷告，熟料佛印和尚早已藏在神帐中，趁二人不备，伸手取走了两块。苏轼拜完起身，见少了两块饼，便又跪下，祷告说："观音菩萨如此神通，已经吃了两块饼，该现身了吧？"佛印在帐中哈哈大笑，说："我要是有面的话，就与你们合伙做饼来吃了，岂敢随便打扰？"

⊙一屁打过江

苏轼感觉自己禅修大进，遂得意洋洋地赋诗一首："稽首天中天，毫光照大千。八风吹不动，端坐紫金莲。"然后派人给江对面的金山寺主持佛印送去。佛印看后批了两个字：放屁！苏轼气坏了，亲自渡江过去兴师问罪，佛印笑嘻嘻地说："不是'八风吹不动'吗？怎么一'屁'就打过江了呢？"

⊙不要让我吃冷食

王溥的父亲王祚久居富贵，对生活一切都很满意，唯一就是想知道自己能活多大岁数。一天闲来无事，忽听门外有卜卦算命的在吆喝，便让仆人把他请进来，来者是个瞎子。算命的问仆人："是谁在叫我？"仆人说："是王相公的父亲，想知道自己的寿数。"算命的于是煞有介事地给王祚卜卦、推命，继而大惊道："你的寿命很长。"王祚大喜，问："能活到七十岁不？"算命的说："还要长。"又问："能活到八九十岁不？"算命的大笑说："不止，还要长。"又问："能活到一百岁不？"算命的叹口气，说："看你的命相，至少能活到一百三四十岁。"王祚喜极，问："这期间不会生病吗？"算命的掐指一算，肯定地说："不会。只是在将近一百二十岁的时候，春夏之交脏腑会有些小毛病，不过很快就会好的。"王祚回头望了望身后侍立着的子孙，说："你们记住，那一年千万不要让我吃生冷的食物。"

⊙党进放鹰

党进巡视京师，看见百姓有养鹰鹞的，一定会让左右放飞它们，还大骂那些人说："不能买肉奉养父母，反拿来喂鸟，哪有这样的道理。"晋王赵光义在府邸也养了几只鹰鹞，责成专人喂养，党进看见了，让人上前释放它们，饲养员急了，说："这是晋王赵光义养的，不能放。"说着转身要去给赵光义报信。党进忙拉住他，往他手里塞了许多钱，让他去给鹰鹞买肉，并语重心长地嘱咐说："你要好好喂养它们，千万不要被猫狗伤到。"此事传出，顿成笑柄。

⊙槐厅的吸引

翰林院第三厅的学士阁子前，有一株巨大的槐树，因而被学士们称作"槐厅"。因为从"槐厅"出去的学士大多做了宰相，所以后来者都争着要住这里，甚至有着急的，在前任还没完全卸任前，他便急不可耐地将其行李强行搬出。

⊙我是蝎虎

按照惯例，每逢京师大旱，政府都要下令，让各个坊巷用大瓮盛满水，插上柳枝，放进蜥蜴，然后让一群小孩绕着瓮唱："蜥蜴蜥蜴，兴云吐雾，降雨滂沱，放汝归去！"以此来向天公祈雨。神宗熙宁年间，京师久旱无雨，开封府急令各坊巷祈雨，仓促间找不到那么多蜥蜴，许多人便拿蝎虎代替。然而蝎虎不比蜥蜴，入水即死，小孩子们便唱道："冤苦冤苦，我是蝎虎，似恁昏昏，怎得甘雨？"

⊙满足要求

江东有个僧人请求太宗赵光义修建天台国清寺，信誓旦旦地说，如果寺建成了，他愿焚身以报。赵光义于是命内侍卫绍钦督导修建，并告诫他说："事成之后，要满足他的要求。"卫绍钦领旨，即刻前往督建。寺庙建成后，卫绍钦命人堆积木柴，点燃大火，然后让那僧人进入，僧人却怎么也不肯进，说要去京师面谢皇上，回来后再自焚。卫绍钦大怒，不由分说，便命人用叉子将他叉进了火里，僧人哀号凄厉，最后被大火烧死。卫绍钦回来后向赵光义禀报："事已办妥。"赵光义颔首称许。

⊙无事可奏

宋朝的御史台有规定：凡朝中御史，一百日内不上书不言事的，一律外调到地方上任职。有个叫王平的，御使的位子坐了快一百天了，还从未上过奏表，同僚们很惊讶，议论说："此公可能厚积薄发，不说是不说，一说肯定就是大事。"没过两天，王平果然写了个奏折，大家很好奇，争相观看，却原来是弹劾皇帝的御膳中有头发一事。其折煞有介事，中有"是何穆若之容，忽睹鬈如之状"等斐然词句。

⊙海棠的香味

彭几常对人说，他这一生对五件事心存不甘：一恨鲥鱼多骨；二恨金橘太酸；三恨菁菜性寒；四恨海棠无香；五恨曾子不能写诗。其好友李丹为昌州知州，后因离家太远之故，改去鄂州任知州，彭几听说后很不满意，大步流星地赶到李丹家中，责怪他说："谁让你放弃昌州这么好的地方的？"李丹惊讶地问："你怎么知道昌州那地方不错？"彭几答道："天下的海棠都没有香味，只有昌州的海棠有香味，难道不是好地方吗！"

⊙安享

章惇任宰相后，安惇为其下属，因要避讳章惇的名字，每次当着章惇的面，安惇都要自称"安享"。有人为此作诗嘲讽他说："富贵只图安享在，何须损却一生名！"

⊙手里还有一子

贾玄陪宋太宗赵光义下围棋，太宗让贾玄三子，贾玄最后却只输一子，太宗知道他在故意相让，便说："朕知道你棋艺精湛，拿出你的真本事来，这盘如果你再输了，朕就打你板子！"结果是个和局。太宗又说："这里面肯定有诈，再来一局，这局你要赢了，朕赏你，若输了，就把你扔到水里淹死！"结果又是和局。这下太宗真生气了，说："朕让你三子你还不能赢，这就算你输了。"不由分说便命左右将其投入水中，贾玄大呼小叫，忙说："臣手里还有一子！" 太宗闻言莞尔，不但饶恕了他，还重重赏了他。

⊙酒肉地狱

苏轼不善饮酒，任杭州通判时，因其名望颇高，加之僚属上下团结，所以每天酒局不断，苏轼推辞不掉，只得疲于应付，并笑呼这些局为"酒肉地狱"。袁谷接替他后，正好赶上郡将与诸司之间闹矛盾，各种酒局也散了，袁谷好喝而没地方喝，逢人便发牢骚："听说此地是'酒肉地狱'，怎么我一来地狱就空了！"一时哄为笑传。

⊙蝗虫感德

王安石被罢相，外任金陵。其时北方正在闹蝗灾，飞蝗自北向南漫过，最后江东诸郡也未能幸免。王安石出京时，百官在城外为其摆酒饯行，结果好友刘攽来晚了，没见到王安石，便写了一首诗寄给他："青苗助役两妨农，天下嗷嗷怨相公。惟有蝗虫偏感德，又随车骑过江东。"

⊙申死了才罢

宋人讲究避讳。徽宗宣和年间，常州一知县因某事迟迟不见答复，便去拜见知府徐申，说："我已向知府大人申请了三次，不知为何没有音信？"徐申因其没有避讳自己的名字"申"字，即刻怒形于色，训斥道："你是一县之长，难道不知道我的名字？是在故意羞辱我吗？"没想到这个知县也是个犟脾气，明知口误，却并不服软，大声回道："此事申府不报，便当申监司，申户部，申台（指御史台），申省，直到申死了才罢。"说完长揖而退。

非你莫属

第九章

⊙朕不如他

太宗赵光义一日对臣子们说："朕比唐太宗如何？"众大臣会意，纷纷拍马："陛下乃尧舜再生，唐太宗怎么能比？"只有李昉一人不表态，待众人闭口后，才徐徐诵读白居易的诗说："怨女三千放出宫，死囚四百来归狱。"赵光义听后沉思良久，之后叹气道："朕不如他。"

⊙评价

司马光问邵雍，自己是个什么样的人，邵雍回答说："你是个脚踏实地的人。"司马光很认可这个评价，觉得邵雍很了解自己。

⊙绝对

有次寇准出对："水底日为天上日。"僚属皆不能对，唯杨大年应声回道："眼中人是面前人。"时人以为绝对。

⊙司马光的魅力

元丰末年（1085年），哲宗即位，重新启用司马光入京主政。百姓闻讯，夹道欢迎，道路一度拥堵，以致司马光的车马无法前行。就这还不够，有人甚至跟到司马光府邸，爬上墙头屋顶观看。管家出来制止，这些人回答："我们不是来看宰相的，只是想一睹司马相公的风采！"无论好说歹说，甚至大加训斥，这些人就是不走。

⊙三十年后

欧阳修很佩服苏轼的文章，他曾对自己的儿子们说："再过三十年，不会有人再提到我的名字。"王安石也不无慨叹地说："不知再过几百年，才能有苏轼这样的人物出现！"

⊙"贫"改"负"

王安石很欣赏苏轼的才华。苏轼被贬到黄州任团练副使时，王安石在江宁任知府，有次一个黄州人来江宁，王安石问他："苏子瞻（苏轼字）近来有什么妙语啊？"来人说，苏轼有天晚上在临皋亭喝得大醉，醒来后即成一篇《成都圣像藏记》，王安石急令他取来一阅。读到兴处，王安石高声称赞："子瞻，真乃人中龙也！"读到末尾，王安石突然表情凝重，说："文章确实写得好，不过也有一字用得不太贴切。"来人忙请教，王安石说："文章末尾处说：'如人善博，日胜日贫。'如改为'日胜日负'就更准确了！"来人将王安石的评语告知苏轼，苏轼听了抚掌大笑，连称王安石为一字师，并提笔将"贫"字改为了"负"字。

⊙都是拗脾气

王安石上书要求变法，司马光反对，二人争执甚烈。神宗想启用王安石，王安石表态说，除非实行变法，否则不接受任何官职。最后神宗采纳了王安石的建议，并任其为相，开始变法，司马光则被派往西京洛阳撰写《资治通鉴》。后来神宗想任司马光为枢密副使，司马光亦是坚辞不就，说除非皇上放弃变法，否则不会出任任何职位。

⊙敬恩师

苏轼死时，"苏门四学士"之一的黄庭坚也卧病在床，惊闻噩耗，黄庭坚悲痛万分，竟"两手抱一膝起行独步"，挣扎着前去参加葬礼。晚年时，黄庭坚将恩师苏轼的遗像悬挂在正堂，每天早起整肃衣冠，礼拜上香。

⊙皇帝怕宰相

徽宗善于纳谏，宰相张商英曾劝其克勤克俭，远离奢华，尤其不要大兴土木，他欣然接受。后来徽宗让人整修升平楼，特意嘱咐工头说："如果张宰相经过这里，须速把工匠们藏到楼里，万不可让他看到。"

⊙心悦诚服

蔡京的艺术天赋极高，在书法、绘画、诗词、散文等各个领域均有建树，素有"才子"美称。一次蔡京与米芾聊天，蔡京问米芾："当今书法，什么人的最好？"米芾回答："自唐末的柳公权之后，就属您和令弟蔡卞了。"蔡京问："其次呢？"米芾说："那就是我了。"

⊙闭口音

黄庭坚请秦观、苏轼等人欣赏画家李公麟的《贤己图》。图的内容是六七个人围着一个大盆掷骰子，其中五枚骰子已经停住，都是六点，只有一枚还在盆中旋转。画中一人扒在盆边张嘴疾呼，其余几人的神色也是紧张异常。画工精湛，人物传神，黄、秦等人交口称赞。未想苏轼却疑惑道："公麟因何说起闽语来了？"见大家不明白，苏轼又解释道："其他地方说到'六'字，一般都是闭口音，只有闽语是张口音。现在盆中的五个骰子都是'六'，剩下那个虽不知是几，那人肯定喊的也是'六'字，然而嘴巴却张得大大的，不知是什么原因？"众人听了无不叹服。

⊙李白不及苏轼

宋神宗欣赏苏轼简直是到了无以复加的地步，吃饭时，偶尔停下来看点东西，那一定是苏轼的诗文。一天神宗与身边大臣谈论古今人才，神宗问道："苏轼可与哪位古人相比？"大臣回答："堪比李白。"神宗说："不对，李白有苏轼的才气，却比不上苏轼的广博。"

⊙皇帝买扇子

有年夏天，两个下级官吏拍蔡京马屁，不停地用扇子替他扇风。蔡京很舒坦，一高兴，要过二人的扇子，为他们提了两句杜甫的诗。熟料几天之后，此二人忽地阔气起来，询问之下才知道，那两柄题了字的扇子，被一位亲王出高价买走了。这个亲王就是后来的徽宗皇帝。

⊙童贯抗命

童贯监军西北，随大军进发湟川，平息叛乱。行将开战之际，徽宗却传来手诏，急令止兵。原来皇宫突然失火，徽宗认为是不宜征战之兆。童贯看完手诏，若无其事地将其藏进靴筒，军中主将问他写的什么？童贯回答："皇上希望我们早日成功。"平叛胜利后，在庆功宴上，童贯拿出皇帝的手诏，让军中将领传看，将领们都很惊讶，问童贯为何要抗命，童贯说："彼时士气正盛，如果止了兵，以后还怎么打？"主将小心问道："那万一要打败了怎么办？"童贯说："这正是我当时不给你们看的原因。若果真打败了，责任由我一人承担。"众将领听了，是既感激又佩服。

⊙杨大年的胡子

杨大年胡须长且美，一日退早朝，丁谓戏谑他说："内翰拜时须扫地。"杨大年应声而答："相公坐处幕漫天。"即说丁谓揽权过盛，只手遮天，丁谓听了不怒反喜，很是佩服杨大年的敏捷。杨大年在政见上靠近寇准，后来寇准受丁谓排挤被贬出京，其支持者也大都遭了秧，只有杨大年幸免。

⊙敬学问

张咏任益州知州时，不喜欢僚属向他跪拜。在家时，如有客来，张咏也总是让人先行通知免拜，若客人依旧跪拜，张咏便会大发脾气，或者干脆也向客人跪拜，令客人尴尬不已。不过这仅限于对下，对上则没这么客气。有次京城下派来一个官员，按惯例须向知府参拜，该官自恃来自京城，不肯下拜，张咏大怒，说："除非你辞职不干，否则今天非拜不可。"京官一听脾气也上来了，说："就是辞职我也不拜。"说着还真写了一封辞职信，并赋诗一首诗讽刺张咏，其中有"秋光都似宦情薄，山色不如归意浓"之句，未想张咏看了大为赞叹，走上前去握着他的手说："好文采，张某有眼不识泰山，对你无礼，还请见谅。"接着设宴款待，相谈甚欢。

⊙红缬与鄂州花

晁无咎写诗极有声色，有人以诗戏之曰："闻道新文能入样，相州红缬鄂州花。"（红缬与鄂州花都是当时的时尚物品。）

⊙一心二用

杨大年才思敏捷，且能一心二用。写文章时，他一边与门人宾客饮酒投壶，笑语喧哗，一边文不加点，笔走龙蛇。每写完一张纸，便让门人拿去抄写，门人疲于奔走，不一刻已抄写了几千字之多。

⊙低调的状元

王曾中状元后，还归青州故里，地方官听说状元回来了，连忙安排父老乡亲们敲锣打鼓地去城门外迎接，未想王曾却没走正门，而是换了件普通衣服，从小门进入。看门的认识王曾，吃惊地问道："听说你要回来，郡守大人已派人去大门外迎接了，你怎么从这儿进来了？"王曾说："在下不才，有幸中第，哪里敢劳烦郡守大人和父老乡亲们啊。"看门的慨叹道："真不愧是状元啊！"

⊙考虑周全

仁宗生病，想见宰相和执政，诸执政接诏后急忙前去，唯宰相吕夷简却骑着马缓步而行，任太监怎么催促也不着急。到得宫中，诸执政早已见过皇上，说了一些关心和祝福的话，仁宗身体本就虚弱，又等了许久，愈加显得疲惫，见了吕夷简没好气地说："朕生病时想见爱卿，爱卿却为何来得这般迟缓？"吕夷简不慌不忙地回答："陛下生病，久不视朝，外间颇有微词。臣如果大白天驰马入内，恐怕让人怀疑宫中出了事故。"仁宗听后咨叹良久，诸公脸上均现愧色。

⊙水赋

夏竦年轻时曾拜姚铉为师，有次姚铉让他作水赋，要求写足一万字。夏竦绞尽脑汁，最后只凑了三千多字，拿来向姚老师交差。姚铉见字数不够，也不看内容，对他说："你为何不前后左右地展开来说这个'水'字呢？"夏竦回去再写，最后成文六千字，这次姚铉的评价是四个字：孺子可教。

⊙苏轼服输

有次苏轼拜访王安石，在书房等候时，见书桌上有首《咏菊》的诗稿，刚写了两句："西风昨夜过园林，吹落黄花满地金。"苏轼不以为然，在他看来，诗中所说"西风"应该指秋风，"黄花"又称菊花，秋天正是生机勃勃的季节，怎会有"吹落黄花满地金"的情景呢？于是提笔在下面写道："秋花不比春花落，说与诗人仔细吟。"王安石看了，笑着对苏轼说："屈原《离骚》里就有'夕餐秋菊之落英'的诗句，怎么说秋菊不落瓣呢？况且黄州那里就有这样的景象。"后来苏轼被贬去黄州任团练副使，第二年重阳时，一连刮了几日大风，风停后，苏轼去后园赏菊，却惊讶地发现，原本花满枝头的金菊，竟只剩几根空枝，枝下则落英满地，一片金黄。苏轼猛然想起几年前王安石的话，对其愧服不已。

⊙一字之师

萧楚材任溧阳县令时，张咏为其上司。一天萧楚材去张咏那做客，见其桌上放着一张纸，上面写着一首诗，其中两句为："独恨太平无一事，江南闲煞老尚书。"萧楚材觉得"恨"字不妥，于是提笔改为"幸"字。张咏看到后，问："谁改的我的诗？"萧楚材说是我，张咏问原因，萧楚材说："张公功高位重，奸人不敢造次，而且现在天下一统，太平无事，张公却单单恨太平，似乎说不通，所以斗胆一改。"张咏点头称是，赞道："你可谓我的一字之师啊！"

⊙小友

王禹偁七岁能文，很有诗才。因其家以磨面为生，济州团练毕士安曾让他作磨诗，王禹偁不假思索，脱口而出："但存心里正，无愁眼下迟。若人轻著力，便是转身时。"毕士安很惊讶，遂留他在子弟间讲学。一日宴会，济州太守出了个诗句："鹦鹉能言争似凤。"坐客皆不能对，毕士安回家后将此联写在了屏风上，王禹偁看见，提笔在联下续写："蜘蛛虽巧不如蚕。"毕士安大为惊讶，赞叹道："简直是经纶之才啊。"自此常呼其为"小友"。

⊙平地作神仙

寇准被召入京时，魏野送给他一首诗，其中有"好去上天辞富贵，却来平地作神仙"之句，寇准看了很不高兴，认为魏野在给他泄气。两年后，寇准被贬道州，终于悟到此中深意，遂将该诗题于窗间，朝夕吟颂。

⊙应该的

谏议大夫陈省华家教甚严，其长子陈尧叟在枢密院任职，次子陈尧佐在史馆当值，三子陈尧咨为制诰（承命草拟诏令），都是有头有脸的人物，可每次家里来客人，陈省华都要让三个儿子在一旁侍立。时间长了，客人们感到不好意思，起身告辞时，陈省华还要挽留，说："他们都是学生辈的，在一旁侍立是应该的，你不必拘谨。"

⊙要狄青那样的

狄青生得风姿挺拔，一表人才。神宗幼女到了婚配的年龄，哲宗想给这个妹妹找个好人家，挑来挑去都不满意，近臣问哲宗："不知陛下打算选个什么样的人物呢？"哲宗说："像狄青那样的就行。"

⊙一举三得

真宗大中祥符年间，宫中失火，工部尚书丁谓奉命修缮宫室。由于取土的地方很远，运输不便，丁谓便让工匠们在大街上挖土，没几天，街道就成了一道沟壑，接着丁谓派人将汴河的水引进来，注满沟壑，然后用竹排和船往宫里运送石材木料。宫殿修缮后，丁谓命人将沟渠中的水抽干，把那些残损的建筑废料填进沟内，街道又焕然一新。丁谓"一举而三役济"，为朝廷节省了数百万钱，也为后世添了个成语：一举三得。

⊙落花诗

夏竦在安州任知州时，有天宋庠、宋祁兄弟来拜见他，夏竦想试试他们的才学，便让他们每人作一首落花诗。宋庠所作诗中，有"汉皋佩冷临江失，金谷楼危到地香"之句，宋祁诗有"将飞更作回风舞，已落犹成半面妆"之句，夏竦看完评价说："咏落花却不说'落'字，宋庠是宰相之才，宋祁虽略有不及，但也一定前程似锦。"

⊙器量

某年寒食节，章得象与丁谓打赌，丁谓输了好几百两银子。第二天，丁谓将银子封好，如数给了章得象。第二年寒食节，二人又赌，章得象输了，丁谓高兴得手舞足蹈，一个劲儿地催着要银两，章得象便将去年赢的赌注拿给他，封银分文未动，封口上满是尘垢。丁谓见了，由衷佩服章得象的器量。

⊙寇准挨打

寇准年轻时放诞不羁，整日飞鹰走狗，颇似纨绔子弟。其母性格严厉，且脾气火爆，有次被寇准气着了，随手抄起个秤砣便向寇准砸去，寇准躲闪不及，秤砣砸在脚上，疼得满地打滚，流了很多血。此后寇准的性情便收敛了许多，开始专心致力于学业。寇准显贵后，母亲死了，寇准以手摸足，嚎啕大哭，有如天塌下来一般。

⊙实诚人

晏殊五岁能作诗，被誉为神童，十四岁时，张知白将他推荐给真宗，并参加了同年的殿试。晏殊看到试题，上奏说："臣十天前已做过这个题目，请陛下另外出题测试。"真宗欣赏他的直言不隐，遂另外出题给他。晏殊在崇文院任职时，太子的东宫有个职缺，真宗批示让晏殊替补。晏殊感觉自己资历尚浅，恐怕有负圣望，真宗解释说："朕听说馆阁内的臣僚，整天只知道嬉游宴赏，只有爱卿好读书，如此谨慎笃厚，正合适在东宫任职。"晏殊回答说："臣不是不喜欢宴游，只是因为贫穷才没那样做。臣如果有了钱，也一定会参加的。"真宗微笑点头，很喜欢他的坦诚。

⊙韩琦的画像

韩琦任宰相时很有威德，不管是宋人还是外藩，都很尊重他。出任相州知州后，辽使每次过境，都要警戒手下："韩丞相在这里，不要大呼小叫的。"后来韩琦的儿子韩忠彦奉命出使辽国，辽主问曾经出使过宋朝的使臣："他和韩丞相长得像吗？"使者回答："很像。"于是辽主命人给韩忠彦画像，为的是能常常一睹其父韩琦之风采。靖康之变后，有个燕地人路过相州，专门拜谒了韩琦的祠堂，并题了一首诗，说："有客能吟丞相柏，无人敢伐召公棠。"

⊙似曾相识燕归来

晏殊路过扬州，到大明寺歇脚，见墙上有首诗写得不错，问是谁人之笔，寺僧答说是王琪。晏殊于是差人将王琪找来，二人一起谈天说地，好不惬意。之后二人又去池塘边游玩，其时正值晚春时节，见到落花满地，晏殊突然想起一件事，说："我有个句子，想了好几年，至今没有对出下句。"王琪问是什么句子，晏殊随口念道："无可奈何花落去。"王琪听完即应声而对："似曾相识燕归来。"晏殊拍手叫绝，后来便将这句诗写到了《浣溪沙》词里："一曲新词酒一杯，去年天气旧亭台。夕阳西下几时回？无可奈何花落去，似曾相识燕归来。小园香径独徘徊。"受晏殊的推荐，王琪后来去了崇文院任职。

⊙无地起楼台

魏野给寇准写了一首诗，其中两句为："有官居鼎鼐，无地起楼台。"此诗传播甚广，就连漠北番邦都无人不知无人不晓。真宗末年时，有北使来京，曾询问："哪个是'无地起楼台'相公？"可惜当时寇准已被免相，去地方上任职了。

⊙这就是差距

宋绶和夏竦一同主持童行（指出家入寺观尚未取得度牒的少年）的诵经考试，内容为背诵《法华经》，有一人怎么也背不过，二人便问他学习几年了，回答说："十年。"二公相视苦笑，都很可怜他。回来后，二人各取《法华经》一部背诵，夏竦用了七天，宋绶用了五天，便倒背如流，一字不漏了。

⊙五十九岁的不足

宋祁对梅尧臣说："我五十岁时，奉诏撰写《唐书》（指《后唐书》），为了搜寻资料，我几乎看遍了前人的著作，终于明白作文章的艰难，再看我五十岁前写的文章，不禁赧然汗下。而到了六十岁，又觉得五十九岁时的文章不够好。所以现在我每次看我的旧作，都很不满意，想烧掉它们。"梅尧臣听完高兴地说："可喜可贺，这说明你的文章长进了。"

⊙注重细节

范仲淹替别人写了个墓志铭，写完拿给尹师鲁看。尹师鲁说："你的文章影响颇广，后世会以你的文章为依据，所以更要谨慎。你这上面用的'部刺史''太守'等官职，均是汉朝时的官名，必将引起后世的疑惑，而这些细节，正是让那些庸俗的儒生们争论不休的原因啊。"范仲淹感谢道："幸亏请您过目，否则悔之晚矣。"

⊙为公落泪

为抗击西夏，洛苑副使种世衡在陕西建了一座青涧城，却遭到下属李戎的弹劾，说他在建城期间擅用官物、中饱私囊。经调查，李戎所说属实，按律应该问罪。鄜延经略使庞公替他说好话："边疆艰苦，种世衡披荆斩棘，历尽艰辛，才终于建成了青涧城，如果连这么点小事都较真的话，那边将的工作就没法干了。"仁宗认为言之有理，便下诏赦免了他。不久，种世衡调往环州任职，临行前，种世衡向庞公辞别，哭着说："世衡心肠铁石，今天却不能不为公落泪。"

⊙狄青救铁罗汉

宋人王称在《东都事略》中记载，狄青十六岁时，其兄狄素与同村一个绰号叫"铁罗汉"的人在河边打斗，结果不小心把"铁罗汉"给淹死了，保伍正要将狄素绑送衙门，狄青恰好去田间送饭回来，急忙拦住保伍说：

"'铁罗汉'是我杀的。"保伍便放了狄素绑了狄青，狄青又说："'铁罗汉'或许还有救，你先让我试试，如果他真死了，那时再绑我也不晚，我绝不会逃跑的。"保伍答应，狄青于是跪地祷告，嘴里念念有词："上天如果让我将来富贵，那就先让'铁罗汉'醒来吧。"说完将"铁罗汉"倒举起来，控出来数斗水，"铁罗汉"果然又醒了过来。人们都觉得很惊奇，自此对狄青也高看了一眼。

⊙经历过才明白

大盗张海率海盗路过高邮，知军晁仲约让百姓们杀牛宰羊，摆酒慰劳，最后海盗安全离开，没有进行任何劫掠袭扰活动。枢密副使富弼听说后，想治晁仲约死罪，参知政事（副宰相）范仲淹制止说："自太祖以来，我大宋从不轻易处死臣子，这是品德高尚的事，怎么能轻易破坏呢！如果将来皇上不遵守这个规定，就是我们能否自保也未可知。"富弼听了不以为然。后来富弼去地方上任职，反对神宗改革，拒不执行王安石变法，神宗对他有了意见。有次富弼进京，侍卫不准他入宫门，富弼猜不透皇上的心思，以致诚惶诚恐，夜不能寐。在床下来回踱步时，富弼突然想起范仲淹的话，不禁叹息说道："范仲淹真是圣人啊。"

⊙后继有人

人们谈论范仲淹的三个儿子，都说他们各自传承了父亲的一个特点：次子范纯仁得其德量，为人低调，人称"布衣宰相"；三子范纯礼得其才学，文章了得，官拜礼部尚书；四子范纯粹性沉毅，善用兵，得其将略。（范仲淹长子范纯佑早逝。）

⊙何敢望韩公

韩琦晚年与欧阳修交好，二人感情极为深厚。欧阳修非常佩服韩琦的德操和雅量，他常对人说："我们平常人说到不平的事，一定会生气动怒，不但脸色会变，言辞也变得犀利起来。而韩公却不是这样，他即便说到那些小人忘恩负义的事，也是心平气和，言语舒缓，就像说一件极其平常的事。"所以欧阳修有诗道："累百欧阳修，何敢望韩公。"

⊙生日礼物

宋时，凡宰相过生日，皇帝一定会派人赏赐礼物，其中尤以涂金镂花的银盆（一般是四个）最是贵重，一般不轻易赠送。文彦博自庆历八年（1048年）拜相，到绍圣四年（1097年）罢相，前后计五十年，所得镂花银盆无数。最后几年，每次过生日，文彦博都会将这些银盆摆在自己的座位旁边，有一百多个，银光闪闪，蔚为壮观。士大夫们见了无不羡慕，一时传为佳话。

⊙有把握

刘敞聪明好学，是庆历六年（1046年）的进士。刘敞参加廷试时，时任湖北转运使的父亲刘立之，正与太守王山民在黄鹤楼中饮酒。刘立之胸有成竹地对王山民说："我儿子这次一定会高中状元的。"王山民不以为然，说："天下有才能的人多了，令郎虽然博学多才，但能不能中状元谁也无法预料。"刘立之说："即便中不了状元，至少也会中个榜眼。"发榜后，刘敞果然中了第二名。其实刘敞本该第一，只因编排官、翰林学士王尧臣是刘敞的表兄，为避嫌，仁宗才将刘敞列为第二，将河南邓县的贾黯列为第一。不久，刘立之收到刘敞的家书，说："这次考试我本来应是状元，只因有个小遗憾，让贾黯得了第一。"刘立之将家书拿给王山民看，之后昂然而去。

⊙宰相嫁女

孙明复晚年居住在泰山，枯瘦憔悴，鬓发皓白，却依旧孑然一身。

曾做过宰相的兖州知州李迪，和孙明复交情甚厚，有次慨叹说："先生年纪已经五十了，却还独居一室，平时谁来侍奉你呢？如果生病了又怎么办呢！我有个女儿很贤惠，可以嫁给你为妻。"孙明复说万万使不得，坚决不答应。李迪进一步劝说："我的女儿如果不嫁给先生，最多也就嫁给一个小官。先生德高望重，如果能成为我的女婿，那将是我莫大的荣幸啊。"孙明复说："宰相的女儿不嫁给公侯贵戚，却要嫁给一个隐居山谷的穷困老朽，相国的贤德，真是古今少有啊。我不能对不起相国的这份贤德。"就这样，孙明复最终娶了李迪的女儿为妻。

⊙幸遇咨议

夏贵任两淮咨议时，一天骑着马在市场上闲逛，被一个老妇人给拦住了。原来，老妇人的丈夫和夏贵同名，早年间走失了，有人便戏弄她，说这个夏咨议就是她的丈夫。夏贵解释不通，于是下马，让她跟随自己回家，然后把子孙家眷们都叫出来，让老妇人辨认。老妇人知道被人戏弄了，忙磕头道歉说："老妇误听人言，冲撞了大人，甘愿伏法。"夏贵可怜她，不但没有处罚她，还给了她一些钱物让她走了。朋友听说后，笑着对夏贵说："幸亏这个老妇人遇到的是咨议，这也是她的福分啊。"

⊙赵光义题字

太宗赵光义附庸风雅，不但喜好诗赋，还酷爱书法，擅写草、隶、行、篆、八分、飞白六种字体，其中尤以"飞白体"最为老道。淳化元宝上的字，便是赵光义的亲笔。

⊙先抬左脚

徽宗喜欢绘画，而且经常亲自到画院去当"客座教授"。每十天，徽宗都会命人给画院送去两幅宫廷所藏的名画，让画士们临摹学习。除此之外，徽宗还要求画士们深入观察写生。据宋人邓椿在《画继》中记载，有次宣和殿前的荔枝结了果，又恰巧有孔雀经过，欲上石墩休息。徽宗一高兴，便给画士们出题，让他们把这幅难得的景象画下来。画士们积极表现，使出浑身解数，但最后徽宗均不满意，大家不解，徽宗说："孔雀升高，必先举左脚。你们画的孔雀上石墩，都是先抬的右脚。"众人听了无不叹服。

⊙没来得及

神宗死后，哲宗尚幼，高太后秉政，重新启用苏轼为翰林学士知制诰，她对苏轼说："先帝（指神宗）每次诵读你的文章，必叹'奇才，奇才'，可惜却没来得及重用你啊。"苏轼听后失声痛哭。

⊙眼见为实

韩琦到大名府任知州时，已经六十多岁了，他经常和人说，他从小到大，不管是求学还是做官，指导自己行为的，就是一部《论语》，这书他一刻也不曾离身。河北转运使韩缜不信，每次去拜访韩琦，都径自直奔韩琦的卧室和书房，查看几案上的东西，以验证话的真假。结果几案上除了一把茶壶就是一本《论语》，其他什么都没有，韩缜这才相信传言不虚。

⊙独具慧眼

欧阳修任颍州知州时，吕公著还只是个通判，其虽德才兼备，为人却很低调，所以并未引起广泛注意。欧阳修独具慧眼，认定吕公著是个难得的人才，等调回京城后，便向皇帝推荐了他，吕公著也由此渐渐发达起来。

⊙相识恨晚

宰相陈执中一向不喜欢欧阳修，出任陈州知州后，有次欧阳修从颍州去南京，顺路来拜访他，他也拒而不见。后来陈执中再次出任宰相，欧阳修也调到京城任翰林院学士，虽同城为官，但欧阳修却再没有登过陈执中的家门。不久，陈执中被罢相，出任亳州知州。当时诏书的制词是欧阳修草拟的，陈执中猜想一定没什么好话，熟料其词甚美，说他"杜门却埽，苦避权贵以远嫌。处事执心，不为毁誉而更变"。陈执中看后很惊讶，说："就是故交老友也未必这么了解我，能说出这样的话来。"遂手录一份寄给朋友李师中，感叹道："吾恨不早识此人。"

⊙书生做主

赵匡胤常到赵普家做客，有次正好赶上吴越国（唐末宋初五代时期十国中的一国，978 年纳土归宋）来给赵普送礼，是十瓶海产品，然而打开一看，却是满满的 10 瓶金瓜子。赵普十分惶恐，担心赵匡胤会怪罪，没想到赵匡胤却说："你不要有什么顾虑，收下吧，他们不过认为国事都由你们书生做主罢了。"

⊙小时了了

神宗赵顼天性好学，读书废寝忘食，如果有人提醒他吃饭，他便说："听读方乐，哪里知饥？"赵顼听课很认真，每次都是先正好衣冠，然后拱手拜师，一副谦恭的模样。小赵顼也从不搞特殊化，即便酷热难当的大暑天，他也不叫人给他扇扇子。

⊙能文善武

高宗赵构力气很大，可以两臂平举各 110 斤的重物走数百步，他喜欢骑马射箭，能拉开很硬的弓。赵构还精通诗文，书法造诣很高，他最初学习黄庭坚、米芾，接着又学习唐人的书法，对虞世南、褚遂良等人的作品颇有研究，后来他追摹王羲之、王献之父子，并自具风骨，著有《翰墨志》一书。

⊙杨业庙

杨业原系北汉国大将，本名杨重贵，北汉开国皇帝刘崇赐其名为刘继业。赵光义征伐北汉时，刘继业曾与宋军进行过九次较大的战斗，给宋军造成了不小的损失。太平兴国四年（979年），北汉灭亡，刘继业降宋，太宗赵光义恢复其姓氏，并更名为杨业（曾巩在《隆平集》中又作杨邺、杨继邺）。此后杨业威名远震契丹，被契丹人称为"杨无敌"，杨业死后，辽国在古北口（今北京密云境内）为其建立了一座杨业庙。

⊙兄弟情深

赵匡胤很信任弟弟赵光义，有关军国大事都让赵光义参与谋断，而且赵匡胤每次出征或外出，都会让赵光义留守都城。赵匡胤一度想建都洛阳，群臣极力劝谏，赵匡胤也不听，最后还是赵光义亲自陈说利害，才使得赵匡胤改变了主意。有次赵光义生病，赵匡胤亲去探望，亲手为他烧艾草治病，若赵光义觉得痛，赵匡胤便先在自己身上试试效果。赵匡胤常对人说："光义龙行虎步，出生时有异象，将来必定是太平天汴京繁塔子，福德所至，就连我也比不上。"

⊙读书的秘诀

卢多逊为人机警。他知道赵匡胤喜欢读书，便经常去史馆借书看，而且每次都是赵匡胤在读什么书，他便借什么书来读。上朝召对时，赵匡胤往往会说到书中的事，每到这时，大臣们大都沉默不语，唯有卢多逊从容自若，应对如流，赵匡胤对此甚为满意。

⊙月季的叶片

徽宗精于绘画之道，有次在龙德宫看见一幅拱眼斜枝的月季花图，大加赞赏，又听说画者还是个少年，便更加啧赞不已。近侍问这画有何特别，徽宗说："月季是很难画的，因为它一年四季，甚至早上和晚上，花蕊的叶片形状都不一样。这幅画画的是春天日中时的月季，叶片形状丝毫不差，非常难得啊。"

⊙迟来的信任

仁宗时，王安石上了份《上仁宗皇帝言事书》的奏折，开始提出变法的具体意见和措施。此奏折虽未引起仁宗和执政大臣们的重视，但却受到一些主张改革的士大夫们的追捧，一时间竟有议论："金陵王安石不做执政大臣，是王安石的不幸，也是朝廷的不幸。"神宗在继位之前便看过王安石的《言事书》，非常欣赏王安石的见解，其身边亲信韩维，也是王安石的崇拜者，在给神宗讲解史书时，每每神宗称好，韩维便会说："这不是我的观点，是王安石的见解。"神宗对王安石更加倾慕，继位后坚决支持变法。

⊙小中见大

曹彬、潘美领兵灭了南唐，后主李煜穿着白衫纱帽来拜见二人，先拜潘美，潘美还礼，再拜曹彬，曹彬让人把他搀起来，说："甲胄在身，拜不及答。"没有还礼。随后曹彬、潘美登上一艘小船，召呼李煜上船喝茶，登船的工具是一根独木，李煜逡巡很久也不敢上，曹彬见了，命部下将他搀扶上船。喝了一会儿茶，曹彬让李煜回宫去收拾一下，第二天在这里会合，一道前往京都。李煜走后，潘美疑惑地问："怎么能轻易放李煜回宫呢？万一他回宫自尽了怎么办？"曹彬笑了笑，说："刚才他连独木板都不敢走，可见非常怕死。咱们既已许诺留他性命了，他怎么会轻易去寻死呢？"第二天一大早，李煜果然如期而至。

⊙淡定的杜太后

赵匡胤"陈桥兵变"后，其部下快马加鞭，去开封给赵匡胤的母亲——也就是后来的杜太后报喜，说："您儿子当皇帝了。"杜太后却并不惊讶，淡定地说："我儿子向来胸怀大志，这下终于如愿以偿了。"继而叹了口气，说："做皇帝是很难的，国家治理得好，就会受到臣民们的尊重，治理得不好，就会众叛亲离，到时候想做回百姓都难了。"后来她拉着赵普说："我的儿子还不会做皇帝，一切还需赵书记劳心。"（赵匡胤为归德州节度使时，赵普为节度掌书记。）

⊙控制盐价

陕西一地贩卖私盐的很多，庆历八年（1048 年），范祥以提点陕西西路刑狱兼提举制置解盐司（均为官名），开始推行盐钞法，即让商人缴纳四贯八百钱，发盐贴一张，凭此贴可到解州盐池换取食盐二百斤自由贩卖，如此，地方政府便增加了财政收入。此法实行不久，即出现弊端，由于贩私盐的人多了，造成盐价时高时低，物价也随之不稳。对此，范祥又采取了两个果断措施：一是限制盐钞的发放定额；二是派专人去都盐院监察，如果盐价卖不到三十五钱，就限制发放数量，以促使盐价上涨，如果盐价超过四十钱，就大批发放库存盐，以抑制商人的暴利。盐价由此得到有效控制。

⊙看猫眼

欧阳修得到一幅古画，画的是牡丹，牡丹丛下有一只猫。欧阳修问亲家吴育："你知道这画的是什么时候的牡丹吗？"吴育端详了一会儿，肯定地说："这是正午时分的牡丹。"欧阳修很好奇，问："何以见得？"吴育说："这牡丹的花瓣都披散着，花色干燥，如果是早上带露水的花，那么花瓣应该是收敛的，而且花色会鲜亮些。而且那只猫眼的黑瞳仁眯成一条线，猫眼在早晨和晚上瞳仁都是圆的，中午以前逐渐变得细长，到正午就变成一条线了。"欧阳修听后大为佩服。

⊙犯错的人

范仲淹很佩服诸葛亮，他常对朋友说："我们凡是用人，都希望他们各尽其能，尽心职守，也因此常常担心有人会投自己所好而用错人。诸葛亮能任用那些有才能而犯过错误的人，这才真正是周全事体，成就大事啊。"

⊙妓女毛惜惜

理宗端平年间，别将荣全叛宋，占据了高邮。有次他与同党王安等人宴饮，让高邮名妓毛惜惜过来陪酒，毛惜惜不从，王安很生气，大声斥骂，毛面无惧色，依旧斩钉截铁地说："妾虽是贱妓，却不能服侍叛臣。"荣全被激怒，用刀将她的嘴割裂，然后命人将其剁成肉酱，毛惜惜至死骂不绝口。词人潘牥有诗赞道："淮海艳姬毛惜惜，蛾眉有此万人英。恨无匕首学秦女，若使裹头真呆卿。玉骨花颜城下土，冰魂雪魄史篇名。古今无限腰金者，歌舞筵中过一生。"

⊙苏辙出汗

神宗博学多闻，爱提问，而且所提问题往往出乎意料，令讲官们颇感为难。苏辙就曾说过："我每次进讲，没有一次不紧张出汗的。"

第十章

达人来了

⊙杀人不眨眼

章惇与苏轼是老朋友，年轻时二人曾一起结伴远游。有次去仙游潭，路过一处绝壁，下面水流咆哮，只有一架独木桥相通。章惇提议到对面的峭壁上题字留念，苏轼不敢，章惇则若无其事地走过独木桥，然后把长袍掖在腰间，又抓住一根老藤荡到峭壁上，写下"苏轼、章惇游此"六个大字。回来后，苏轼拍着他的肩膀说："你将来必定杀人不眨眼。"章惇不解："为何这样说？"苏轼回答："不在乎自己性命的人，肯定不拿别人的性命当回事。"

⊙好官的标准

钦差范延贵路过金陵，太守张咏问他："钦差大人一路走来，可遇到了好官？"范延贵说："昨天路过袁州萍乡县，县令张希颜我虽不认识，却知道他一定是个好官。"张咏问："你如何知道他是好官？"范延贵说："我进入他的辖区时，看到驿道桥梁修缮一新，田地修葺齐整，百姓辛勤劳作。城中无人赌博，市场上也没有吵闹争斗。晚上在客栈歇息，听到外面更鼓分明，因而断定他必定善于治政。"张咏大笑说："希颜当然是个好官，钦差大人也一定是个好官。"

⊙宰相尚且如此

蔡京的大儿子蔡攸，徽宗时领枢密院事，很得徽宗宠爱，可以随时入宫觐见。他和宰相王黼，以及号称"浪子宰相"的李邦彦一起，经常参与宫中秘戏，涂抹化装、穿上戏服，然后夹杂在倡优侏儒中间，讲一些市井淫谑浪语。有一次君臣正乐不可支，被皇后撞见，皇后大惊之下摇头叹息，说："宰相尚且如此，国家还怎么治理啊？"

⊙从小看大

冯拯的父亲最初是赵普家的管家，当时冯拯十来岁。一日无事，赵普到院子里闲坐看书，见小冯拯在用弹弓打麻雀，便仔细瞧了一会儿，然后招呼他过来说话。二人聊得正欢，冯拯的父亲跑过来，诚惶诚恐地向赵普谢罪，连说自己的孩子不懂事。赵普挥手制止他，说："我看这孩子将来会有出息的。"又指着自己的座椅说："他将来一定会坐到我的位置。"

⊙拘母十天

宋时，耕牛不许随便杀戮。有个农民因私杀耕牛，被人告发后逃走，益州知府张咏遂将其母亲拘留十天，并贴出告示，让那人前来自首。结果十天过去没动静，张咏又命人将那人的妻子拘留了一宿，那人这才前来自首。张咏大怒，说："拘母十天，留妻一宿，你既不讲孝道，又不顾结发之情，罪该处斩。"命人将其推出去杀了。

⊙此儿必作相

吕夷简有四子：吕公绰、吕公弼、吕公著和吕公孺，均天赋异禀。吕夷简对其夫人说："我相信这四个孩子将来都能担当重任，就是不知谁能做到宰相，我要找机会试试他们。"有天四子在院子里玩，夫人让丫鬟带着几件玉器去给他们送茶水，然后故意摔倒，跌碎玉器，看四子的反应。结果，除了吕公著凝然不动外，其余三子皆失声而叫，纷纷跑去向母亲汇报。吕夷简肯定地对夫人说："此儿必作相。"

⊙佛家弟子

黄庭坚造访范镇，二人端端正正地相对而坐了一整天。范镇说："二十年了，我心中没想过任何杂事，近一二年也不怎么看书，如果没有客人来访，我会终日独坐，一直到半夜时分才睡下，孩子们呼喊打闹虽近在咫尺，我也能做到充耳不闻。"苏轼听说后，评论说："范景仁（范镇字）平生不信佛，晚年却清心寡欲，颇似标准的佛家弟子。"

⊙谢蝴蝶的人气

谢逸因作《咏蝶诗》三百首而闻名于世，人称"谢蝴蝶"。一次谢逸去黄州，在关山杏花村驿馆的墙壁上，即兴题写了一首《江城子》词，云："杏花村馆酒旗风。水溶溶，飏残红。野渡舟横，杨柳绿阴浓。望断江南山色远，人不见，草连空。夕阳楼外晚烟笼。粉香融，淡眉峰。记得年时，相见画屏中。只有关山今夜月，千里外，素光同。"此词一出，立即吸引了南来北往的骚人墨客，人们争相抄录，交口称誉。由于人越聚越多，以致驿馆为之爆棚，馆卒不堪其扰，只好在一天深夜偷偷用泥巴将该词涂盖起来，人群这才渐渐散去。

⊙做人很灵活

张洎还是个举人时，张佖在南唐已经很显贵了。张洎每次拜见张佖，都谦称自己为"从表侄孙"，中进士后，则称"弟张洎"，等发达了，便直接以庶僚呼之了。张洎与陈乔同为南唐旧相，宋灭南唐时，二人相约效死，陈乔说到做到，先期自杀，张洎则"正义凛然"地对李煜说："如果我们都死了，宋国一定会责怪陛下的，那时谁来为陛下辩解呢？臣请求跟随陛下一起入朝。"

⊙米颠

米芾穿戴常仿效唐人，所到之处，人们争相围观。任无为（位于今安徽省东南部）知军时，有次见到一块怪石，状貌奇特，米芾大喜，说："这块石头值得我拜上一拜。"随即整束衣冠，纳头拜之再三，并呼之为兄。人们都管他叫"米颠"。

⊙杀人吃肉

柳开为人侠义，赶考时，在一个驿站落脚，晚上忽听隔壁有妇人在哭，其声甚为哀婉，于是敲门询问。妇人说她是临淮令的女儿，其父因贪污入狱，将她委托给家里的一个仆人，等父亲出狱后，这个仆人却胁迫她做妾，父亲没办法，只好答应。因伤心难过，所以忍不住哭泣。柳开听完即刻去见临淮令，说希望能和那个仆人见上一面，他有办法解决这个问题，于是临淮令便将仆人带到柳开的住所。仆人一进屋，柳开即呵斥道："胁迫主人之女为妾的，可是你？"说着拔出刀杀了他，然后将其烹煮。第二天，柳开招呼临淮令来驿站饮酒，共吃仆肉。吃完，柳开辞行，临淮令道谢，问仆人在哪里，柳开说："刚才我们吃的就是他的肉。"

⊙给父亲把脉

蔡京晚年，与儿子蔡攸失和，二人互相倾轧。有一天，蔡攸突然来到蔡京府中，蔡京当时正与一位客人说话，不知发生了什么事，忙让客人避入内室。但见蔡攸上前一把抓住父亲的手腕，作号脉状，边号边问："大人脉势舒缓，可觉得身体有什么地方不舒服吗？"蔡京断然回答："没有！"蔡攸一拱手："宫里还有事，告辞了。"说罢扬长而去。客人看得一头雾水，出来后问蔡京："这是演的哪一出啊？"蔡京回答："逆子是想我有病罢了。"几天之后，蔡京果然被罢了相。

⊙父不如子

王禹偁之子王嘉言在崇文院当值，平时不喜说话，人们觉得他愚笨痴呆，都很疏远他，唯有寇准经常和他一起聊天。寇准任开封知府后，有次问王嘉言："外面的人是怎么评价我的？"王嘉言说："他们说你迟早会当宰相。"寇准问："那这事你怎么看？"王嘉言说："我认为你还是不当宰相的好，否则你的声誉就会受损。"寇准问为什么，王嘉言继续说："自古君臣相得，皆如鱼之有水。你若做了宰相，便负有治理天下的责任，可在皇上那里，你是否能如鱼得水呢？这是我最担心的。"寇准听了频频点头，拉着他的手笑着说："你父亲的文章虽然冠绝天下，但要说到深谋远虑，就比不上他的儿子了。"

⊙美食家

丞相韩缜喜欢吃烤乳鸽，而且一定要吃白色的乳鸽，若有人故意烤灰色的乳鸽给他吃，他一下就能辨别出来；贾似道喜欢吃湖州苕溪的鳊鱼，为此湖州官员赵与可专门建造了一个大池塘，养了一千多头鳊鱼，然后用特制大桶绞水灌溉，鱼游自得，如在湖中，有好几条船穿梭往来，递运不绝；赵霖喜欢吃鹅掌，家中存有一千余罐；王黼喜欢吃黄雀鲊，堆满了三屋子；蔡京喜食蜂蜜，一次待客用了三十七秤。

⊙有感觉

陈抟是个神秘而富有传奇色彩的一代宗师。四五岁时，有天在一个水池边玩耍，突然出现一个青衣老妪，不由分说就将他抱在怀里，喂他奶水，边喂边说："我要让你聪悟过人，没有嗜欲。"成年后的陈抟洞明世事，自晋汉以后，每有王朝更迭，都会皱眉蹙额，表现出很忧虑的样子。一日陈抟骑驴过华阴，百姓争相传诵："赵点检（赵匡胤曾是后周的殿前都点检）要做皇上了。"陈抟闻听大喜，笑着说："这回天下稳定了。"

⊙光耀门庭

秦国公陈省华有三子，陈尧叟是端拱二年（989 年）的状元，陈尧佐也于同年得中进士，陈尧咨是咸平三年（1000 年）的状元，世称"三陈"。因父子四人都是进士，故称"一门四进士"，陈省华的女婿傅尧俞也是状元，所以又有"陈门三状元"之说。陈尧佐登第的第二年，皇上赐其五品绯色官服，与父亲一起同任秘书丞之职，所以陈尧叟在奏折上说："蟾桂骊珠，连岁有弟兄之美；鱼章象简，同时联父子之荣。"

⊙劈筈箭

枢密使王德用，人称"黑相"，箭艺精湛。有次伴射，辽国使节先发一箭，正中靶心，然后得意洋洋地看着王德用，一副稳操胜券的样子。王德用神情自若，弯弓搭箭，射出一支"劈筈箭"（筈指的是箭尾，劈筈箭就是将先前那支箭劈开），辽使惊得目瞪口呆。

⊙换酒器

工部侍郎胡则任地方官时，为政清廉，很有威望。当时丁谓还只是个秀才，慕胡则大名，前去投奔，并献上自己的诗作，胡见后很欣赏，便留下了他。第二天胡则宴请丁谓，命人将日常所用的银质酒器全部换成了陶瓷的，丁谓见状，以为胡则讨厌他，请求辞行。胡则将其拉进里屋，拿出一箱子银酒器，说："本官家境贫寒，只有这些酒器还值些钱，想拿来给你做盘缠。"丁谓这才明白胡则用心良苦，为之感动不已。丁谓做了宰相后，不忘旧恩，曾极力提携过胡则。

⊙异于常人

夏竦生性豪侈，禀赋异于常人。睡觉时，其身僵冷，犹如死人，须有人给他暖身子方能醒来。出行时，将两辆马车连在一起，上面围上绵帐。夏竦平时常吃仙茅、钟乳等药物，早晨起来要吃钟乳粥（用钟乳石和米煮成的粥），有个小吏只偷吃了一次，便生毒疮死了。

⊙五人四百岁

杜衍在太子少师任上退休时年八十岁，太子宾客王涣退休时九十岁，光禄卿毕世长退休时九十四岁，兵部郎分司朱贯退休时八十八岁，尚书郎冯平退休时也是八十八岁，五人常聚在一起，号为"五老会"。五人身体康健，也很投脾气，在一起吟酒作诗，相得甚欢，羡煞旁人。杜衍有诗道："五人四百有余岁，俱称分曹与挂冠。"

⊙要桌子

盛度身体肥胖，且才智平庸。在翰林院时，有次真宗让他草诏，盛度说："臣身体胖，趴不到地上，请陛下赐臣一张桌子。"真宗应允，桌子抬来后，盛度挥毫泼墨，一蹴而就，真宗极为赞赏。有人说，这是因为盛度文思迟钝，所以索要桌子，以留出思考的时间。

⊙既爱又恨

程琳性情严毅，每次办公事时，没有一丝笑容，僚属们都很怕他，在他面前大气都不敢出。等程琳不办公时，则又经常邀请同僚们宴饮，一起欢笑戏谑，亲密无间，没有一点官架子。如此，僚属们是既畏惧他的严厉，又喜欢他的豁达，既爱又恨，心情每每无法形容。

⊙吃人肝

柳开中进士后先做侍御史，后又官授崇仪使，去全州任知州。柳开性情凶恶，喜欢吃人肝，每次擒获溪洞一带的蛮人，一定会把僚属们叫在一起喝酒，然后命士卒割开那些蛮人的后背取出肝来，自己则抽出佩刀，一片一片地片着吃，在座众人无不惊悚。柳开转任荆州知州后，当地没有蛮人，他便知会邻郡的同僚，凡有罪犯杀头时通知他一声，他会第一时间赶到，取人犯的肝来吃。

⊙不许出门

崔公立是韩琦的妻弟，为人耿直而有德操。在许昌时，崔公立曾和范纯仁住邻居，常去范纯仁家吃饭，饭菜稍微不合口，即直言不讳，一点也不拿自己当外人，以至于范纯仁家的婢女都很讨厌他。有次范纯仁进京办事，托崔公立照料自己的妻子和孩子，崔公立很负责任，每天都要过去问候。范纯仁的次子在单州任推官，一天捎来口信说病得很厉害，范夫人一听就急了，要去探望，崔公力制止说："你是妇道人家，丈夫外出了，怎么可以独自出门呢，我既受范公所托，便不能允许你这样做。"范夫人不听，硬要前去，崔公立拿起一根竹杖立在门前，说："你要出去我就用杖子打你。"范夫人这才老实了。

⊙不喜欢的理由

韩琦被罢枢密副使，以资政殿学士的身份到扬州任知州。有个人慕其大名，前来投奔，韩琦只看了一眼，便紧皱眉头，表现出不屑一顾的样子，此后好几个月也不和这人说一句话。有人问他："此人你先前并不认识，为什么一见他就不喜欢呢？"韩琦说："我见他额头上有一块凸起，那一定是经常向人磕头礼拜造成的，这样的人定然不是什么品行端优的人，我怎么能够信任呢？"

⊙乳母的判断

欧阳修任西京（洛阳）留守推官时，富弼还是个秀才，常去拜访欧阳修。富弼喜欢吃冷面，蹊跷的是，只要欧阳修夫人的乳母早起让厨房准备冷面，那么这天富弼一定会来。欧阳修很奇怪纳闷，问她怎么知道富弼一定会来，乳母说："我年纪大了，晚上睡不着觉，每次我听到远处有兵戈甲马之声时，第二天富秀才一定会来，如果什么动静都没有，就不会来，所以能判断。"欧阳修点点头，说："看来这个秀才不是一般人啊。"自此对富弼更加刮目相看。

⊙直性子

欧阳修任馆阁校勘时，因替范仲淹辩护，被贬到夷陵（今湖北宜昌）任县令，后来又转到光化军乾德县（今湖北老河口市）任县令，当时光化军的知军（相当于知州）是河北人张询，粗人一个，没听说过欧阳修的大名，所以也并不拿他当回事，只是以平常的礼节接待了他。过了两年，张询调往清德任知军，欧阳修则被重新启用，以龙图阁学士的身份出任河北都转运使，成了张询的上级。张询在郊外迎接欧阳修时，心中虽惴惴不安，却仍想找足面子，操着北腔说道："龙图久别安乐，诸事还望能抑恶扬善。"欧阳修笑了笑，很欣赏他的质朴，也没刻意为难他。

⊙近视和口吃

欧阳修是个近视眼，看书非常费劲，所以经常让人读给他听。不过欧阳修为官数年，每次上表，皇上提问，他总能迅速在奏表中找出相关的话语回对，眼神和正常人没什么区别；无独有偶，右丞王存平时说话有些口吃，但每次奏对时却能对答如流。

⊙用心良苦

曹彬为人仁爱，用刑慎重。任徐州知府时，有次一个小吏犯了罪，按律该用杖刑，可过了一年曹彬才对他实施刑罚。属吏疑惑，不明白他为什么这样做，曹彬回答说："我听说那人犯罪时刚新婚不久，如果对他用了刑，他的父母一定会认为是新娘的八字不合带来的灾难，会把怨气撒到新娘身上，让她蒙受不白之冤。如果缓期执行，则既不影响他的家庭，又维护了法律的尊严，何乐而不为呢？"众人这才明白曹大人的良苦用心。

⊙无侍女

徐积最初求学拜在胡瑗门下。胡瑗的门人弟子很多，有天吃饭，却单只叫了徐积一人作陪，还让两个侍女左右侍奉。徐积问老师："别人若问吃饭时有没有侍女伺候，我该怎样回答呢？"胡瑗想都没想，便坚定说："就说没有。"徐积听后，忽然顿悟，学业自此竟突飞猛进。

⊙说大话的原因

范纯粹任庆州知府时，有次西夏兵来犯，围攻城池好长时间，将士和百姓们都很惊慌，不知如何是好。这时有个上了年纪的老兵前来请命，说："我有办法退敌，能保全城池，不信我可以立下军令状。"范纯粹见他说得有把握，便授其军权，命他领兵出战。不久，敌兵果然退去。范纯粹大喜，重重赏赐了这个老兵，并问他用的什么退敌之策，老兵说："其实我并无退敌之策，我那样说，不过是为了安稳人心，增强士气罢了。况且，假如城池真的被攻破了，大人哪里还顾得上军法处置我啊。"范纯粹听完哈哈大笑，连赞老兵有勇有谋。

⊙看透生死

范仲淹因弹劾宰相吕夷简，被贬去了饶州。太子中允尹洙上疏，说自己与范仲淹亦师亦友，当获同罪，也被贬官去了郢州。在那里，他曾与一个僧人交谈，自此大彻大悟。一天范仲淹忽然接到尹洙的亲笔信，与范仲淹话别，并交代了一些身后事，范仲淹很惊讶，忙派掌书记（官职）朱炎去尹洙那里查探情况。其时尹洙已沐浴完毕，正襟危坐，朱炎说明来意，尹洙笑道："怎么希文（范仲淹字）对我还像陌生人一样？你告诉他，我马上就要死了。"说完果真趴在桌上不动了。朱炎派人向范仲淹作了汇报。范仲淹到后，正哭得一塌糊涂，尹洙却忽然抬起头，说：

"我早就和你道过别了，何必再来呢？"见范仲淹疑惑，尹洙又说："死生本是很寻常的事，希文岂能不懂得这个道理？"范仲淹问他如何处理身后之事，尹洙说："你就看着办吧。"然后向范仲淹一拱手，又死了。过了一会儿，尹洙再次抬头对范仲淹说："世上没有鬼神，也没什么好害怕的。"说完真的驾鹤西游了。

⊙图方便

梅尧臣不论吃饭睡觉或者游玩，无时不在吟诗作咏。比如他和客人正在说话，忽然想到了什么，便自顾自地离座而去，拿起笔，在一张小纸上写一通，然后放入口袋，回来再和朋友说话，行为怪异，无章可循，极具突然性。朋友不知道他在做什么，便趁他不备，偷偷拿字条来看，原来全是一些偶得的诗句，有成诗的，也有只写了一两句的。朋友问他为什么这么做，梅尧臣嘿嘿一笑，说："将来作诗有能用的就直接用上了，图个方便。"

⊙差点被熏死

余靖平时不修边幅，也常不洗漱。做谏官时，有次余靖上书仁宗，请求不要修建开宝塔。时值盛暑，余靖口若悬河、滔滔不绝，说了足足有半个时辰之久，直至口干舌燥，仁宗起驾回宫方止。回来后，仁宗长舒一口气，对内侍说："朕差点被这个满身臭汗的人给熏死。"

⊙投名帖

刘攽在馆阁任职时，每逢节日，同馆的同事们都要用书筒装了自己的名帖，然后派人去各家投递。刘攽则别出心裁，他把那些投递员们叫来，请他们喝酒，趁他们不注意时，悄悄把书筒里的名帖换成自己的。等投递员酒足饭饱，再三致谢后，兴高采烈地遍走巷陌，所投名帖无不是刘攽一个人的。

⊙真豪杰

李师中与王安石是同年的进士，有才气而又自负，与王安石言论多有不合。一日与朋友聚会，大家纷纷夸赞李师中为少年豪杰，独王安石不以为然，说："唐太宗十八岁起义兵，那才算得上真豪杰，他算什么豪杰呢？"众人谁也不敢接话，李师中听了心里不是滋味，自此对王安石有了意见。可等王安石任宰相后，时任舒州知州的李师中又极力巴结讨好王安石，还专门在舒州建了一座傅岩亭。（王安石曾任过舒州的通判，发迹也是从那里开始的。）

⊙避讳

庆历年间，胡瑗在延英殿为仁宗赵祯讲读"易经"，在读到"乾元亨利贞"时，"贞"字忘了避讳，仁宗侍从为之大惊失色而不作声，然而胡瑗却并不惊慌，慨然说道："临文不讳。"后来仁宗诏令胡瑗修撰国史，胡瑗却以要避祖父的名讳为由，拒绝了。（胡瑗祖父名胡修。）

⊙死得干净

元兵南下，谢枋得的妻子李氏和两个儿子被抓进金陵的监狱。有个将官看李氏美貌，想纳她为姜，李氏骗他说："你要能放我们出去，我便以身相许。"将官上下打点，最后把母子三人放了出去。李氏又说须得沐浴更衣，第二天才能出嫁。当天晚上，李氏趁二子熟睡，上吊自杀了。将官将李氏草草埋葬在城东的沟壑中，将她的两个儿子放走了。许多年后，谢枋得的儿子才将母亲的尸骨收回老家安葬。

⊙奚娘子的手艺

家铉翁想在杭州找一个才貌双全的女子为姜，找了好多天，没有一个符合心思的。某天忽然有个姓奚的穷困女子毛遂自荐，奚氏生得姿容艳丽，家铉翁眼前一亮，问她有什么特殊的本事，女子说："能温酒。"

左右之人听了，全都哑然失笑。家铉翁想试试她温酒的技艺，便暂时留下她。第一天温酒，奚女温了三次，第一次很烫，家铉翁没喝，第二次温度稍低，家铉翁又没喝，第三次温度正好，家铉翁一饮而尽。此后该女子每次温酒，便都是那第三次的温度了，家铉翁很满意，遂纳其为妾，人称"奚娘子"。

⊙好客

晏殊喜欢请客，几乎没有一天不在家中设宴的，而且招待客人的饭菜从不提前置办，而是客人来了临时操持，直接到饭馆中叫，一会儿一大桌子菜就上齐了。比他更厉害的是蔡京，每天以宴客为乐，并乐此不疲，如果感觉哪天的宾客少，便去子弟学校招呼一些人过来凑热闹。蔡京的弟弟蔡卞与之性情相反，好清静，极不喜欢宴客，曾不无感慨地说："家兄一天不宴客就会生病，我则宴一次客就会生病。"

⊙累死工匠

太宗赵光义得到一个巧匠，命他制造三十条金带。金子是上好的金锭研成的粉末，流光溢彩，华丽光鲜。金带的花纹是一层一层的，有六七层，镂篆之精，简直出神入化，上面还镌画了许多喝醉酒的罗马人，皆长不及寸，笑容满面，眉宇传神，栩栩如生，即便是吴道子的画都达不到这个效果。遗憾的是，由于这个工匠太过费心耗神，最后给累死了。

⊙苦学

范仲淹求学时生活很艰苦，每天就是煮两升粟米粥，待冷却后切成四块，早晚各吃两块，菜是将蔬菜切碎后，用醋和盐制成的泡菜，这样的生活一直持续了三年。大中祥符四年（1011），时年23岁的范仲淹告别家乡，去四大书院之一的应天书院读书。在那里，范仲淹读书非常刻苦，寒冬腊月，读书倦了，便用冷水洗脸让自己精神精神，之后继续读书，甚至好几年晚上睡觉都没脱过衣服。

⊙匹夫之勇

狄青抗击西夏，每次作战都身先士卒，披散了头发，戴着青铜面具，挥舞着钢刀冲锋陷阵，敌人无不闻风丧胆。范仲淹很欣赏狄青，有次送给他一本《左传》，让他多读书，并告诫他说："一个将领如果不通晓古今之事，最多算是匹夫之勇。"

⊙谢主隆恩

度宗赵禥还在当太子的时候，就以好色闻名，当上皇帝之后，便更加放纵了。宋制有规定：凡皇帝晚上临幸过的嫔妃，次日清晨都要到寝宫门前谢恩，由主管官员记录在案。赵禥即位之初多为放纵，有时来谢恩的嫔妃竟达三十人之多。

⊙吃鱼饵

王安石不修边幅，经常蓬头垢面地出现在公众场合。有天仁宗宴请群臣，之后一起到池塘钓鱼。王安石对钓鱼没兴趣，便自顾自地想着其他事，顺手拿盘子里的鱼饵来吃，一会儿便吃光了一大盘。仁宗很生气，说误食一粒鱼饵尚且情有可原，但是把整盘鱼饵都吃光，实在不合常理，对王安石的印象大打折扣。

⊙书画双绝

徽宗赵佶自小天资聪颖，对书画情有独钟，到了十六七岁，已成长为一个颇有影响力的艺术家，常和驸马都尉王诜、宗室赵令穰（太祖赵匡胤的五世孙），以及黄庭坚、吴元瑜等书画高手交往。赵佶当皇帝后，多方收集历代的名书佳画，每日临摹不辍，技艺更加精进。赵佶的绘画注重写生，对生活观察细致入微，以精巧、逼真见长，尤其擅长花鸟。

宋人邓椿在《画继》中称赞他的画"冠绝古今之美"。赵佶的书法，对薛稷、薛曜、褚遂良等唐代大家的风格加以吸收，并自成一派，其笔势瘦硬挺拔，字体修长匀称，意趣天成，独具风韵，称作"瘦金体"。

⊙择婿的标准

米芾有洁癖，为女儿择婿时，候选人中有个来自建康（南京）的，姓段名拂字去尘，米芾很中意，自我解释道："既'拂'而又能'去尘'，这才是我想要的女婿啊。"毫不犹豫地把女儿嫁给了他。

⊙重视艺术

宋初时，书画院的人地位较低，就连服饰都与其他同等官员不同。极具艺术天分的徽宗即位后，画院的地位开始提升，崇宁三年（1104年），徽宗下令成立了专门负责培养绘画人才的学校——画学（后并入翰林院图画局）。画学分人物、道佛、山水、花竹、鸟兽、屋木等几个专业科目，并教授《说文解字》《尔雅》《方言》《释名》等文化课程。画学考试严格，每次都是徽宗皇帝亲自命题，择取古人诗词中的一句，让学生们描摹其意境，如"竹锁桥边卖酒家"、"踏花归去马蹄香"、"嫩绿枝头红一点"，等等。

⊙艺高人胆大

太祖赵匡胤身边有数十名内侍，全都武艺超群，胆识过人。有次泗洲献来一只猛虎，赵匡胤让人喂了它一只大羊腿，猛虎立刻将其撕裂而食，凶悍异常，未想因为吃得过猛，羊骨头卡在了喉咙里。赵匡胤看看左右，内侍李承训即刻上前，将手伸进老虎嘴里，迅速把骨头取了出来，手不抖，色不变，也没有受一点伤。

⊙逼出来的酒量

王审琦在后周柴荣帐下效命时，与赵匡胤私交不错，后又屡立战功，被赵匡胤视为心腹。王审琦不喜欢喝酒，赵匡胤称帝后，每次宴请群臣，大家都推杯换盏，痛快尽兴，唯有王审琦每次都举着空杯意思意思，赵匡胤对此很不满意。一次酒至半酣，赵匡胤举杯祝词："王将军与朕是布衣之交，现在共享富贵。酒乃天之美禄，来，大家一起干一杯。"说完看着王审琦，说："上天一定会赐给你酒量的，不妨喝喝看。"王审琦闻言，连饮数杯，居然一点事都没有。发现自己能喝之后，再参加宴会，王审琦便放开了喝，甚至在家里也弄俩菜整点，简直离不开了。

⊙一斤半

弟子们向王旦告状，说："厨房的肉都让厨子给私吞了，我们吃不饱，请求惩罚厨子。"王旦问："你们一个人一天的定量是多少呢？"众人答："一斤。现在只能吃到半斤，另外半斤被厨子藏起来了。"王旦笑笑，说："如果给足你们一斤能吃饱吗？"弟子们回答说能，王旦接着说："那好，以后给你们每人一斤半的定量。"

⊙不同的看法

礼部侍郎蒋堂任淮南转运使时，每年冬至，所属各县都要送贺信道贺。送信人一般都是放下贺信便回去了，只有杜杞派来的人不回去，非要等蒋堂回了信才走，属吏怎么劝也不听，赶都赶不走，还说："宁可得罪转运使大人，没有回信我也不敢回县里。"当时苏舜钦正好在蒋堂府上做客，断然说："连下属都这么不懂规矩，那县令的做派可想而知，肯定是个胡搅蛮缠的人。"蒋堂摇头说："恐怕未必，我倒觉得这县令一定是个精明强干的人，所以这人才不敢怠慢。"后来证明蒋堂的判断是正确的。

⊙识人有术

盛文肃以尚书右丞的身份外任扬州知州，做事老成持重，很少称赞夸奖别人。建州司户参军夏有章转任郑州的推官，路过扬州时，却受到了盛文肃的专门款待，有人便不无羡慕地对夏有章说："盛公从来没有宴请过过路的客人，足见他对你很器重啊。"夏有章很高兴，得意之余，写了一首诗，用信封封好后派人给盛文肃送去，以感谢其盛情。未想，盛文肃见了，连打开都没打开，便让来人原封不动地拿回去，并说："我已经衰老无用了，消受不了这诗了。"夏有章摸不着头脑，向通判刁绎请教，刁绎也搞不懂为什么，便直接去问盛文肃："你既然盛情款待夏有章，说明你很看重他，却又为何不看他写的诗呢？"盛文肃说："我款待他，是觉得他气韵可嘉，似有清操，将来或许能成为一个有抱负的人。没想到他送来的诗笺，上面竟然自称'新圃田从事'，才得了这么一个小官，便如此沾沾自喜，这人也就这点出息了。"

⊙铁手杖

孝宗赵昚有根用上好油漆漆成的拄杖，乃精铁所铸，非常沉重。每次游玩孝宗都会带着它，为的是锻炼身体，有次去后苑游赏忘了带，便命两个小太监去取，二人费了好大劲才把拄杖抬来。

⊙《汉书》下酒

苏舜钦性情豪爽，喜欢饮酒，住在外舅杜衍家时，每天晚上读书，都要喝上一斗的酒。有次杜衍偷偷去看他，正好苏舜钦在读《汉书》，当读到张良刺杀秦始皇一段时，苏舜钦叹口气说："可惜没有击中！"便满上一杯酒一饮而尽。读到张良对刘邦说"始臣起自下邳，与上会于留，此天以授陛下"一段时，又拍着桌子道："君臣相遇，真是难得啊！"又喝了一大杯。杜衍见了，自言自语道："有《汉书》下酒，一斗恐怕都不够啊。"

⊙有他那样的脚吗

高俅因擅长蹴鞠之戏而受到端王赵佶（即后来的宋徽宗）的宠爱，所受赏赐无数。王府其他家丁奴仆不服气，也向赵佶讨赏，赵佶把嘴一撇，说："你们有他那样的脚吗？"

⊙割股与放生

王安石做宰相时，每次过生日，同僚们都要献诗为其祝寿，唯有光禄卿巩申别出心裁，送上一只装有鹦鹉的大笼子，打开笼子，众鹦鹉便叫着"愿相公一百二十岁"，然后扑扑楞楞地飞走了。同一时期，边塞守将虞侯的妻子病了，老虞竟割下腿上的肉为她治病。时人于是就此作联道："虞侯为夫人割股，大卿与丞相放生。"

⊙奇特的建筑

蔡京善建高楼，有座六鹤堂，高四丈九尺，人行其下，望之如蚁；张功甫在南湖园四棵古松之间，建造了一座驾霄亭，亭子悬在半空，固定在松干上。每当风清月朗之时，张功甫便与友人蹬梯赏月，亭子飘摇，有如仙人。

⊙巢居与穴居

王拱辰任武汝军节度使时，营地修建极为豪侈，其所住房屋有三层，最上面的一层起名为"朝元阁"。司马光则正好相反，他在府邸建了一个地下室，有一丈来深。有次邵雍去拜见富弼，富弼问他："最近有什么新鲜事没有？"邵雍说："近来听说官员中有一个巢居的，还有一个穴居的，不知算不算新鲜？"富弼为之莞尔。

⊙壮观的耆英会

元丰五年（1082 年），文彦博以太尉的身份留守洛阳。文彦博一向倾慕当年白居易的九老会，便也在当地召集了一些德高望重的卿大夫，组织了一个耆英会，而后出钱在资圣院修建了一座"耆英堂"，让福建籍画家郑奂给每人画了一幅肖像挂在里面，计有七十岁以上老者一十二人：七十九岁的富弼，七十七岁的文彦博和席汝言，七十六岁的王尚恭，七十五岁的赵丙、刘几、冯行己，七十二岁的楚建中、王慎言，七十岁的张问、张焘。当时七十一岁的宣徽使王拱辰留守北京不在洛阳，听说此事后异常兴奋，专门写信给文彦博，要求入会，文彦博让人把他的画像取来也挂在了里面。除了这些人，还有一位不到七十岁的，就是司马光，文彦博敬重其为人，也邀请他入会，结果被司马光婉拒。文彦博不由分说，让郑奂给司马光画了幅像就放在了里面。一切停当后，文彦博率领众人，携带妓乐，去富弼家举行了第一次聚会，而后众人轮流坐庄，依次聚会，地点或是名园古刹，或是水竹林亭。每次聚会，诸老皆须眉皓白，华服衣冠，极为壮观，引来许多百姓围观。

话里话外

第十一章

⊙馎瓜亭

吕蒙正尚未获取功名时，有天在洛阳城东南的伊水边溜达，口渴了想买个西瓜吃，怎奈囊中空空如也，便捡拾别人扔在地上的瓜皮来吃。后来吕蒙正做了宰相，便在伊水河边建了一座凉亭，供路人歇息之用，取名为"馎瓜亭"。（馎指食物腐败变味。）

⊙苏轼教坏了

司马光家里有个老仆，一直称呼司马光为"君实秀才"（司马光字君实）。司马光做宰相后，老仆依旧这么称呼，苏轼觉得不妥，便出主意让他改叫"君实相公"。司马光听了很奇怪，问老仆为何改口，老仆回答说："是苏学士教我的。"司马光叹气摇头，说："我本来有一个好仆人，却被苏轼给教坏了啊。"

⊙为长官拂须

寇准恃才傲物，说话不拘小节。当宰相后，有一次在中书省用餐，喝汤时，汁水不小心流到了胡须上，参知政事（副宰相）丁谓见状，忙过来拿手绢为其擦拭。寇准不但不道谢，反而大笑说："参政乃是国家的重臣，想不到却也为长官拂须！"后世"溜须"之词即出于此。

⊙铁蛤蜊

吕大防曾在哲宗朝担任宰相，为人沉毅凝重，静默寡言。有人向他请教问题，他则正襟危坐地与之对视半天，却始终不说一句话。时人谓之"铁蛤蜊"。

⊙弥远与弥坚

史弥远做宰相时，一些士大夫们多靠投机钻营获得官职。有次两个伶人没事干，一人便手执一块石头，用钻子钻着玩，好半天也钻不透。另一伶人见状，便从后面拍了一下他的脑袋，说："你不去钻（史）弥远，却来钻弥坚，怎么能钻得透呢！"结果此话传到史弥远耳朵里，二人均遭流放。

⊙无忧无事

范仲淹因经常向皇帝进言，力主改革，又为官清廉，体恤民情，故而京师中流传着一首歌谣："朝廷无忧有范君，京师无事有希文（范仲淹字）。"

⊙有脚的都能进

王安石推行变法，一些反对者纷纷被罢免、外迁，朝中无人，王安石便开始大量起用新人，致使一些擅长投机钻营的小人乘机混入变法队伍。一天，一个皇家戏班子的小丑故意骑着一头驴来到宰相府，大模大样地想进去，卫士阻拦说："驴子怎么能进去呢？"小丑故作惊讶，说："现在不是有脚的都能进去吗？"

⊙东坡居士

苏轼被贬为黄州（今湖北黄冈市）团练副使后，在城东开垦了一块五十余亩的废弃坡地，一则修身养性，二则填补家用。苏轼非常钦佩唐朝大诗人白居易,白被贬忠州刺史时,曾作过一首《东坡种花》的诗,诗云:"朝上东坡步,夕上东坡步。东坡何所爱,爱此新成树。"于是苏轼将这块地命名为"东坡",并自号"东坡居士"。

⊙三光

范仲淹虽三次遭贬,名望却越来越高。第一次遭贬时,亲朋好友一直把他送到都门外,称赞他说:"此行极光(很光荣)。"第二次遭贬时,亲朋安慰他说:"此行尤光(更光荣)。"等第三次时,亲友们又如是说,范仲淹笑道:"仲淹前后已是三光了。"

⊙没法比

苏轼问一个客人:"我的词比耆卿(柳永字)如何?"客人回答:"没法比!"苏轼一惊,忙问道:"这话怎么说?"客人这才解释说:"您的词,须让一名关西大汉怀抱铜琵琶,手握大铁板,高唱'大江东去'!柳永的词则需一名妙龄女子手拿红牙板,低声吟唱'杨柳岸、晓风残月'。所以无法类比。"苏轼听完抚掌大笑,说:"如君所言,耆卿自是在我之上了。"

⊙浪子宰相

李邦彦因蹴鞠而得宠,曾放言"踢尽天下毯",李还好谑骂,自号为"李浪子",常以俚言俗语填词,引得市井无赖争相传唱,时人谓之"浪子宰相"。一次宫中秘戏,李邦彦一时兴起,竟脱光了衣服,夹在那些倡优侏儒中间,满口淫言乱语,引得全场一片哗然。徽宗皇帝看不下去,跳将起来,拿着一根木棍追打李邦彦,李边跳边笑,最后攀到梁柱上,媚眼娇哆地向徽宗求饶,就是不肯下来。徽宗无奈,最后只好命太监传旨:"你可以下来了。"李邦彦扭捏着谢恩:"黄莺偷眼觑,不敢下枝来。"这才从柱子上溜下来。

⊙花腿军

张俊的军中有一支特种部队，全部挑选的年轻力壮、体貌威武的士兵。士兵全部纹身，从手臂一直文到腿脚，人称"花腿军"。

⊙四瓦别称

临安的勾栏瓦舍很发达，其中的南瓦、中瓦、上瓦、下瓦，分别被冠以"衣山衣海、卦山卦海、南山南海、人山人海"的别称。

⊙小词似诗

苏轼将自己新写的几首词拿给晁补之和张耒看，问他们："我的词和少游（秦观）的比怎么样？"二位回答："秦观是'诗似小词'，先生是'小词似诗'。"苏轼为之莞尔。

⊙销金锅儿

南宋时，临安人喜欢游乐，特别是西湖，朝昏晴雨，风光秀丽，一年四季游人不断，春天时更是熙来攘往，各种小生意也随之兴起，并火爆起来，因而西湖也被称为"销金锅儿"。

⊙荒鼓板

临安城中，艺人们除在瓦舍勾栏表演外，尚有一些被称作"打野呵"的，不入勾栏，他们一般三五为队，擎一二女童舞旋，唱小词，沿街一路走来，在耍闹宽阔的露天处做场。元夕放灯、三春园馆赏玩，以及游湖看潮之时，这些人也在酒楼、妓馆或花街柳巷表演，不过所得赏钱一般不多，谓之"荒鼓板"。

⊙坊郭户

唐代以后，称城市居民为坊郭户，到了宋朝，坊郭户的范围进一步扩大，既包括居住在州、府、县的城镇居民，也包括居住在州、府、县近郊的草市居民。依据有无房产情况，坊郭户分为主户和客户，也就是常住居民和流动人口，依据财产或房产的多少，又分三户十等，"上户分甲乙五等，中户上中下三等，下户二等"。上户一般为地主、商人、房产主等，下户一般为小商贩、手工业者、穷苦秀才等。坊郭户须承担劳役并缴纳屋税、地税等赋税，官府的临时摊派也比乡村户为多。

⊙牛医

苏轼的夫人王闰之（苏轼第二任夫人）懂兽医，在黄州时，苏轼种了五十亩稻田，并养了一头水牛。一天，这头水牛忽然生病，快要死了，苏轼忙找牛医来治，牛医也看不出病因。这时王闰之对苏轼说："这牛是生了痘，将青蒿和在粥里喂它就好了。"苏轼一试，果然灵验，牛的病很快就好了。后来苏轼去拜访参知政事（副宰相）章惇，对他说起此事，临别时，章惇开玩笑说："我本想留君多说会话，又怕牛医着急，你走吧。"苏轼大笑而别。

⊙没奈何

张俊为了防止家中财宝被盗，把白银统统熔炼成一千两一个的大银球，取名为"没奈何"，意思是即便盗贼来了，也只能望球兴叹，无可奈何。

⊙妓女分类

宋代娼妓一般分为官妓和私妓。官妓是指编入乐籍的妓女，由各级官府进行管理。私妓则是没有编入乐籍而以卖笑为生的妓女，多不受官府的控制。依据活动范围和服务对象，官妓可分为宫妓、地方官妓和市妓三类。其中市妓的身份比较特殊，影响也较大。市妓是指入籍的市井妓女，主要向文人、商人、市民等各阶层人士提供声色服务，偶尔也为官府服务，服务范围很广。市妓一般才色俱佳，受过良好的训练，素质也很高。

⊙快上马

宋代女子缠足与后世不同，是把脚裹得"纤直"但不弓弯，称作"快上马"，所穿鞋子鞋底尖锐，称为"错到底"。苏轼曾写过一首咏叹缠足的《菩萨蛮》词："涂香莫惜莲承步，长愁罗袜凌波去。只见舞回风，都无行处踪。偷立宫样稳，并立双趺困。纤妙说应难，须从掌上看。"

⊙苏轼的人气

宋人张端义在《贵耳集》中说，苏轼出生时，眉州眉山城附近原本郁郁葱葱、百草丰茂的彭老山，忽然花草凋零、树木枯萎。而建中靖国元年（1101年），苏轼在常州去世，荒芜多年的彭老山则忽又重放光彩，恢复了蓬勃的生机。宋人谢维新在《古今合璧事类备要》中也有类似的记载，说："眉山生三苏，草木尽皆枯。"

⊙居士文化

宋朝时，文人以"居士"为号成为一种文化时尚。如欧阳修号"六一居士"、苏轼号"东坡居士"、张孝祥号"于湖居士"、辛弃疾号"稼轩居士"、秦观号"淮海居士"（别号"邗沟居士"）、周邦彦号"清真居士"、李清照号"易安居士"、朱淑真号"幽栖居士"、张方平号"乐全居士"、文同号"笑笑居士"、张舜民号"浮休居士"、陈师道号"后山居士"、徐俯号"东湖居士"、向子諲号"芗林居士"、叶梦得号"石林居士"、曾几号"茶山居士"、张元干号"芦川居士"、范成大号"石湖居士"、尤袤号"遂初居士"、孟元老号"幽兰居士"，等等。此外还有以"道人"为号的，如文天祥号"浮休道人"、黄庭坚自号"山谷道人"、姜夔别号"白石道人"，等等。

⊙杜万卷遇鼠

杜镐博闻强记，凡看过的书，能背着指出某句在书的第几页第几行，无丝毫分差，有人请教问题，杜镐也没有不会的，人称"杜万卷"。不过杜镐中第却很偶然，会试前一天，杜镐正在午休，忽有一只老鼠衔着一卷书经过，杜镐惊醒，开始追打老鼠，老鼠跑到窗前，放下书逃走了。杜镐取书来看，原来是本平时并不在意的《孝经注疏》，杜镐遇鼠衔书，感觉蹊跷，遂起身攻读。等考试时，试题正是出自该书。

⊙戴花刘使

刘几在保州任职时，某年春天大宴宾客。饮到夜半时分，忽然闻报说有士兵谋变，刘几面不改色，饮酒如初，还命人折来花枝，让客人戴上，不断地劝他们喝酒，私下却悄悄安排属下逮捕了谋反的士兵。宴席一直进行到天亮，刘几神态自若，没有表现出丝毫的异样，众宾客无不叹服，自此呼之"戴花刘使"。

⊙千轴不如一书

柳开写文章言而无物，应举时，用独轮车推着一千卷书轴来到主考官家里，想以此震慑主考官，博取高名。另一考生张景文采斐然，且言之有物，只在袖子里藏了一篇文章来面见主考官，·主考官大为欣赏，将其择优录取。时人由此揶揄说："柳开千轴，不如张景一书。"

⊙河东狮吼

陈慥家养着一群歌妓，常以歌舞应酬宾客。陈妻柳氏性情火爆且爱吃醋，每有客来，定会拿着木杖大喊大叫，指桑骂槐，还不时敲打墙壁，以提醒陈慥不要造次，搞得陈慥很没面子。苏轼为此作诗调笑陈慥说："忽闻河东狮子吼，拄杖落手心茫然。"

⊙太醒与太醉

李沆平时沉默寡言，就是接待宾客也不多言。其堂前的花圃破败的不成样子，李沆不闻不问，视而不见，夫人看不过眼，让他想办法修修，李沆也不理睬，后来夫人反复唠叨，李沆不耐烦了，才说："你怎么能因为这点小事就来劳烦我呢！"真宗时，李沆与张齐贤同朝为相，后来张齐贤因酒后失仪被罢相，人们因而评论说："李相太醒，张相太醉。"

⊙莱公柏与相公竹

寇准在巴东任知县时，在县衙前亲手种了两棵柏树。因寇准造福一方，百姓爱屋及乌，也都非常喜欢和爱护这两棵柏树，后来便呼之为"莱公柏"（寇准封莱国公）。寇准死后，灵柩运到洛阳安葬，途径公安县时，当地百姓设祭痛哭，并将竹枝插在地上挂纸钱，过了一个月，这些竹居然活了，成了一片竹林，当地人称为"相公竹"，又在竹林旁修建了一座"寇公祠"。后人有"万古忠魂依海角，当年枯竹到雷阳"的诗句传世。

⊙小由基

陈尧咨善射，百发百中，人们将他比作战国时的神箭手养由基，称其为"小由基"。

⊙文字虽同命不同

王钦若最初在朝中任宰相，后来以太子太保的身份去杭州任知州。其下属中有个钱唐县尉，年纪不小了，满头白发，走路步履蹒跚，工作很没效率，王钦若想责罚他，以警示同僚，询问之下，才知此人和自己是同年的进士，不由凄然而生怜悯之心，转而向朝廷举荐了他。县尉很感激，以诗相谢曰："当年同试大明宫，文字虽同命不同，我作尉曹君作相，东君原没两般风。"

⊙二红饭

苏轼被贬黄州后，在东坡开荒种大麦，舂之以为饭食。儿子们嚼得啧啧有声，互相调笑道："嚼起来像吃虱子。"而且大麦淘洗时甘酸浮滑，"有西北村落气味"，苏轼让厨子在其中夹杂些红豆，也还仍有气味。因大麦颜色亦偏红，夫人王弗（苏轼第一任夫人）不无幽默地说："此新样二红饭也。"

⊙柘枝颠

寇准喜欢柘枝舞，每次招待客人，都要让歌妓跳柘枝舞，而且一跳就是一天，时人谓之"柘枝颠"。

⊙真猴形

丁谓长相怪异，生一双斜眼，张目仰视，既像冻死鬼，又像饿死鬼，然而富贵却震天下，有相士说他是"真猴形"。

⊙食禄七十五年

蔡伯俙与晏殊都有神童之称，五六岁时，即一同在东宫侍奉太子（也就是后来的宋仁宗）读书。晏殊为人耿介，蔡伯俙则好献媚，每次太子过高门槛时，蔡伯俙便趴在地上让太子踩着他的背过去。仁宗继位后，晏殊被提升为宰相，蔡伯俙则始终未受重用，不过仁宗念及蔡伯俙的陪伴功劳，给他的待遇一直不错，直到八十岁退休。有人为此揶揄说："蔡伯俙年八十岁，食禄七十五年。"

⊙穷塞主

范仲淹镇守边关的时候，曾作《渔家傲》词数阕，都是以"塞下秋来"为首起句，记述边镇的劳苦，欧阳修戏称他为"穷塞主"。

⊙舵掌得不正

王琪、张亢二人为晏殊幕僚，王琪爱开玩笑，张亢身体肥胖，王琪呼其为牛，而张亢也不示弱，王琪瘦骨嶙峋，张亢管他叫猴。王琪嘲笑张亢"触墙成八字"，张亢则揶揄王琪"望月叫三声"。晏殊被罢相后任南京留守，有次三人泛舟湖畔，晏殊掌舵，张、王二人撑篙。王琪为南方人，熟悉水路及行船，走到桥下时，故意让船触柱而横，然后厉声喊道："晏公舵掌得不正。"

⊙破风水

真宗渐渐对宰相王钦若不满，有次王钦若替真宗郊祀回来，真宗问他："你们家有何异象，能有今天的地位？"王钦若回答："有术士说臣家的祖坟有风水。"真宗于是命人将其祖坟周边的情况画了图呈上来，王钦若指着坟前的一条小河解释道："术士当时说：'通济桥下水朝流，世代出公侯；睦宦桥下水来冲，分土作三公。'"真宗听完，提笔将坟前的水引向别处，说："水为何不从这里出去呢？"第二年，王钦若家祖坟前的就水干了，王钦若本人也被罢了相。

⊙乞丐的碗

晏几道家藏书很多，每次搬家都是个累赘，其妻讨厌，说真像乞丐在搬要饭的碗。

⊙鹤相遇乌鸦

丁谓拍真宗马屁，每次设坛祈祀完毕，都会上奏说有仙鹤舞于殿堂之间，人们因而称其为"鹤相"。寇准在陕州任知州时，某天在山上的一个小亭子中休息，忽有数十只乌鸦飞鸣而过，寇准笑着对僚属们说："假使丁相见此情形，必当说成仙鹤飞旋。"

⊙心也凉了

韩维在许昌的私家宅第，凉堂有七丈深，即便盛夏时节，也一点不觉得热。有年酷暑，一个朋友从乡下来，韩维问他："乡下凉快吗？"回答说："凉快。"韩维不解，说这么热的天怎么会凉快呢？朋友说："山野之人没什么欲望，也没有衣冠车马的劳顿，心里没有什么负担，搬个凳子，带着扇子，哪里凉快就到哪里去，自然不会觉得太热。"还没说完，韩维便叹了口气，说："你不要说了，我的心也凉了。"

⊙魏公香

韩琦在扬州任知州时，常去石塔寺拜佛，而且特别喜欢焚点一种香韵非常、比道家的婴香还要清冽的特种香，后来此香广为流播，渐渐成为烧香者的钟爱，人们称之为"魏公香"（韩琦封魏国公）。

⊙肥瘦香臭

仁宗时，盛度和丁谓同为翰林学士，长相却迥然有异：盛文肃生得肚大腰圆，体态臃肿；丁谓则骨瘦如柴，面如刀削。同时期，翰林侍读梅询有洁癖，衣服上总要撒些龙涎香或麝香，每天早起还要焚香两柱，然后将香灰放到袖子里，到办公场所后伸展衣袖，满室飘香；在崇文院任职的窦元宾，则不修边幅，且常年不洗澡，身上气味令人难以忍受。时人将此四人归纳为："盛肥丁瘦，梅香窦臭。"

⊙薛出油

薛奎性情笃正刚毅，仁宗朝在开封府任职时，雷厉风行，人皆畏惮，人们私下里都管他叫"薛出油"。后来薛奎调任益州，为政宽简，岁丰人乐，便也入乡随俗，常和人们一起春游，有《春游好》诗十首传世，并自号为"薛春游"，以取代先前的"薛出油"。

⊙大宋吉祥

宋庠原来叫宋郊,字伯庠,有人上奏仁宗,说:"郊读音为交,交是替代的意思,而其姓又是我朝国号,宋交,听着不吉利。"仁宗于是召令宋郊改名为宋庠,意为"大宋吉祥"。

⊙不晓天

宋祁好客,常在院中设宴,以帷幕为棚,里面点上蜡烛,然后载歌载舞,喝酒吟唱。宾客们尽情欢乐,早就忘了时间,后来感觉黑夜漫长,启幕外探,已然是第二天中午。此后人们都管这种宴会叫作"不晓天"。

⊙影郎中、闹尚书

张先曾任尚书都官郎中,善写慢词,其诸词中,"娇柔懒起,帘幕卷花影","柔柳摇摇,坠轻絮无影",以及"沙上并禽池上暝,云破月来花弄影"等词句最是著名,因而被人们称作"张三影"。宋祁因《玉楼春》词中有"红杏枝头春意闹"之句,世称"红杏尚书"。有次宋祁造访张先,命门人传话:"尚书欲见'云破月来花弄影'郎中。"张先回应:"莫非是'红杏枝头春意闹'尚书来了?快请。"

⊙脸皮像靴子皮

田况为人宽厚,治理成都时颇有声名,被蜀人称作"照天蜡烛"。后来田况上调京师三司,负责管理诸司库务事宜,常有权贵之家的子弟亲戚向他索要物品,田况不好拒绝,便每天温颜强笑,好话说尽,很是辛苦。有次田况对朋友诉苦说:"做三司数年,直笑得我脸皮像靴子皮。"

⊙赤老与赤枢

京城管军人叫"赤老",狄青从延州调任枢密副使时,枢密院曾派人去接，结果好几天也不见人影，向路人打听，都不知道有狄青这么一号人物，便生气谩骂道："迎接这么一个赤老，好几天也不来。"此后人们私下里都管狄青叫"赤枢"。

⊙廉颇能饭

韩缜喜欢美食，而且胃口极好，饭量极大。有次好友钱穆父戏谑他说："喜廉颇之能饭。"韩缜闷闷不乐了好几天。

⊙穷宰相

夏竦被贬黄州时，庞籍为其僚属，有次夏竦给他看相，说他将来能当宰相，自此也便对他格外优待。有次庞籍生病，很严重，以为好不了了，便告知夏竦让其帮忙料理后事，夏竦不以为然，说："你将来要做宰相的，即便是个穷宰相，也应该有年寿的，现在这病不会怎么样的，放宽心。"庞籍疑问道："既然都当了宰相，怎么还会穷呢？"夏竦回答："穷倒也不是真的穷，只是在一等人中相对贫穷罢了。"庞籍当宰相后，果然甘守清贫，晚年曾作一联："田园贫宰相，图史富书生。"当是最好的写照。

⊙老凤池边蹲不去

曾公亮自仁宗嘉祐元年（1056 年）任宰相，一直到神宗熙宁年间还在任上。其年事虽高却精力不减，因此朝中也没人议论他的不是，只有李复一人不以为然，曾作诗讽刺他说："老凤池边蹲不去，饿乌台上噤无声。"

⊙孤寒之人

张昇做御史时，多次上书弹劾仁宗身边的近臣，仁宗说："你在朝中的处境本来就不好，可说是'孤寒无援'，为何还要屡屡弹劾朕的近臣，广树敌人呢?"张昇回答说:"臣只是一个平头百姓,能够在陛下身边做事,为国尽忠,曳朱腰金,不愁吃穿,根本算不上'孤寒',像陛下这样才是真正的'孤寒'啊。"仁宗疑问:"朕怎么孤寒呢?"张昇说:"陛下内无贤相,外无名将,孤零零地坐在朝堂上,这难道不是'孤寒'吗?"仁宗听了不怒反喜,自此对他高看一眼。

⊙龙图老子

范仲淹以龙图阁直学士的身份督帅邠、延、泾、庆四郡,一时威德著闻,夷夏皆服,西蕃各部因而都管他叫"龙图老子",就连西夏首领元昊也这样称呼他。

⊙家常饭好吃

范仲淹说:"常调官好做,家常饭好吃。"

⊙龟鹤夫妻

田况脸狭而长,像鹤;其妻阔而短,像龟。时人谓之"龟鹤夫妻"。

⊙莫逢韩玉汝

韩缜镇守秦州时,以酷暴闻名,当地人都说:"宁逢乳虎,莫逢韩玉汝(韩缜字)。"后来韩缜因抵御辽将李金吾不力,被迫辞官,有好事者又将此话改为:"莫逢韩玉汝,可怕李金吾。"

⊙布被客

范纯仁门下有很多食客,而且随着职位升高,食客的数量也越来越多。被贬陈州时,范纯仁拿出自己的经年积蓄,给那些穷困的食客做了几十床被子,时人赞曰:"孟尝有三千珠履客,范公有三千布被客。"

⊙狎鸥亭

韩琦辞相后，出任相州知州，在居所修建了一座狎鸥亭（"狎鸥"意为隐逸）。欧阳修给他寄诗说："岂止忘机鸥鸟信，钧陶万物本无心。"韩琦看了很认同，高兴地说："我在中书时，不管升官还是降职，从来都不放在心上，还是永叔（欧阳修字）懂我啊。"

⊙龟鹤宰相

韩忠彦与曾布同朝为相，曾身材矮小瘦弱，韩则伟岸挺拔，二人并立朝堂，对比效果非常明显，时人谓之"龟鹤宰相"。

⊙四真

仁宗嘉祐年间，富弼为宰相，欧阳修为翰林学士，包拯为御史中丞，胡瑗为侍讲，时人谓之"四真"，即：真宰相、真翰林学士、真中丞、真先生。

⊙香丸子

欧阳修与王珪、范缜同在翰林院时，按惯例，新春要给皇后、贵妃以下诸嫔妃献贺贴，某年正好死了一位同仁，词臣们便没有进献，仁宗闻讯大怒，诸公惶恐，忙临时抱佛脚。王珪、范缜二人仓促间不能成文，这时欧阳修慢悠悠地说："我倒有首现成的诗，可作贺贴。"遂取笔写道："忽闻海上有仙山，烟锁楼台日月闲。花下玉容长不老，只应春色胜人间。"该诗呈上，仁宗果然喜欢。王珪惊魂甫定，拍着欧阳修的后背叹道："你的诗里有'香丸子'啊。"

⊙我很孤独

文彦博镇守长安时，有次见到石苍舒珍藏的一幅褚遂良的"圣教序"帖子，拿来把玩良久，爱不释手，便让手下临摹了一本。隔了几天，文彦博宴请群僚，拿出两本字帖，让大家辨别，人们都盛赞文彦博的临摹本是真的，反说石苍舒的帖子是假的。石苍舒也不分辨，拿了临摹帖，笑着对文彦博说："到今天才知道我石苍舒很孤独啊。"文彦博和诸公听了，羞愧难当，表情极为尴尬。

⊙石上眠

韩琦喜欢建造住宅，每到一个地方任职，都会有大的动作，而且所建房屋越来越大气恢弘。任大名府知府时，韩琦在卧室后面偏西的地方，建了一座堂屋，宽大空荡，不设房间，是专门宴客休闲的地方，取名为"善养堂"。回任相州后，他又在北池建了一座堂屋，取名为"醉日堂"。堂屋建成后，韩琦还写了一首诗，说"霓裳时事非吾事，且学熏酣石上眠"，此后竟一病不起，一月后病故，此诗遂成绝笔。神宗皇帝感念韩琦的功德，特别下诏为其构筑石藏，将其风光大葬。"石上眠"之诗竟一语成谶。

⊙四贤一不肖

仁宗景祐年间，范仲淹任开封知府，因上"百官图"反对宰相吕夷简，被贬到饶州做知州。余靖上疏为范仲淹辩驳，被说成范仲淹的同党，也遭贬逐。太子中允尹洙（尹师鲁）这时站出来，说："余靖和范仲淹交情浅，臣和范仲淹亦师亦友，愿和他一道受罚。"被贬为郢州监税。欧阳修因谏官高若讷没有出面为他们辩解，写了封信诘责他，高若讷很生气，将信交给了皇上，欧阳修由此也被贬为夷陵县令。欧阳修对高若讷的行径嗤之以鼻，写信给尹洙说："这种人一辈子胆小怕事，不敢说真话，突然见到我们这样的行事风格，自然会感到惊讶。"蔡襄由感而发，为五个人分别作诗一首，取名《四贤一不肖诗》，京师士人争相传抄，书商也趁机刊刻叫卖，一时成为热门话题。

⊙剃度坏了

富弼当宰相时，有次为一个僧人剃度，刘攽笑话他，说："文彦博剃度坏了好几个，最后只培养出一个出色的僧人，不知富公要剃坏几个？"人们问："怎么会剃度坏了呢？"刘攽答道："他（文彦博）每次剃度，都要对僧人说些谬赞的话，僧人因而傲慢，最后反生出祸端，这难道不是剃度坏了吗？"

⊙赌咒有轻重

王安石在馆阁时，曾和滕元发一起担任开封府的考官。滕元发对着一张试卷赞不绝口，王安石虽觉得一般，却不好驳滕元发的面子，便将此卷归入一等，等启封后，方知试卷是王观的。王观平时与滕元发交好，行事浅薄，王安石一向很讨厌他，感觉上了滕元发的当，脸上兀自愤愤不平。滕元发见状，操着东阳方言（滕元发是浙江东阳人）分辩说："如果我是故意的，就让我母亲得病。"王安石一脸茫然，继而平静地说："凡事须权衡个轻重，怎么能用母亲的安康来发誓赌咒呢。"

⊙士面观音

谢绛为人稳重，深于涵养，时人谓之"士面观音"。仁宗景祐年间，谢绛任制诰，负责起草诏令，其文字清秀俊雅，颇见功底，欧阳修很欣赏，称其制辞"尤得其体，世所谓常、杨、元、白，不足多也"，蔡襄也赞其"文章谨于法度，叙史体，述制命，尤为深约典重"。

⊙可怜的都官

梅尧臣以诗文著称于世，然而仕途却极不得意，到晚年也只做到都官的位置。参与修撰《唐书》时，梅尧臣对其妻刁氏发牢骚，说："我现在修史书，可说是猢狲钻进了布袋啊。"刁氏反唇相讥，说："你在仕途上，无异于鲇鱼上竹竿啊！"有次和朋友宴饮，刘敞和梅尧臣开玩笑，说："圣俞（梅尧臣字）的官位到这儿就算到头了。唐时有个郑都官，如今有个梅都官啊。"梅尧臣听了闷闷不乐，不久竟抑郁而终。梅尧臣死后葬在宣城，俗呼"梅夫子墓"，后来有人作诗凭吊他说："赢得儿童叫夫子，可怜名位只都官。"

⊙二相公庙

韩亿的三子韩绛和六子韩缜，在神宗、哲宗朝相继被任命为宰相，后来其第五子韩维也拜封门下侍郎，大有成为宰相的可能，韩亿高兴，便在其家堂上题写了一块"三相堂"的匾额。不久韩维出知邓州，后改汝州，最后以太子少傅的身份退了休。有次苏轼和韩维开玩笑，说："既然你家成不了'三相堂'，不如取名为'二相公庙'吧。"

⊙南暖北寒

文天祥年轻时曾写过一首诗，其中有"江上梅花都是好，莫分枝北与枝南"的句子。文天祥殉国后，其弟文璧（字文溪）投降元朝，有人作诗讽刺他说："江南见说好溪山，兄也难时弟也难。可惜梅花如心事，南枝向暖北枝寒。"

⊙包顺

西羌头领归顺宋朝，去拜见神宗，入殿前，对陪伴他的客使说："我平生只听说过包拯包大人，我既然归顺，希望皇上能赐我包姓。"神宗如其所愿，赐其名为包顺。

⊙金手玉拍

有次徽宗无意间拍了下朱勔的肩膀，朱勔受宠若惊，回家后在徽宗玉手拍过的地方，绣了一个金手印，逢人便指着说："这是皇上拍过的。"又一次，朱勔参加皇宫御宴，徽宗无意间握了握他的手臂，回家后朱勔即将一条黄帛缠在胳膊上，此后凡与人打招呼作揖，这条手臂是绝然不动的。

⊙粗官

嘉祐年间，仁宗欲任命外戚张尧佐为节度使，中丞陈秀公觉得不妥，在殿上直言谏争。仁宗最后不耐烦了，说："节度使就是个粗官（武官），众爱卿至于这样争来争去吗！"御史里行（官职名）唐介闻听此言，拨开众人上前辩驳道："节度使的职位太祖（赵匡胤）和太宗（赵光义）都做过，恐怕不能称作粗官。"仁宗先是一惊，继而兴趣索然，挥手让人们退下，张尧佐也不任命了。

⊙滕屠郑酤

王安石不喜欢翰林学士滕元发（滕甫）和郑獬（郑毅夫）二人，管他们叫"滕屠"和"郑酤"，极言其鄙俗。二人性情豪爽，不拘小节，也不拿这话当回事，有天郑獬送客人出城，路过俗称"屠儿原"的朱亥冢，还作了一首诗，说："高论唐虞儒者事，卖交负国岂胜言。凭君莫笑金椎陋，却是屠酤解报恩。"

⊙黄钟之音

文天祥被元兵押送到大都，沿途听到元兵军歌嘹亮，在唱"阿剌来"，吃惊地问道："这是什么声音？"元兵说："这个起源于朔方，是我们的民歌。"文天祥叹了口气，说："这是'黄钟之音'啊，我大宋就要灭亡了。"〔黄钟之音，是古代乐律"十二律"中的一个音阶，十二律由低到高依次为：黄钟、大吕、太簇、夹钟、姑洗、仲吕、蕤宾、林钟、夷则、南吕、无射、应钟。十二律又叫律吕，古人将十二种长短不一的管子埋入地下，使地上部分齐平，然后在管中填满芦灰，管口贴上"竹衣"（竹子内的薄膜），到了冬至这天，因受地气上升的影响，最长管子中的灰会首先喷出管外，同时发出"嗡嗡"的声响，即为"黄钟之音"，俗称"灰飞"。〕

⊙瞎贼的话

元兵大举南侵时，兵部尚书汪立信曾给宰相贾似道献过三条对策：一是将江北的将士撤到江南，可得兵六十万进行抵御；二是放回元军使者，派宋使随行，以赢取时间；三是如果这两个办法行不通，就只有投降了。贾似道看了大怒，说："胡言乱语，真是个瞎贼！"让御使弹劾他，罢了他的官。不久元军渡江，国土沦丧，朝廷又重新启用汪立信为端明殿学士、沿江制置江淮招讨使，让他到建康募兵增援，结果半路上与督军贾似道巧遇。贾似道拍着汪立信的后背哭道："我后悔当初没听你的话，才落到现在这个地步啊！"汪立信说："那今天我这个'瞎贼'还能多说一句话不？"贾似道问："什么话？"汪立信说："如今江南已无一寸赵家土地，我要找回一片来，死也要死得光明磊落！"

⊙君子与搭头

丁大全谄事得宠，迫使宰相董槐辞职，之后攫取宰相高位，开始专权擅政。开庆元年（1259 年），太学生陈宜中、曾唯、黄镛、刘黻、陈宗、林则祖等六人，联名上书理宗，攻击丁大全，言辞激烈，大义凛然，一时声名鹊起，被称为"开庆六君子"。然而元军南下后，曾唯、黄镛、陈宗三人却相继投降，时人不无遗憾地说："开庆六君子，至元三搭头。"

⊙却抱琵琶过别船

元兵南下，襄阳知府吕文焕困守孤城六年，最后兵尽粮绝，出城投降。有次龙麟洲拜会吕文焕，二人喝酒赋诗，龙以一首琵琶亭诗加以讽刺，诗曰："老大蛾眉别所天，尚留余韵入哀弦。江心正好看明月，却抱琵琶过别船。"吕文焕读之潸然泪下。据说当时吕文焕曾赠以厚礼，让龙麟洲改诗，被龙拒绝。

⊙没教我认字

吕文德是樵夫出身，身材魁梧，常担柴去集市上卖，时任庐州（今安徽省合肥市）通判的赵葵，某天见到吕文德掉了一只鞋，有一尺多长，很惊讶，派人去请，正赶上吕文德打猎归来，肩上扛着一只虎和一头鹿。赵葵觉得此人不一般，便将其招在麾下。之后吕文德屡立战功，官也越做越大，不过他从不肯对那些古代圣贤行礼，说："他们没教过我认字。"

⊙吃尽街头厚朴汤

宋时，文德殿是百官候命的常朝殿，宰相觐见完皇帝后，将在这里督署政务。候命等待的时间很不确定，有时宰相回来早，有时会很晚。如果等得时间长，百官疲惫了，便会有杂役给每位官员盛上一碗厚朴汤，供他们闲饮解渴。尽管如此，许多官员还是苦于等候，闲极无聊，便有人写诗自嘲说："立残阶下梧桐影，吃尽街头厚朴汤"。

⊙不喜落韵诗

文彦博向仁宗的宠妃张贵妃进献灯笼锦，言官唐介看不惯，当廷斥责他是拍马屁的奸佞小人，仁宗很恼火，把唐介贬到了岭南的春州。李师中敬佩唐介的耿直，特别写了一首诗为他送别，说："孤忠自许众不与，独立敢言人所难。去国一身轻似叶，高名千古重于山。并游英俊颜何厚？未死奸谀骨已寒。天为吾皇扶社稷，肯教夫子不生还？"后来唐介被文彦博举荐，又回到朝廷任职，便再也不攻击文彦博了。李师中很不高兴，遂向唐介索要赠诗，以示划清界限，唐介随手将诗掷还，轻描淡写地说了句："我本来就不喜欢落韵诗。"（落韵也叫出韵、窜韵、走韵，是指在律诗偶句韵脚上不用本韵之字，而用邻韵或它韵中的字。诗中"难""寒"同部，"山""还"又一部，为进退韵格，并非落韵。）

⊙舍与得

柳永才性高妙，本想在仕途上大展拳脚，熟料应试时却名落孙山，遂愤而写下《鹤冲天》词一首，中有"忍把浮名，换了浅斟低唱"的诗句。仁宗看后不以为然，批道："此人喜欢'浅斟低唱'，何要浮名？且填词去。"柳永自此号称"奉旨填词柳三变"，开始远离仕途，混迹于烟花巷陌，也就此写出了许多千古传唱的诗篇。

⊙前朝的孩子

赵匡胤发动"陈桥兵变"夺了皇位，入宫时见到一个宫嫔抱着一个小孩，便问是谁的孩子，回答说："是世宗（后周世宗柴荣）的儿子。"赵匡胤回头问范质、赵普、潘美三人，该当如何处置，赵普和范质态度明朗，都说该杀掉这个孩子，只有潘美不说话。赵匡胤叹道："即人之位，又杀人之子，这样的事朕不忍做啊。"潘美这才说话："臣与陛下都曾辅佐过世宗，如果我劝陛下杀了这孩子，那是有负世宗的恩德，如果我劝陛下不杀，那么陛下一定会对我起疑心。"赵匡胤说："世宗的儿子不能做你的儿子，就让他做你的侄子吧。"潘美于是抱子而归，此后赵匡胤再也没提过这件事。后来赵匡胤给赵氏子孙定下两条规矩：一是"不得杀士大夫及上书言事人"；二是"柴氏子孙，有罪不得加刑，纵犯谋逆，止于狱内赐尽，不得市曹刑戮，亦不得连坐支属"。

⊙黑灰团

吕文德皮肤黑，绰号"黑灰团"。贾似道用"打算法"（即派人查核各地军费，凡在战争中支取官府钱物用于军需的，一律以侵盗掩匿的罪名治罪）杀了吴潜、向士璧和曹世雄等人，当时还是策应大使的吕文德，与四川制置使俞兴勾结，也想用"打算法"整治时任泸州知府兼潼川路安抚副使、绰号"铁狲狲"的刘整，最后刘整一气之下投降了蒙古。后来吕文德出任京湖安抚制置使，转领湖北军事，刘整不失时机地向蒙军提出先取襄阳的战略构想，说："宋人所倚仗的，只有一个'黑灰团'罢了。"

⊙商不如官贵

僧人文莹在《湘山野录》中记载，大理寺丞石曼卿酒量过人，曾对朋友秘演说："我俸禄微薄，本就不能尽兴痛饮，可同僚有时还来抢我的酒喝，真是无可奈何呀！"牛监簿则有钱而讲义气，也常对秘演慨叹："我虽薄有资产，却出身微贱，难近清贵。"秘演便将牛监簿介绍给了石曼卿。石曼卿问牛监簿住在哪里，牛监簿说在繁台寺那边，石曼卿说："繁台寺阁很漂亮，好久没去登临了。"牛监簿赶紧接话："如大人登阁，我必备好酒菜迎候。"于是三人择日登阁，饮酒放歌，直至日落。石曼卿醉眼朦胧，鼓掌说："此游可记。"提笔写道："石延年曼卿同空门诗友老演登此。"牛监簿见没写自己，忙赔笑道："本人微贱，有幸侍陪，也请挂个名头。"石曼卿瞥了他一眼，沉思片刻，续写："牛某捧砚。"

⊙军中一范

范仲淹与韩琦同主边事，收复了一些失地，边上遂有歌谣唱道："军中有一韩，西贼闻之心骨寒。军中有一范，西贼闻之惊破胆。"

⊙不见吾狂

辛弃疾每次宴客，总要命歌妓唱其词作，尤其是那首《贺新郎》，为其钟爱。当唱到"我见青山多妩媚，料青山见我应如是"时，辛弃疾便会大发感慨，说："不恨古人吾不见，恨古人不见吾狂耳。"每每博得一片赞誉。

⊙朝中无宰相

贾似道位高权重，喜欢玩乐，还动辄以辞职相威胁，度宗特授其平章军国事，并赐宅第于西湖葛岭，许他三日一朝、一月赴经筵三次。过了几年，贾似道再次称病请辞，度宗苦苦挽留，许其六日一朝、一月经筵两次，不久又许他十日一朝、入朝不拜，且退朝时，度宗亲自起立目送。如此，贾似道的大部分时间都在西湖葛岭赌博作乐。时人有"朝中无宰相，湖上有平章"之谚。有一次贾似道正与众妾蹲在地上斗蟋蟀，一个狎客闯进来，嬉皮笑脸地跟他开玩笑："这就是相国的军国大事啊！"

⊙暗示

世宗赵光义赏识吕端，想让他取代吕蒙正的宰相位，有人反对，说吕端为人糊涂，赵光义不以为然，说："吕端在小事上糊涂，大事上可不糊涂啊。"决意重用他，并在一次宴会上写《钓鱼诗》暗示众人，诗云："欲饵金钩深未达，磻溪须问钓鱼人。"诗中赵光义自诩为周文王，将吕端比作姜太公，寓意昭显。不久，赵光义果然罢了吕蒙正的相位，代之以吕端。

⊙天子娶媳，皇后嫁女

英宗赵曙本是濮王允让的儿子，因仁宗无子，便将其接入皇宫抚养，并确立为接班人。英宗的皇后高滔滔（亦即宋史上有名的高太后），其曾祖为宋初名将高琼，姨妈是开国元勋曹彬的孙女、也是仁宗的第二任皇后曹氏。曹皇后视高滔滔如己生。英宗与高滔滔成婚时，仁宗和曹皇后亲自操持，故而时人有"天子娶媳，皇后嫁女"之说。

⊙生老病死苦

王安石主持变法时，朝中五位主要执政大臣，有"生老病死苦"之说。"生"指王安石，生机勃勃地筹措变法；"老"指曾公亮，已近古稀之年；"病"指富弼，反对变法称病不出；"死"指唐介，每日忧心忡忡，变法之初便病死了；"苦"指赵抃，他不赞成变法，却又无力阻止，成天叫苦不迭。

⊙三旨宰相

王珪胆小怕事，时人谓之"三旨宰相"。即：上殿奏事称"取圣旨"；皇帝裁决称"领圣旨"；传达旨意称"已得圣旨"。

⊙父皇用过的

哲宗朝，高太后掌权。每次大臣们向哲宗和高太后奏报，哲宗都沉默不语，有次高太后征求哲宗的意见，哲宗回道："娘娘已处分，还要我说什么？"哲宗用的一个旧桌子，被高太后命人换掉，哲宗又派人搬了回来，高太后问其因，哲宗回答："这是父皇（神宗）用过的。"

⊙飞将军

李师师本姓王，是个普通工匠的女儿，四岁时丧父，入了娼籍李家，后成为名噪一时的名妓。因李师师色艺俱佳，且为人慷慨侠气，时人呼之"飞将军"。

⊙血书

徽宗被囚禁在北方时，有年看到杏花开放，悲从中来，提笔写就一首《宴山亭》的词："裁剪冰绡，轻叠数重，淡着燕脂匀注。新样靓妆，艳溢香融，羞杀蕊珠宫女。易得凋零，更多少、无情风雨。愁苦，问凄凉院落，几番春暮？凭寄离恨重重，这双燕何曾，会人言语？天遥地远，万水千山，知他故宫何处？怎不思量？除梦里有时曾去。无据，和梦也新来不做。"内心凄凉，相思愁苦，令人不忍卒读。据《朝野遗记》中说，该词为徽宗绝笔，后世王国维称之为"血书"。

⊙金人外公

钦宗被金人扣留后，宋廷凑了16万两金子、200万两白银、100万匹绸缎作为赎款，前去金营交割，结果金人仍不罢休。无奈，宋廷又广罗美女，以供金人玩乐。其中吏部尚书王时雍掠夺妇女最为卖力，人称"金人外公"，开封府尹徐秉哲则紧随其后，二人整车整车地往金营送美女，弄得开封城内怨声载道，民不聊生。

⊙万弩手

淮东地区，原有一种叫"万弩手"的民兵组织，在抵御金兵南犯时发挥过很大的作用。该组织在乾道元年（1165 年）曾一度被遣散，到了乾道五年（1169 年），孝宗皇帝又将其恢复，改名为"神劲军"，并规定每年的八月到次年的二月为部队的集中训练期。自此，两淮前线又多了一支生力军。

⊙胡须白了

赵惇做了十几年太子，年届不惑，却仍不见孝宗有传位于他的意向。一天赵惇终于忍耐不住，向父皇试探："儿臣的胡须已经开始发白了，前几日有人送来染胡须的药，儿臣却没敢用。"孝宗不傻，听出弦外之音，愤然道："有白胡须好，正好向天下显示你的老成，要那染须药做甚！"赵惇只得尴尬退下。

⊙董阎罗

董宋臣是理宗皇帝的贴身内侍，善于逢迎拍马，很得理宗欢心。有年夏天理宗在禁苑赏荷花，苦于没有凉亭遮日，董宋臣揣摩帝意，竟在一天之内修建了一座凉亭。等到冬天理宗赏梅花时，董宋臣早已提前谋划，在梅园建好了一座避风亭。理宗晚年好色，后宫不能满足，董宋臣便将临安名妓唐安安引入宫中，理宗大为舒爽，对董宋臣更加宠信。在皇上的庇护下，董宋臣恃宠而骄，"一时声焰，动摇山岳"，人称"董阎罗"。

⊙周公变周婆

贾似道位居平章军国重事、都督诸路军马，被度宗尊为"师臣"，朝中更是视其为"周公"，然与元兵作战，却溃不成军，时人讽刺他说："丁家洲上一声锣，惊走当年贾八哥。寄语满朝谀佞者，周公今变作周婆。"

⊙近习

孝宗登基后，重用先前的亲信以为耳目，制约宰臣。这些人倚仗宠幸，祸乱朝政，被士大夫们斥为"近习"。

⊙十三团练

英宗体弱多病，继位之初便大病一场。病愈后，高皇后不许其接近嫔妃，曹太后劝她说："官家（指英宗）即位时间也不短了，而且现在身体痊愈，身边怎么能没一个侍御的宫人呢？"高皇后听后很是生气，说："奏知娘娘，我这新媳妇嫁的是十三团练（英宗是仁宗赵祯的侄子，因排行十三，长辈皆呼之"十三"，又因曾任岳州团练使，故高皇后叫他"十三团练"），又不是他这个皇上。"

⊙诗人的别号

乔子旷写诗用词生僻，人称"孤穴诗人"；杜默则凭空臆造，不讲韵律，人称"杜撰"；贺铸在《青玉案》中，因有"试问闲愁都几许？一川烟草，满城风絮，梅子黄时雨"之句，被人称作"贺梅子"；张炎《解连环》一词中，有"自顾影，欲下寒塘，正沙净草枯，水平天远"之句，用了唐朝诗人崔涂《孤雁》诗中的典故，人称"张孤雁"。又因在《南浦》一词中歌咏春水，有"荒桥断浦，柳阴撑出扁舟小。回首池塘青欲遍，绝似梦中芳草"的句子，如梦如画，唱绝古今，因而人们又称其为"张春水"；鲍当在河南做官时，写有《孤雁》一诗："天寒稻粱少，万里孤难进。不惜充君庖，为带边城信。"为人所激赏，也呼之为"鲍孤雁"；

谢逸写就《蝴蝶》诗三百首，其中不乏佳词妙句，人称"谢蝴蝶"；王观在《清平乐》一词中写道："黄金殿里，烛影双龙戏。劝得官家真个醉，进酒犹呼万岁。折旋舞彻《伊州》，君恩与整搔头。一夜御前宣住，六宫多少人愁。"高太后认为他在亵渎神宗皇帝，将其免职，王观自此也就多了个雅号"王逐客"。

⊙热中允换不过热修撰

宋初时，那些久为幕僚却得不到提拔的，往往被授"太子中允"之职，以示安慰。后来在地方州县中任职的人，准备提拔时，也多授予此职，"冷中允"一下成了"热中允"；集贤殿的修撰，也多授予那些久任馆职得不到提拔的人。后来对那些准备被重点提拔，却又达不到侍从官资格的人，便先授其修撰之职，"冷修撰"也就成了"热修撰"。不过两相比较，中允还是不如修撰，所以人们说："热中允换不过热修撰。"

⊙三不得

陈升之在润州修建的宅第，园池楼馆绵延一二百丈，极其宏阔壮丽。宅第建好后，陈升之便病倒了，强忍着病痛，让人用轿子抬着登了一回西楼，简单视察了一番。故此人们称这座宅子为"三不得"，即：修不得、卖不得、住不得。

⊙斗茶

宋朝的茶叶，以建州（今福建建瓯县）茶最为著名。此地设有龙焙（也叫官焙），专门负责为皇宫监造御茶，因其面北，因而又称北苑，建州茶也叫做北苑茶。北苑茶清香扑鼻，入口甘滑，其中尤以凤凰山所产味道最佳。丁谓主管福建漕司时，曾监制御茶，进贡了一种叫龙凤团的茶，大受宫中喜爱。后来蔡襄出任建州知州，又筛选凤凰山茶中最精细者，制成了小龙团贡献，风头一时盖过了大龙团。因而苏轼在《荔枝叹》一诗中感叹道："君不见武夷溪边栗粒芽，前丁后蔡相笼加。争新买宠各出意，今年斗品充官茶。"

⊙瓮算

苏轼在《东坡诗集注》中，讲了这样一个故事：有一个贫寒的秀才，家徒四壁，唯一的财产就是一只瓮，因怕被人偷走，每晚都要守着它睡才安心。某夜失眠，秀才开始胡思乱想，前瞻未来，想着将来有了钱，买上几座豪宅，再蓄养几个美妾，高车大盖，高朋满座，造访者络绎不绝……想着想着，不觉手舞足蹈，一脚把瓮给踢碎了。自此，民间将那些妄想者呼为"瓮算"。

⊙城门与言路

靖康初年，金人进犯边疆。徽宗接连下了几次求言诏，让人们畅所欲言，群策群力，等局势稍稍缓和，便又对那些进言之人百般阻挠。所以有民谣唱道："城门闭，言路开。城门开，言路闭。"

⊙与官家喝酒

侍读李仲容能喝酒，宫中称之"李万回"。真宗赵恒酒量也很大，听说李仲容能喝，便想和他比试一下。某天设宴，真宗命人准备了两个大杯，二人你来我往，一通猛喝，最后李仲容不胜酒力，歪歪斜斜地站起来说："请官家撤掉大酒杯。"真宗也喝高了，醉眼迷瞪地质问："你为何称朕为官家？"李仲容一下酒醒，急忙回话："臣记得蒋济在《万机论》中说：'三皇官天下，五帝家天下。'天子兼三皇五帝之德，所以称'官家'。"真宗高兴，又多喝了几杯，对李仲容说："真所谓君臣千载之遇啊。"李仲容回答："臣惟有忠孝一生之心啊。"

⊙官人来了

真宗去泰山封禅，当地群众好几万人前来观看，警戒开路的护卫很难维持，以至于车驾前进艰难。真宗很着急，问左右该怎么办，这时有人提出，说老百姓都害怕尉曹，可找他们来试试，真宗于是安排人去办理。过了一会儿，便见远处有个绿衣少年快马疾驰而来，人群大呼小叫，吵嚷着"官人来了"，急忙避散，道路一下为之畅通。真宗见后苦笑道："朕难道不是官人吗？"

⊙炊饼的来历

因仁宗赵祯的"祯"字读音近似"蒸"，为避讳，民间都把"蒸饼"叫做"炊饼"，也就是武大郎卖的那种。

⊙元丰

熙宁（1068—1077年）后期，年年大旱，神宗遂召集群臣商议改年号，御使建议改为"大成"，神宗说："'成'字是一人背着戈，不吉利。"又有人提议改"丰亨"，神宗说："'亨'字下面的'了'不成子，不好，只这个'丰'字还可用。"于是该年号为"元丰"。

⊙徽宗吃桑椹

徽宗被金人掳往北地，有次路上口渴，顺手摘道旁的桑椹吃，边嚼边对身边的曹勋说："朕还是藩王时，有次看见乳母正在吃这东西，也便取了几枚来吃，觉得味道不错，只是很快被乳母抢了去。如今再吃，却是遭遇祸难之时，恐怕桑椹要伴我始终了！"

⊙麻捣

赵普建府邸时，极尽奢华之能事。刷墙壁用"麻捣"，仅此一项花费便达一千二百贯。因此后来人们都管涂壁叫麻捣（麻捣为拌合泥灰涂壁用的碎麻）。

⊙千眼观音

孝宗赵昚玩球时不小心伤到了一只眼睛，金人派使者再来祝寿时，便特意进献了一座千手千眼的白玉观音，以此戏谑孝宗。孝宗命人将观音像迎送到径山，并邀金使一同去拜谒，到得寺门，住持出来迎接，念诗道："一手动时千手动，一眼观时千眼观。幸得太平无一事，何须做得许多般。"金使听了甚是羞愧。

⊙原来如此

内侍董宋臣给理宗介绍妓女，其中有个叫唐安安的，歌舞样貌均属上乘，理宗很喜欢。侍郎牟子才上奏谏止，说："董宋臣之流这是在引诱陛下，破坏陛下三十年来的清修德操。"理宗让丁大全传旨："此事说说罢了，不要扩散。"不久，牟子才画了一幅"高力士脱靴图"，并将拓本传给那些和董宋臣关系紧密的人，故意让董宋臣看到。董宋臣见了果然大怒，说："嘴上说说也就罢了，至于画这样的画吗？还把我画成这样一个死模样！"拿着画就去找理宗，哭诉说："牟子才这是在骂您啊。"理宗看了看画，笑着说："这哪是在骂朕，分明是在骂你嘛。"董宋臣说："他这是将陛下比作唐明皇，将臣比作高力士，而他自己则以李白自居。"理宗闻言，为之郁闷良久。

⊙老郎

宋代的说话人（说书人），同行之间互称"郎"，资深者称"老郎"，所以宋代话本中，时有"老郎们传说""京师老郎流传"等说法。

⊙洗儿诗

苏轼被贬后，谪居多年，曾写过一首《洗儿诗》，曰："人家养子爱聪明，我为聪明误一生。但愿生儿愚且鲁，无灾无害到公卿。"

⊙度宗榜

度宗赵禥死后，恭帝赵㬎为其守丧。当年廷试发榜，第一名为王龙潭，第二名路万里，第三名胡幼黄。时人作民谣唱道："龙在潭，飞不得；万里路，行不得；幼而黄，医不得。"

⊙贩盐

贾似道让人贩盐到临安，装了一百艘船。有太学生写诗讽刺道："昨夜江头涌碧波，满船都载相公醛。虽然要作调羹用，未必调羹用许多。"贾似道大怒，将其下了大狱。

这事你怎么看

第十二章

⊙不喜欢儒生

哲宗赵煦九岁登基，程颐为其讲学。某次课间休息，君臣在一间小亭子里喝茶，小赵煦顺手折下一根柳枝玩耍，程颐见后，立即起身，沉着脸说道："现在正是万物生长的季节，皇上不可无缘无故地摧折生命，损害天地之间的和气……"赵煦很不高兴，皱着眉头，将柳枝狠狠地摔在地上。司马光听说此事后，十分感慨，对门客们说："这就是古来君主大多不愿接近儒生的原因啊！"

⊙宰相的椅子

宋初，宰相的地位很高，皇帝与宰臣们议事，大家都是坐着的。后来赵匡胤想改变这种状况，便招呼宰相们说："朕眼睛昏花，你们上前些说话。"宰臣们不知是计，纷纷上前，内侍太监便趁机撤掉了他们的椅子，此后宰相也只能站着议事了。

⊙金贵的羊肉

在宋朝，羊肉很金贵，一般百姓根本吃不起，学子中也有"苏文熟，吃羊肉；苏文生，吃菜羹"的说法，亦即熟读苏轼的文章，就能中试做官，可以吃到羊肉了，反之就只能吃菜羹。不过羊肉在宫廷里的消耗却很高，宋初时，宫中每天杀羊达二百八十头之多。神宗时，御厨曾创下一年消耗四十三万四千四百六十三斤四两羊肉的记录，此外还有十九只羊羔。
在宋朝，还有一种作为官僚俸禄的"食料羊"，每人每月最少两只，多
的有二十只。

⊙化僧脱逃

王小波、李顺起事后不久，王小波便被官军杀死，李顺攻入成都后，
自称"大蜀王"，后来官军攻破成都，李顺也阵亡了。不过陆游在《老
学庵笔记》中说，李顺当时并没死，而是弃城逃跑了。其逃跑的方法很
绝妙：先是放出风去，声称要大做法事，施舍僧众，引得成都各处寺庙
的和尚纷纷聚集，然后李顺与手下近万人同时剔度，大作僧袍。到了晚上，
李顺与万名"僧众"从各个城门分散而出，此后便不知去向。官兵捉不
到李顺，最后找了个样貌和他差不多的人斩首，向朝廷交了差。

⊙三种茶具

吕公著待客，茶具分三种：一种金饰的，一种棕榈饰的，一种银饰的。
如果是皇上身边的近侍，就用金器；王公大臣则用棕榈器；平常来客一
律用银器。

⊙与宰相同床

王钦若还是穷秀才时，曾到临川游学，寄宿在蔡参政的门馆。时值
寒冬，王钦若晚上冻得不行，便悄悄溜进管家陈超的房间，并钻入其被
窝取暖。陈超当时睡得死，并未发觉，却做了一个梦，梦中有人呵斥他，
说："你怎么敢和宰相同床而眠呢？"早上醒来，陈超看见王钦若，甚
是惊愕，自此对他格外照顾，并竭尽所能地帮助他。王钦若当了宰相后，
对陈超也很礼遇。

⊙饿死的宰相

王明清在《挥尘后录》中说，蔡京被流放岭南，临行前带了许多金银财宝，可沿途百姓憎恨这个贪官，谁都不卖给他食物和水，以至于一路上饥寒交迫，狼狈不堪。到潭州（今长沙）后，因无处住宿，只好委身在城南的一所破庙里，最后贫病交加，饿极而死。

⊙能骂不能笑

狄青出身行伍，面有刺字，人称"面涅将军"。韩琦督师定州时，狄青为总管，一次宴会，席间优人拿儒生开玩笑，惹恼了一个叫刘易的儒生，刘易错认为这是狄青的授意，起身大骂狄青为黥卒，把酒杯一摔，走了。狄青则始终面带微笑，一点也不气恼，第二天还亲自到刘易家中道歉，人们都很佩服狄青的雅量。不过这事也分情况，又一次宴客，有个叫白牡丹的妓女作陪，酒至酣时，劝狄青更尽一杯，说："劝斑儿一盏。"讥笑他脸上有刺字。当着客人狄青没说什么，第二天便将白牡丹狠狠鞭打了一通。

⊙置胜负于度外

仁宗朝，与西夏常有战事，韩琦和范仲淹一同被任命为陕西经略安抚副使，作为安抚使夏竦的副手，负责对付西夏事宜，韩琦主持泾原路，范仲淹主持鄜延路。一次战败后，韩琦欲分兵五路奔袭西夏，范仲淹坚决反对。渭州知府、泾原路经略公事尹洙得令后进发至延庆，约范仲淹一起进兵，范仲淹说："我军刚刚战败，怎么可以铤而走险呢？看如今的形势，只有失败的迹象，没有胜利的迹象。"尹洙叹了口气，说："韩公曾说'用兵当置胜负于度外'，你这样小心谨慎，在气势上不如韩公啊。"范仲淹说："大军一动，关乎数万将士的身家性命，置于度外，我觉得不妥。"二人不欢而散。结果，韩琦的大军遭遇元昊伏击，死伤惨重。回来后，阵亡将士的家属们围住韩琦，拿着纸钱号哭不已，搞得韩琦不知所措。范仲淹听说后，叹气道："这个时候难道还能'置胜负于度外'吗？"

⊙非我本意

庆历二年（1042 年），契丹扬言进攻宋朝，仁宗派富弼出使契丹，经过一番劝说，最后契丹承诺放弃武力，改与宋朝修好，条件是宋朝每年再多给契丹一些岁币。富弼晚年赋闲在家，总有宾客提及他当年的契丹之行，称赞他立了大功，每当这时，富弼便会羞红了脸，表现出很惭愧的样子。有人问他何以至此，富弼说："当年出使北方时，我朝的元勋宿将全都老死了，年轻的将领不懂兵法，士兵也不擅习战，只有与契丹通好，才能确保平安无事，然而这样的话，将士们就更不注重操练了。造成这种状况的根源虽不在我，但仔细想来，我也起到了推波助澜的作用。忍受屈辱增加岁币，其实并非我的本意啊。"

⊙披麻问，剥皮拷

秦桧诬陷岳飞谋反，将岳飞父子逮捕，由秦桧的亲信、大理寺正卿万俟卨和大理寺丞罗汝楫负责拷讯。二人除使用一般的杖、鞭、夹棍等刑罚外，还使用了一种叫做"披麻问，剥皮拷"的酷刑，具体做法是：把岳飞的衣服脱光，缠裹上涂有鳔胶的白布条，待鳔胶凝固后，再让武士用力扯下布条，如此，皮肉便被一起撕下，惨酷程度，甚于剥皮。岳飞承受不住，最后只得违心招供。

⊙上头有人

文彦博能当宰相，得益于仁宗的宠妃张贵妃。张贵妃的父亲张尧封曾是文彦博父亲的门客，张贵妃也因此称文彦博为伯父。文彦博任成都知府时，有年上元节，张贵妃特意让他织造了一块玉锦，然后做成衣服，穿着去见皇上。仁宗见了很惊讶，问："这块玉锦是从哪里得来的？"张贵妃趁机说："是成都文彦博送来的，他与妾父有旧交情，不过交情归交情，妾也不能随便使唤的，这其实是送给陛下的礼物。"仁宗为之展颜，对文彦博的印象极好，不久便调其回京，提为参知政事。贝州王则反叛，朝廷派明镐征讨，双方胶着，有次仁宗无意间说了句："这些执政大臣们没一个能为国分忧的，谁也不提平叛的事。"张贵妃将此事密告给文彦博。第二天文彦博主动请缨，仁宗很高兴，任命其为统军，开赴平叛前线。等文彦博赶到时，明镐已经攻下贝州，生擒了王则。文彦博平叛有功，回来后便升了宰相。

⊙瘿相

王钦若身材矮小，容颜削瘦，脖子上还长了一个大瘊子。未发迹时，王钦若曾拜访过中书舍人钱易，钱易瞧不起他，对其爱答不理。有个术士劝钱易，说："此人有贵相，万万不可轻视。"钱易不屑，说："难道这种长相的人还能当宰相吗？"术士回答："这事很难说。"后来王钦若果然做了宰相，钱易想起和术士说过的话，摇头晃脑，慨叹不已，背地里管王钦若叫"瘿相"。

⊙寂寞沙洲冷

宋人李如篪在《东园丛说》中记载，苏辙的三女婿王浚明曾透露过这样一件事：苏轼年少时，常于夜间读书，邻家有个豪绅的女儿喜欢苏轼，常偷听偷看。某晚该女趁家人不备，跑到苏轼住处，欲以身相许，苏轼不从，最后答应登第后娶其为妻。然而苏轼中第后，却娶了一个仕宦的女儿。几年后，苏轼回老家，问起那女子，始知该女谨守前约，不嫁而死。后来苏轼写了一首《卜算子》的词，其中有"幽人独往来，缥缈孤鸿影"之句，说的便是这个女子，而"拣尽寒枝不肯栖，寂寞沙洲冷"，则说其不嫁而亡。

⊙铁面御史徇私情

赵抃还未中第时，被同乡一个陈姓老者聘为私塾，教授儿子，陈妻还给他做了一双新鞋。赵抃参加乡试时，老陈又给了他许多盘缠。赵抃中第后，一直坐到殿中侍御史的职位，因其不畏权贵，敢于直言，被人称作"铁面御史"。后来老陈的儿子犯罪入狱，被判了死刑，有人给老陈出主意，说："赵御史曾在你家做过私塾，可以找他通融一下。"老陈和妻子商量，妻子说："我再做双鞋子，你带着一起去。"老陈到了京城，见到赵抃，说明来意，并将新鞋子奉上。赵抃拿着鞋子进屋，考虑了很久，最后洗了脚穿上新鞋出来，对老陈说："你先在书院住下吧。"之后十来天不见音讯，老陈再去，赵抃也绝口不提此事。无奈之下老陈只得告辞，赵抃只说了句："且放宽心。"又过了两个月，赵抃才向刑狱问起老陈儿子的情况，却早已免了死罪。原来，赵抃虽未直接过问，却每天让仆人到狱中给老陈的儿子送饭，狱官明白此人和赵御使关系非同寻常，便主动给他减了刑。

⊙贫穷累人

　　范仲淹在睢阳讲学时，落地秀才孙明复倾慕其名，不远千里，从泰山赶去拜见，临别时，范仲淹赠给他十千钱。第二年孙秀才再来，范仲淹又赠他十千钱，并好奇地问："道路遥远，为何风尘仆仆地一再赶来？"孙秀才戚然动色，说："家有老母无法供养。"范仲淹说："两年奔波，又能得到多少钱呢？不如我在书院给你谋个差事，每月可得三千钱贴补家用，你可愿意？"孙明复喜出望外，连连拜谢。范仲淹给了他本《春秋》，让他加强学习。后来范仲淹离开睢阳，孙明复也就辞职回家了。十年后，孙明复在泰山一带讲学，专门教授《春秋》，一时名声大噪。范仲淹听说后，慨叹道："贫穷真是累人啊，假如一个人每天为吃饭问题奔波，就是像孙明复这样的人才，也会被埋没的。"

⊙门道

　　神宗熙宁（1068—1077年）之前，皇帝每次外出郊祀，大驾还宫，走到朱雀门外时，便会忽然窜出一个身穿绿衣的人，东倒西歪、跌跌撞撞，像是醉酒的样子，车辇为之稍稍停顿，然后再进，叫做"天子避酒客"。等到了正门，两扇大门则突然关闭，门内有人大声问话："从南边来的是什么人？"门外应声："是赵家第几朝天子。"又问："是也不是？"回曰："是。"然后大门敞开，放车辇进入，叫做"勘箭"。

⊙ 词中的李师师

秦观有一首《生查子》的词，是写李师师的："远山眉黛长，细柳腰肢袅。妆罢立春风，一笑千金少。归去凤城时，说与青楼道：遍看颖川花，不似师师好。"将李师师描绘得清新脱俗，美貌倾城。此词一出，众多文人高官趋之若鹜，踏破门槛，较著名的有词人周邦彦，以及"浪子宰相"李邦彦。当然最著名的还是诗酒风流的宋徽宗，徽宗赵佶微服私访，被李师师一曲《平沙落雁》弹开心扉，从此将其引为红颜知己。

⊙ 赵匡胤之死

关于赵匡胤的死因，《宋史·太祖本纪》中记载非常简略："癸丑夕，帝崩于万岁殿，年五十。殡于殿西阶。"没说死因。文莹在《续湘山野录》中，说其是被弟弟赵光义杀死的：开宝九年（976年）十月十九日夜，赵匡胤召弟弟晋王赵光义进宫饮酒。酒后赵匡胤有些不舒服，便躺下休息，赵光义让宦官、宫妾退出，自己亲自照料哥哥。有人远远看到烛影摇晃，随后听到铁斧戳地的声音，赵匡胤高声说："好为之，好为之。"天明，赵光义唤来众皇子，告诉他们赵匡胤已驾崩。而据司马光在《涑水纪闻》中记载，赵匡胤驾崩是在四鼓时分，宋皇后派内侍王继恩召四子赵德芳入宫，但王继恩却径直去找了赵光义，赵光义闻听大惊，说"吾当与家人议之。"王继恩劝他赶快行动，以防他人捷足先登，赵光义于是和亲信程德玄一起，随王继恩步行进宫。也就是说，赵匡胤死时，赵光义根本不在皇宫，不可能弑兄。

⊙借种

据宋人周辉在《清波杂志》中记载："倭国（日本）曾有一条小船飘泊到宋朝海岸，船上男女总计二三十人，女子们全都披头散发，遇到面容姣好的宋朝男子，便委身与之相交，名曰'度种'"。

⊙物诱与色诱

完颜亮为何南下攻宋，一直有两种说法：一是完颜亮看到柳永先生的《望海潮》一词，"欣然有慕于三秋桂子、十里荷花，遂起投鞭渡江之志"；二是说完颜亮好色，有逢迎拍马的下属，在完颜亮面前大赞江南美女如何资质丰盈、美妙绝伦，完颜亮色心驱动，于是厉兵秣马，欣然南下。

⊙苏黄米蔡

"苏黄米蔡"被称为"宋四家"，代表着宋朝的书法成就。"苏"是苏轼，"黄"是黄庭坚，"米"是米芾，"蔡"则有四种说法：一说蔡京；二说蔡襄；三说原为蔡襄，后蔡京专权，将蔡襄改为蔡京；四说原为蔡京，因其为人不齿，故后人改为蔡襄。蔡襄是个大书法家，苏轼曾评价他说："自有国以来，当以君谟（蔡襄字）为第一。"而就年岁来说，蔡襄又最长，排在"苏黄米"后面似乎不妥，蔡京为蔡襄堂弟，师学蔡襄，后又改学沈传师、王羲之、王献之、欧阳询，博采众长，自成一体，成就颇高，因而蔡京的说法较为准确。

⊙德昭之死

赵光义当皇帝后，御驾亲征，意欲夺取被契丹占领的燕云十六州，并让弟弟赵廷美和侄儿赵德昭（赵匡胤长子）随军前往河东。进军幽州前的一天夜里，军中有人散播一个消息，说皇帝赵光义不知去向，要马上拥立新皇帝德昭，一时军心大乱，后来赵光义安然无恙地回来，这场骚动才算平息。回到京城后，赵光义对此事一直耿耿于怀，也绝口不提奖赏的事。赵德昭为将士们请功，赵光义勃然大怒，呵斥道："等你当了皇帝再赏也不迟！"赵德昭又惊又怕，回家便自杀了。闻听德昭死讯，赵光义后悔莫及，伏尸痛哭："傻侄儿，你为何做出这样的傻事啊！"之后下令将其厚葬。关于赵德昭的死，还有两种说法：一说德昭喜欢吃肥猪肉，是吃肉中毒死的；另一种说法出自司马光的《涑水纪闻》，称赵德昭回府后，问侍从带刀没有，侍从说王府之内不敢带刀，赵德昭便跑到附近的酒楼，将门反锁，用水果刀自刎了。

⊙真假帝姬

靖康二年（1127年），徽钦二帝以及宫廷家眷被掳往金国，其中就有徽宗的第十二女柔福帝姬和韦贤妃（也就是高宗的生母，后来的韦太后），她们被分配到洗衣院劳作。建炎三年（1129年），高宗逃亡到温州，突然有人向他报告，说柔福帝姬从金国回来了，现就在越州（今浙江绍兴）。兄妹久别重逢，高宗很高兴，封其为福国长公主，并于第二年将其嫁给永州防御使高世荣。然而到了绍兴十二年（1142年），高宗的母亲韦太后南归后，却指出这个柔福帝姬是假的，原来真的柔福帝姬早在绍兴十一年（1141年）得病死了。高宗下诏审讯福国长公主，才获知事情的原委：原来此人是开封乾明寺的尼姑，法名静善，后被金人掳去，与宫女张喜儿相识，张喜儿说她长相酷似柔福帝姬，静善于是向张喜儿打听了柔福帝姬的一些情况，以及一些宫廷规矩，逃离金营后，便开始冒充柔福帝姬，因高宗和妹妹久未谋面，所以得以蒙混过关。静善最后被高宗重杖处死。

⊙买官卖官

宋朝卖官鬻爵的"生意"十分红火，到北宋中期更是达到高潮，"其富民猾商捐钱千万，则可任三子"。徽宗时，买官的人每年都数以千计，以致"此流遍满天下，一州一县，无处无之"。当时民间流也传着"三千索，直秘阁；五百贯，擢通判"的说法。

⊙厢军

宋朝军队中有个特殊的编制——厢军。厢军名义上是军队，实则是国家控制的劳动者，其任务不是打仗而是服杂役，而且待遇极低。宋初厢军的数量极为庞大，后来经过神宗熙宁年间的整编，解散了不少，但仍有二十万之多。

⊙点检做天子

周太祖的女婿张永德在后周担任殿前司都点检，显德六年（959年），周世宗北征，无意中得到一块木牌，上写"点检做天子"五个字，担心张永德发动兵变，便免了他的都点检职务，代之以亲信赵匡胤。显德七年（960年）春，辽国与北汉联合进攻后周，军情紧急，宰相范质和王溥急令赵匡胤率军北上御敌。京城一时流言四起，说："出军之日，当立点检为天子。"果然，当赵匡胤走到陈桥驿时，被众将黄袍加身，真的就做了天子。

⊙赶鸭子上架

景德元年（1004年）九月，辽圣宗亲率大军南下，围打定州，朝野为之震惊，真宗急召群臣商议对策，王钦若、陈尧叟等人都主张迁都金陵避难，遭到宰相毕士安、寇准和大将高琼等人的反对，寇准还要求真宗御驾亲征，以安稳民心，鼓舞士气。最后主战派占了上风，真宗虽勉强答应亲征，然而又畏首畏尾，迟迟不肯出发。为了催促真宗早日启程，寇准故意将前线的急报扣压下来，等积多了一并呈给真宗看。真宗见到这么多急报，一下慌了手脚，忙问该怎么办，寇准慢条斯理地说："陛下是想尽快解决呢，还是慢慢来？"真宗说当然想快，寇准趁势说："只要陛下御驾亲征，此事五日内便可解决。"真宗无奈，只好硬着头皮御驾亲征了。

⊙朋党的利弊

范仲淹着手"庆历新政"时，遭到很多人的反对，说他拉帮结派，经营"朋党"。仁宗召范仲淹来问："从来都是小人好结朋党，难道君子也结朋党吗？"范仲淹答道："臣在边疆时，那些勇于作战的人都自结为党，朝廷也是这样，不管邪正，都各自成党。陛下明鉴：一心向善的人结为朋党，对国家有什么坏处呢？"仁宗听了很不高兴，在朝野上下一片反对声中，最后还是将范仲淹贬到地方上去了。

⊙天不作美

王安石的新法颁行后，各地不断有异象出现，如京东、河北突然刮起狂风，摧毁树木庄稼，陕西的华山崩裂，震塌房屋，等等，一时弄得人心惶惶。一些别有用心的人趁机抨击变法，说这是上天对人间的警告。熙宁七年（1074年），北方大旱，神宗为此忧心忡忡，这时，一个叫郑侠的官员向神宗献了一幅流民图，描绘了当时百姓流离失所、甚至卖儿鬻女的惨状。神宗大受刺激，第二天下令暂罢青苗、免役、方田、保甲等18项法令。

⊙行幸局

徽宗赵佶降生时，其父神宗到秘书省视察，看到一幅收藏的南唐后主李煜的画像，人物俨雅，神宗"再三叹讶"，随后便传来喜讯。赵佶也秉承了李煜的才华，自幼喜爱笔墨、丹青，尤其在绘画方面，更是表现出非凡的天赋。赵佶爱好广泛，骑马、射箭、蹴鞠无一不精，随着年龄的增长，又喜欢上了声色犬马，经常微服游幸青楼歌馆，寻花问柳，有时还将喜爱的妓女乔装打扮带入王府。当皇帝后，赵佶专门设立了一个行幸局，负责一切出行事宜。行幸局的官员还帮徽宗撒谎，如当日不上朝，就说徽宗有排档；次日未归，就说他有疮痍。

⊙三百万

澶渊之盟前，曹利用向真宗赵恒请示赔给辽国财物的数额限度，真宗说一百万。寇准警告曹利用："皇上虽说可给一百万，但你若敢超过三十万，回来我就砍你的脑袋。"最后曹利用果真以三十万的代价谈判成功。回来后，真宗派宦官去问曹利用，答应给辽国多少钱物，曹利用没说话，只伸出了三根手指。宦官禀报真宗，说曹利用伸出三根手指，估计是三百万吧。真宗惊叫："三百万？这也太多了！"等安静下来，又说："能了结此事，三百万就三百万吧。"

⊙骗自己

政和元年（1111年）九月，童贯受徽宗委派出使辽国，返程时途经燕京，结识了燕人马植。马植声称有灭辽良策，引起童贯重视，遂将其带回引荐给徽宗，并为其更名为李良嗣。李良嗣向徽宗提出联金灭辽的战略构想，徽宗很兴奋，当即赐李良嗣赵姓，并授以官职。宣和二年（1120年），徽宗派遣赵良嗣出使金国，订立"海上之盟"，约定：双方合力攻辽，宋负责攻打燕云地区，金国负责长城以北地区。灭辽后，燕云之地归北宋，北宋则把每年给辽的岁币转给金国。熟料，宋朝进攻失利，两次出兵均被辽国打败，最后还是金国入关攻克了燕京，这样金人就不打算把燕云诸州交给北宋了。宋朝又派使者谈判，最后金国总算答应把燕京及其附近六州交给宋朝，条件是除把给辽的岁币转给金国外，还要每年另交一百万贯燕京六州的"代税钱"。金兵撤军时，将燕京一带的人口、金帛洗劫殆尽，只留下几座空城。宣和五年（1123年）四月，徽宗派童贯、蔡攸前去接收燕京，还朝后，二人上表，称燕京地区的百姓箪食壶浆夹道欢迎，并焚香以颂圣德。

⊙泥马渡康王

民间流传的"泥马渡康王"的故事，情节虽十分简单，却有两个完全不同的版本：一说北宋末年，时为康王的赵构赴金营为人质，金兵押其北上，途中赵构逃脱，至磁州时，夜宿崔府君庙，梦中有神人相告，说金兵就要到了，赵构惊醒，见庙外已备有马匹，遂乘马狂奔。这匹马载着赵构渡过黄河后，即化为泥塑之马；另一种说法是建炎元年（1127），赵构已然登基，并南逃至扬州。是年秋天，金兵南下，突然攻到扬州城，赵构闻讯，连夜出逃，藏匿在江边神祠内。借着月光，赵构忽然发现祠中泥塑马动了起来，于是乘马渡江，逃去了杭州。

⊙赵构与岳飞的矛盾

高宗赵构与岳飞的矛盾也是逐渐形成的。一是绍兴七年（1137年）三月，高宗赵构解除了刘光世的兵权，答应将刘光世在淮西的部队拨给岳飞，岳飞豪情顿生，即刻提出要带兵北伐，赵构害怕，又不想把部队交给他了，岳飞气极，以为母守孝为名上了庐山，后经赵构再三下诏，并加以好言抚慰，岳飞才下山请罪；二是赵构在扬州溃退时受到惊吓，失去了生育能力，独子又早亡，岳飞便建议他早立太子，赵构对此深以为恨；三是绍兴八年（1138年）与金国和议时，朝野上下激烈反对，赵构召韩世忠、张俊和岳飞等几员大将入朝，想说服他们不要反对和议，结果只有张俊一人表示支持，岳飞则明确表态："夷狄不可信，和好不可恃，相臣谋国不善，恐贻后世讥议。"高宗对此极为不悦。

⊙宁宗死因

关于宁宗赵扩的死因，至今仍是一个谜。《宋史》援引邓若水的奏章，说宁宗并非寿终正寝，而是史弥远急于废立，将其谋害了。另据《东南纪闻》记载，宁宗病重时，史弥远曾献金丹百粒，宁宗服用后不久便归天了。

⊙买来的皇后

真宗赵恒的第三任皇后刘娥，是四川成都人，出身贫寒，从小死了父亲，跟随外祖母家的亲戚四处流浪，十几岁时嫁给了银匠龚美。龚美后来带着刘娥到京城做生意，结果赔了钱，想把她卖掉，被赵恒（当时还是襄王）的幕僚张旻相中，介绍给了主子，赵恒对刘娥非常满意，毫不犹豫地将其买下，从此二人如胶似漆，形影不离。后来此事被太宗侦知，勒令赵恒将刘娥逐出王府，赵恒舍不得，偷偷将其寄养在张旻家，由张旻安排家人悉心照料。赵恒即位后，将刘娥接进宫，后来又封其为皇后。真宗晚年，刘皇后逐渐掌握政权，仁宗赵祯（宫人李氏与真宗之子，奉刘皇后为养母）即位后，刘太后更是只手遮天，成为大宋第一位摄政太后。

⊙二次"黄袍加身"

史弥远废太子赵竑，立赵昀为帝（理宗），引起朝野上下的强烈不满。宝庆元年（1225年）正月，湖州百姓潘壬、潘丙兄弟及其从兄潘甫首先发难，密谋拥立赵竑，并派人与山东的"忠义军"首领李全取得联系。李全满口应承，但到了约定日期却并不前来，潘氏兄弟唯恐事泄，遂于正月初九夜，聚集太湖渔民和湖州巡卒数百人，打着"忠义军"的旗号闯入济王府（赵竑被废为济王，居住在湖州），硬将一件黄袍加在赵竑身上，赵竑害怕，哭号着说什么也不答应，最后潘壬等人以武力相逼，赵竑才不敢说话了。天亮后，赵竑发现拥立自己的并非"忠义军"，而是一些乌合之众，于是先下手为强，一边悄悄派人去临安报告，一边悄悄组织人马讨伐叛军。等朝廷的军队到达时，叛乱已被赵竑平定，潘甫、潘丙被杀，潘壬被抓，最后押往临安处决。

⊙智商低的原因

度宗赵禥的生母，是随赵与芮（赵禥的父亲）夫人李氏陪嫁过来的侍女，后被赵与芮看中收为小妾，因其出身低微，总受正房欺负，所以怀了孕也不敢声张，曾悄悄服药堕胎，最后没坠成，生下了赵禥。赵禥受药物影响，发育极为迟缓，很晚才会走路，到了 7 岁才会说话，智力也大大低于一般孩子。

⊙状元服

王拱辰与欧阳修是同年的进士，廷试前，欧阳修踌躇满志，志在夺魁，于是做了一身新衣服，准备发榜时穿，结果廷试那天却被王拱辰拿去穿了。欧阳修责怪他，王拱辰开玩笑说："只有状元才配穿这样的衣服。"发榜时，王拱辰果然名列第一。

⊙魏紫姚黄

宋人周密在《癸辛杂识》中记载，理宗赵昀有一个外甥叫魏关孙，是他姐姐四郡主与魏峻的儿子，深得理宗母亲全氏的喜爱，理宗便想召魏关孙一见，准备给他个官做。因宋朝宫庭有规定，凡异姓进入皇宫，必须佩带腰牌，宗室子弟则不用，于是理宗令魏关孙以赵孟关的假名进入。恰巧此时理宗的侄子赵禥（赵与芮之子）也被立为皇子（理宗无子嗣），坊间便有了"魏紫姚黄"的传言。魏紫、姚黄都是牡丹花的品种，魏紫为宋初宰相魏仁浦家所种，以示魏关孙出身高贵；姚黄出自寻常百姓家，以示赵禥出身卑微（其母为赵与芮夫人的侍女）。后来的结局是：魏关孙"意外"淹死在赵与芮府邸的瑶圃池中，寻常姚黄胜过高贵魏紫，顺利地继承了皇位。

⊙命中注定

恭帝赵㬎即位时刚四岁，由太皇太后谢道清和母亲全太后垂帘听政，不到两年，南宋便投降了元朝。大宋江山是太祖赵匡胤从后周孤儿寡母手中夺来的（后周恭帝柴宗训即位时七岁，由符太后垂帘听政，在位不足一年），最后又失于孤儿寡母之手。所以后人写诗讥讽说："当日陈桥驿里时，欺他寡妇与孤儿。谁知三百余年后，寡妇孤儿亦被欺。"

⊙寇准的另一面

《宋史·寇准传》中说，寇准少年富贵，生性豪侈，尤喜喝酒，每次宴请宾客，出手都极为阔绰，从不吝惜钱财。而且他家从不点油灯，即便是厨房、储间这样的寻常地方，也是点蜡烛。以至于司马光在教导儿子时，不无感慨地说："近世寇莱公（寇准封莱国公）豪侈冠绝一时，然因其功勋巨大，谁也不敢说什么，他的后世子孙秉习家风，如今大多穷困潦倒了。"

⊙吃鹌鹑

徽宗大观年间，天降瑞雪，为了庆祝好兆头，徽宗特赐蔡京府第。蔡京于是大摆筵席，命厨师宰杀了一千多只鹌鹑。当天夜里，蔡京梦到鹌鹑给他念了一首诗，说："啄君一粒粟，为君羹内肉。所杀知几多？下箸嫌不足。不惜充君庖，生死如转毂。劝君慎勿食，祸福相倚伏。"蔡京讳莫如深，自此再也不吃鹌鹑了。

⊙内定的状元

仁宗嘉佑年间某次科举，贡院奏上进士名册后，还未进行殿试，外面便风传一个叫王俊民的要中状元。殿试时，知制诰王安石与待制杨乐道二人同为详定官。按惯例，殿试时，由初考官先阅卷，确定等次，然后封卷，送覆考官审核，进一步确定等次，最后交付详定官拆封，如初考官与覆考官所定等次一致，就不再变动，如不同，则须重新阅卷比较，但最后的等次或按初考官定制，或按覆考官定制，不得另行确定等次。结果，王安石对初考官和覆考官所定状元均不满意，要另外确定人选，遭到杨乐道的反对。太常少卿朱从道听说后，对同僚感叹道："杨公何必这样呢？我早就听说王俊民是状元了，他这是在自寻烦恼。"王安石与杨乐道争执不下，呈奏仁宗裁决，仁宗同意了王安石的意见。最后发榜，状元果然是王俊民。

⊙失而复得

高宗有次大宴群臣，见循王张俊拿着一柄扇子，上有一个玉孩儿形状的扇坠，正是自己十年前去四明时不小心掉到水中失落的那枚，当时命人寻了好久都没找到。高宗问张俊这扇坠是从哪里得来的，张俊回话："臣是在清河坊铺买来的。"高宗又召来店主询问，店主说："是从一个提篮子的人手里买来的。"又找到提篮子的人追问，回说："是在候潮门外陈宅厨娘那里买来的。"又遣问厨娘，则说："是从一个黄花鱼肚子里获得的。"高宗听了很高兴，说失物复还是吉兆，即刻提拔店主和提篮人做了校尉，厨娘则封为孺人，张俊也获得了许多赏赐。

⊙放鸽子

高宗喜欢养鸽子，还喜欢亲自放飞。有个士人为此写了一首诗，说："鹁鸽飞腾绕帝都，暮收朝放费工夫。何如养个南飞雁，沙漠能传二帝书。"高宗听说后不但没生气，还派人把他召来，给了他个小官做。

⊙徽宗的鹦鹉

清人潘永因在《宋稗类钞》中记载了这样一个小故事：徽宗宫中养了一百只鹦鹉，一天徽宗问它们："是不是很想家？"鹦鹉们七嘴八舌地叫嚷："想家。"徽宗于是命太监将它们全部放飞回了陇山。过了几年，有使臣路过陇山，鹦鹉问他："皇上还好吗？"使臣说："皇上已经驾崩了。"鹦鹉们听了，全都悲鸣不已。使臣有感于此，特赋诗一首，说："陇口山头草木黄，行人到此断肝肠。耳边不忍听鹦鹉，犹在枝头说上皇。"

以人为本

第十三章

⊙ 这次是真的

据宋人周辉笔记《清波别志》记载，苏轼以龙图阁学士的身份到杭州任知府，有次审理一桩偷税漏税的案件，案犯是位年近六旬、须发皆白、衣着寒酸的老头，却随身携带了两个大包裹，里面全是上好的麻纱，上面还赫然写着："翰林学士知制诰苏某（指苏轼）封寄京师苏侍郎（指苏轼的弟弟苏辙，曾任门下侍郎，时任翰林学士）收。"苏轼很生气，厉声责问老头为何冒用自己的姓名，又为何带了这么多麻纱，老头没想到碰上苏轼本人，只好如实招来。原来老头名叫吴味道，是南剑州（今属福建南平）一名准备进京参加科考的乡贡，因家里穷，亲戚朋友们便凑钱买了两百匹建阳纱，让他带到京城变卖以作学资。依照当时的规定，携带这种麻纱沿途是要抽税的，这又是笔不小的开支，吴素闻苏轼兄弟体恤文士，便盗用其名避税，一路下来畅通无阻，没想到在杭州被苏轼抓了个正着。苏轼听完，慨叹良久，上去揭下包裹上的旧封，提笔另写道："龙图阁学士、钤辖浙西路兵马知杭州府苏某封寄京师竹竿巷苏学士。"然后笑着对吴味道说："这次是真的了，你带着进京吧。"

⊙ 在客厅睡觉

张咏任益州知州时，一次办完公事回家，见一个小厮正在客厅里熟睡。张咏叫醒他，问道："你家里出什么事了吗？"小厮惶恐，回说："母亲生病很久了，哥哥又在外地，家中无人照料，所以每天都睡得很晚。"
张咏派人去他家询看，果然如其所说。张咏念其纯孝，第二天给他家派
去一个杂役，帮着侍奉老母。有人问张咏："你怎么知道他家里有事？"
张咏解释说："能在我的客厅上睡着了，一定是心情抑郁烦闷到了极点，
不小心睡着的，否则他不敢的。"

⊙真宗重感情

每次雨雪不济时，真宗皇帝都会设坛祈雨，但大多不能应验，于是
把气撒在日官（古代掌管天象历数的官）头上，怪他们预测的不准。尚
书邢昺出身农家，熟谙农事，见真宗不快，便适时呈进三本有关农时的书，
真宗看了获益匪浅，此后再开经筵，邢昺的讲学是必不可少的。晚年时，
真宗常把邢昺叫到身边说话，有天竟流下泪来，感叹说："朕所欣赏的旧臣，
差不多都不在了，只剩下爱卿能陪我说话了。"

⊙献诗求钱

儒生张球家境困难，有次实在揭不开锅了，便给宰相吕夷简写了首诗，
说："近日厨间乏所供，孩儿啼哭饭箩空。母因低语告儿道，爷有新诗
上相公。"吕夷简见了很喜欢，赏了他一百贯钱。

⊙握手登楼

左司谏种放陪真宗登龙图阁，真宗将手放在种放手上，让他扶着慢
慢登梯，众臣见后无不羡慕，都说种放有"握手登楼之眷。"

⊙诗里乾坤

陕州任司法参军刘偁被罢官，因其为官一向清廉，以致连回家的盘
缠都没有，不得已将上任时骑来的马卖掉，另买了一头驴骑着回家，如
此便余下些银两。临别时，朋友魏野赠给他一首诗，云："上官多是叹

穷途，得替行装尽有余。唯有甘棠刘法掾，来时骑马去骑驴。"不久，真宗去汾阴祭祀，路过陕州，听闻魏野的为官品行，便召他来见，未想魏野推辞不就，真宗无奈，又派人到他家里索要诗作，魏野于是将此诗奉上。真宗看完嗟叹良久，对左右说："一个小官竟然廉洁清贫到如此地步，难得啊。"遂下旨将刘偁召入京中任职。

⊙天子请客

陈尧叟任枢密使时，一日刚要离朝归去，忽然传来真宗圣旨，让他觐见。陈尧叟不知何事，跟着来人入宫，拐弯抹角地走了很久，到得一处灯火通明的小殿，参知政事丁谓、礼部侍郎杜镐等人早已到了。一会儿真宗驾到，众人欲拜，真宗制止，然后在东边设置御座，让众人坐在西首，与常人宴客的宾主之位无异。陈尧叟等人惶恐不敢就座，说自古未有君臣并坐的礼仪，真宗摆摆手，说："今天把大家招来，就是因为天下太平无事，朕想和众爱卿同乐一番，众爱卿不必拘束，否则朕也不会来这里了。"陈尧叟等人这才松了口气，连连称谢，一时君臣欢乐，气氛为之融洽。一会儿，真宗命人拿来几枚大珍珠，说："现在国家富裕，百姓安康，朕真恨不得和众爱卿朝夕相聚啊。太平的时光太难得了，这些珠子你们就拿去消遣吧。"群臣欲起身相谢，真宗摆摆手，说："都坐下，还有呢。"如此酒过三巡，每次皆有赏赐，君臣几人把酒言欢，一直喝到四更天才散，时人谓之"天子请客"。

⊙感动皇帝的诗

神宗元丰初年（1078年），韩缜奉旨去边疆堪划与西夏的地界，临行前，爱妾刘氏对他依依不舍，二人畅饮通宵，韩缜情之所至，有感而发，写了一首《蝶恋花》的词，云："香作风光浓著露，正恁双栖，又遣分飞去。密诉东君应不许。泪波一洒奴衷素。"后来此事不知怎么传到真宗耳朵里，又找来韩缜的词，读完大为感动，于是特别开恩，派人护送刘氏追上韩缜，让刘氏随他一同前往，把韩缜感动得热泪盈眶。其亲家刘贡父因而作小诗曰："嫖姚不复顾家为，谁谓东山久不归？卷耳幸容携婉娈，皇华何啻有光辉。"

⊙盗金筒

范仲淹用黄金铸造了一个箧筒，并辅以七宝装饰，每次得到皇帝的圣旨或敕命，便放于筒中。后来此筒被一个老兵偷去，大家都觉得范仲淹会发怒，未想范仲淹却并未深究。袁枢有感于此，题诗道："甲兵十万在胸中，赫赫英名震犬戎。宽恕可成天下事，从他老卒盗金筒。"

⊙仁宗剪胡子

宰相吕夷简病重，仁宗剪下自己的胡须给他送去，说："古人说胡须可以治病，朕今天剪须赐卿，希望爱卿早日康复。"

⊙宰相的胸怀

韩琦任大名府知府时，有人给他送来一只玉盏，晶莹剔透，圆润细腻，韩琦爱不释手，天天把玩。一天有个漕运官来大名府公干，韩琦招呼同僚一起设宴款待。席间拿出玉盏，摆放在一个很精致的小桌台上，上面还铺了一层丝绸，然后斟满酒，准备敬漕运官一杯。谁知漕运官与韩琦谦让，碰到了一旁的侍吏，侍吏又不小心碰到了桌台，玉盏一下掉到地上摔碎了，一时举座皆惊，侍吏更是吓得魂飞魄散，趴在地上一个劲儿地磕头请罪。未想韩琦并未发怒，只惊了一下，便笑着对侍吏说："东西都有破损的时候，你又不是故意的，有什么罪呢？快起来吧。"众人听了无不叹服，都说韩琦有宰相的胸怀。

⊙误斩

绍兴十八年（1148 年），抚州发生了一起因看错人犯姓名而险些误斩的事件。陈四按律当斩，陈四闲按律当放，一字之差，结果陈四闲被绑赴刑场；同年，泉州也发生了一个类似事件，陈翁金按律当斩，陈进哥当受杖刑，最后却误把陈进哥押去了刑场。当时死囚都是塞口堵耳、蒙住双眼的，本人自是无法辩解，所幸临刑前亲属到场话别发现了问题，才终未酿成大错。此后再斩首，便多了一项规定，既要给人犯吃一顿酒，也不准塞口堵耳蒙眼睛，而且行刑前监斩官要亲自观察人犯和家属的会见情形，以判断人犯的真假。

⊙罢灯

蔡襄在福州任知州时，有年为了营造元宵节的欢乐气氛，下令要求家家户户都要点燃七盏灯。百姓虽有意见但也不敢抗命，独福州州学教授陈烈不以为然，制作了一盏一丈高的大灯，在上面写道："富家一盏灯，太仓一粒粟；贫家一盏灯，父子相对哭。风流太守知不知？犹恨笙歌无妙曲。"蔡襄见了，急令各户罢灯。

⊙接济

陆经获罪被贬，落拓穷困，欧阳修可怜他，每次有人邀请他写碑文，他都会把活儿转给陆经，以让他得些润笔费。陆经的文章也由此出名。

⊙范仲淹调物价

皇祐元年（1049年），范仲淹出任杭州知州。其时正值两浙大旱，粮食歉收，许多地方闹起了饥荒。杭州城米价暴涨，一斗米卖到了120文，而且市场供应严重不足。远水难解近渴，向朝廷请求调粮是来不及了，范仲淹心生一计，将米价调高到每斗180文，并沿京杭大运河张榜公告。各地粮商闻讯，纷纷星夜赴杭，米市一时为之充盈，而米价不久也自然回落。

⊙孝宗推新品

孝宗赵昚非常重视农业生产，不仅经常过问各地的收种情况，而且还十分关注新品种。一次范成大进呈了一种叫"劫麦"的新品，孝宗命人先在御苑试种，发现其穗实饱满，长势喜人，这才降旨在江淮各地大面积推广。

⊙后续工作

赵匡胤"杯酒释兵权"之后，其实还做了些后续工作，就是与那些交出兵权的将军们结为儿女亲家。赵匡胤的长女昭庆公主下嫁给了王审琦的儿子王承衍，次女延庆公主下嫁给了石守信的儿子石保吉。皇弟赵光美（廷美）则迎娶大将张令铎的女儿为妻。

⊙烤羊腿累人

某天早上醒来，仁宗对近侍太监说："朕昨晚睡不着，忽然很想吃烤羊腿，你现在去弄点来吧。"太监疑惑，问："既是陛下昨晚饿了，怎么昨晚不吩咐呢？"仁宗说："朕如果昨晚吩咐了，你们恐怕就会形成习惯，以后每晚都会准备烤羊腿，以备朕随时召唤，不但累人，而且费钱。所以现在才告诉你。"

⊙珠价调控

庆历年间（1041—1048 年），广州有番商给仁宗进献了一枚珍珠，光鲜夺目，世所罕见，仁宗于是招呼众嫔妃一起欣赏，众人惊叹称奇，张贵妃更是看得眼珠子都快掉出来了。仁宗素宠张贵妃，见她喜欢，便把珠子赐给了她。其他嫔妃不干，莺声燕语地向仁宗讨要，仁宗无法，命太监去市场上采买，珠价一时为之暴涨。有次赏牡丹，张贵妃姗姗来迟，头上戴着仁宗赐的那枚珍珠，一副洋洋自得的样子，仁宗见了，以袖遮面说："头上白晃晃的，也不嫌忌讳。"张贵妃很尴尬，赶忙将珠子摘了下来，仁宗顺势降旨：此后谁也不准戴珍珠。市场上的珠价也随之回落。

⊙能者上

仁宗在位 41 年，用宰相 23 人，其中进士出身 22 人，制科出身 1 人；用参知政事、枢密正副使等 65 人，其中进士出身 55 人。

⊙犯讳

高宗朝，某年廷试，有个考生的文章不小心犯了高宗的讳，考官奏报上来，要求处置这个考生。高宗摆摆手，说："朕怎么能因自己的名讳而妨碍录取呢。"没当回事儿。

⊙他知道了

韩琦任大名府知府时，有天晚上写公文，让侍吏在一旁执烛照明。时间一久，侍吏开小差，烛火一歪，烧着了韩琦的胡子，韩琦惊得慌忙起身，用袖子把火拂灭，然后像什么事都没发生一样，继续伏案书写。此事正好被某僚属看到，便悄悄将那个侍吏换下，韩琦写完，发现换了人，担心僚属会责罚那个侍吏，忙说："你让他回来吧，他已经知道怎样拿烛台了。"

⊙皇帝的剩饭

高宗吃饭时，一定会备两副筷子，先用其中一副筷子夹菜品尝，如果觉得哪个好吃，便用另一副筷子夹了，一股脑放到一个盘子里，然后把它们全部吃光。饭也是用备用的饭勺挖一点来吃。吴皇后不解，有次问他为何要这样做，高宗说："朕不想让宫人们吃剩饭。"

⊙心里有数

宁宗赵扩嘴笨，每次有北使入见，都是让太监代为回话。宁宗的身体也不好，在后宫游赏时，常让两个小太监抬着两面小屏风，一个写着："少吃酒，怕吐。"一个写着："少食生冷，怕痛。"后宫若有谁劝他喝酒或吃生冷食物，他也不说话，只用手指指两块屏风。宁宗很体恤百姓，有年元宵节，宴席摆好，宁宗却久不动筷，太监问："官家为什么不下旨开宴呢？"宁宗叹息道："外面的百姓没有饭吃，朕怎能吃得下呢？"

⊙仁宗撂筷子

有次仁宗吃饭，见桌上有时鲜的蛤蜊，很合胃口，随口问道："这道菜不错，花了多少银子啊？"回答说："这是海边刚送来的，总共二十八枚，每枚一千钱。"仁宗把筷子一撂，生气地说："朕多次告诫过你们不要浪费，如此奢侈的东西，朕还怎下得了筷子！"

⊙王安石送菊花

王安石辞官在家闲居时，有一天起得很早，便戴着毡帽去后花园看菊花。邻居看到花园有人，以为是他家的园丁，便隔着藩篱喊道："王老官！你答应给我一束菊花，今天有吗？"王安石扭过头，邻居吃了一惊，想溜之乎也，王安石把他叫住，笑着和他拉了会家常，然后拿了几束菊花给他。

第十四章

江湖好声音

⊙燕子楼

苏轼在徐州时，曾作《燕子楼》乐章一首，从未示人，未想某天此词却在城中哄传开来。苏轼很奇怪，让手下一探究竟，始知是由一个巡逻士兵传出去的。原来这个士兵粗懂音律，有天晚上巡逻，在苏轼府邸附近的庙中小憩，忽然听到有绵长优雅的歌声传来，正是这首《燕子楼》的词，精神为之一振，默默将其记了下来。

⊙宋朝女子乐队

汴京的教坊中有 153 名女乐人，分别组成了"菩萨蛮队""感化乐队""抛球乐队""佳人剪牡丹队""拂霓裳队""采莲队""凤迎乐队""菩萨献香花队""彩云仙队""打球乐队"十支乐队，各自排练拿手节目，专门在宫廷或官府的宴会上助兴表演。这些乐队服装道具统一，也很讲究，如"拂霓裳队"的舞蹈，舞者均头戴紫仙冠，饰红袖抹额；"菩萨献香花队"则每名舞者手持一枚香花盘，佛教色彩甚浓。

⊙杂剧

宋代的杂剧很发达。杂剧原是对含有故事内容的各种声乐伎艺综合演艺的总称，包括歌舞、扮演、说唱等诸般伎艺，以及汉唐以来传统的散乐、百戏的演出。杂剧在北宋时已形成了比较完整的规制，到南宋时，更是确立了在散乐百戏中独占鳌头的地位。北宋杂剧由艳段和正杂剧组成，南宋则改为艳段、正杂剧、杂扮三段。艳段即是在开演正杂剧前先演一段寻常熟事。正杂剧分两段，表演含有鉴戒意义的故事，或滑稽嘲笑，或批评时政。杂扮也叫杂班，即杂剧之后的散段，以打趣逗笑为主。宋时有杂剧专业演员，属于官方机构的，如教坊乐部、教乐所或钧容直（军乐班）的称作杂剧色，勾栏瓦舍的则称露台弟子，角色分末泥、戏头、引戏、副净、副末、装孤、装旦、次贴等八种。现存文献记载的宋官本（即教坊与民间的通行本）剧目共有 296 个。

⊙热闹的南戏

宋室南渡后，杂剧随之流播到临安、越州、温州以及四川等地，在温州还形成了别具特色的温州杂剧，后来温州杂剧又与其他艺术形式进一步融合，逐渐发展为南戏。南戏是南曲戏文的简称，较北曲杂剧长，一本戏通常有四五十出，少的也有十几出。南戏用的是南方的语言、曲调、音韵，唱腔多取自村坊小曲和里巷歌谣，角色有生、旦、外、贴、丑、净、末 7 种。南戏流播很广，其音乐唱腔也在各地转化为不同的地方声腔，主要有昆山、海盐、余姚、杭州、弋阳五大声腔。到了宋末，南戏的中心由温州移到杭州，还出现了杭州腔，不过久已失传。

⊙歌舞伎艺

宋代的歌舞伎艺，包括大曲、法曲、曲破、队舞、转踏等形式。大曲即大规模的舞曲，王灼在《碧鸡漫志》中说："凡大曲有散序、靸、排遍、正、入破、虚催、实催、衮遍、歇拍、杀衮，始成一曲，此谓大遍。"当时教坊演奏的有 18 个宫调 40 部大曲。大曲的表演人数众多，结构极为复杂，在组织安排上也有一定的规制，其演出活动称为队舞。若以同一词调若干首串联而成歌咏故事的，则称转踏。法曲的曲调和所用乐器，接近于汉族的清乐，比较优雅，因而也被称作清雅大曲。曲破是将一部大曲破开，用其中的一遍演为歌舞，一般有曲无词，类似于歌舞戏。

⊙扮演伎艺

宋代的扮演伎艺，包括滑稽戏、傀儡戏和影戏等。滑稽戏由唐代的参军戏发展而来，继承了古代俳优装扮人物以资谐谑讽谏的传统。傀儡戏即木偶戏，以木偶扮演各种故事，变种很多，有弄悬丝傀儡、杖头傀儡、水傀儡、肉傀儡等。影戏即皮影戏，是用兽皮或纸板做成人物剪影，在灯光照射下用隔布进行表演的戏剧。傀儡戏和皮影戏都有剧本，能表演比较完整的故事，所以广义上也称杂剧。

⊙说唱伎艺

说唱伎艺包括说话、鼓子词、赚词和诸宫调等形式。说话源于唐代的"俗讲"，后世称"说书"；鼓子词是以鼓伴奏的一种歌唱伎艺，多见于文人宴会，最初只用同一个词调反复歌唱，后来插入说白，用以叙事，成为有说有唱的伎艺；赚词是联用同一宫调内不同牌子的乐曲构成的一种套曲；诸宫调就是联用诸般宫调多种套曲来演绎故事，唱词之间穿有散叙说白，是一种大型说唱伎艺。诸宫调也是说唱向戏曲过渡的桥梁。

⊙说话

临安的"说话"十分兴盛，瓦舍里天天开场，茶楼、酒肆也可卖座。说话可分为小说、说铁骑儿儿、说经、讲史四种，称说话四家。小说类似短篇评话，可细分为灵怪、烟粉、传奇、公案、朴刀、杆棒、神仙、妖术八类。临安较著名的说话人有蔡和、李公佐、张小四郎、夏达、仓张三、汪保义、王十郎、俞住庵、盛显、王琦、林茂、张训等52人，其中包括史惠英等女说话人。人数众多的说话人之间还相互联络，组织书会。书会中有专门为说话人编写底本的人，称为才人。有的艺人把自己讲唱的故事记录下来，或请才人帮忙整理出来，即是"话本"。

⊙榜下捉婿

宋时文人及第，即会成为富豪嫁女的首选目标。朱彧在《萍洲可谈》一书中，曾这样描述当时的情形："近岁富商庸俗与厚藏者嫁女，亦于榜下捉婿，以饵士人，使之俯就，一婿至千余缗。"

⊙童贯的豪奢

童贯显赫时，家中私财比宋廷的府库还多。有一次，一个工头奉诏为童贯建造府第，建成后请童贯验收，童贯很客气，请他共进早餐。早餐共上酒饭三道，每次均更换不同的器皿：第一次为银质，第二次为金质，第三次为玉质，件件精雕细琢，巧夺天工。珍馐美馔更是连见都没见过，另外还有两名美姬小心侍候着，工头吃得那叫一个兴奋。吃完饭工头告辞时，门口的仆人告诉他："主人吩咐，两位美姬及所用金、银、玉器皿，务请笑纳。"工头差点喜极而泣。

⊙今与金

宋室南渡后，皇宫里的人对金国讳莫如深，书写"金"字时，全都写作"今"，以示与完颜氏势不两立的决心。

⊙避讳

宋朝人讲究避讳。秦桧专权时，凡食物中有"脍"字的，都要改作"鱼生"，其妻名山，所以"山"字也要避讳，称作"岩"；哲宗朝，章惇为相，安惇为其从官，安惇见章惇时，便将"惇"字去掉半边，自称"安享"；光宗的皇后叫李凤娘，宫中于是称凤仙花为"好女儿花"；苏轼的祖父名序，苏轼每次替人写序，都将"序"字改为"叙"字，后来觉得不妥，又改为"引"字。其《念奴娇·赤壁怀古》词，原作"乱石崩空"，为了避开"崩"字，改为"乱石穿空"；秦观《踏莎行》词，原为"杜鹃声里斜阳树"，为避英宗赵曙的"曙"字，改为"杜鹃声里斜阳暮"。

⊙弄潮儿

观潮是杭州的盛事，市民们都会前去观看。届时弄潮儿将表演高超技艺，手执彩旗，踏浪翻涛，一些"豪民贵宦"在尽兴之余，也会"争赏银彩"，给予他们极丰厚的犒赏。弄潮儿的表演极具危险性，官府曾多次颁布禁令禁止，但因丰厚犒赏的诱惑，弄潮儿们往往不畏生死，苦学弄潮本领。而西湖的龙舟竞渡，更是先将炫目的奖品挂在湖中标竿上，以激励那些竞赛者。

⊙纸毯

宋初科举考试作弊严重，有枪手用薄纸写了题卷，然后揉成团，公然在市场上叫卖，名曰"纸毯"。

⊙元旦朝会

宋朝的元旦（正月初一）朝会极其盛大。朝会在大庆殿举行，殿庭可容纳数万人，四名身穿铠甲的武士站在殿角，称为镇殿将军。两廊陈列着车驾、卤簿、仪仗。兵部设黄旗仗5 000人，从宫门一直站到大殿，金吾军执大仗黄旗站在大殿内外，殿阶列10把清凉伞。参加朝会的人有三师、三公、宰执、三省、六部、翰林院、御史台、秘书省、宣徽院等官员，还有诸路举人，以及各国、各藩的朝岁使者。皇帝御临后，宰执、枢密使率百官向皇帝祝寿，行舞蹈、跪拜之礼，禁卫人员高声嵩呼，声如振雷，称作"绕殿雷"，然后太尉代表百官祝福皇帝万寿无疆，皇帝宣制答辞，众人再次跪拜舞蹈，最后奏乐，皇帝下御座，百官、贺使退下。仪式结束后，皇帝会在大殿内外赐宴，群臣于席间再次向皇帝祝寿。宋室南渡后，元旦朝会停了十多年，直到高宗绍兴十五年（1145年）才又开始，以文德殿代替大庆殿，设黄旗仗3300人，朝会次日去灵隐寺进香。

⊙宋朝龙卷风

沈括在《梦溪笔谈》中，记载了一个宋朝大风的故事：神宗熙宁九年（1076年），恩州武城县遭受龙卷风袭击，远望直插云天，状如羊角，大树被连根拔起。不一会儿，旋风卷入云霄中。又一会儿，旋风经过县城，城内房屋被一扫而光，县令的儿女和奴婢也被卷走，后从天上掉下摔死，其他居民死伤不计其数。旋风过后，县城成了一片废墟，只得移迁新址。

⊙围观皇上

宋朝时，举人到京应试，会一起受到皇上的接待，总数不下三千人，称为"群见"。这些人大都不懂朝廷礼仪，所以非常混乱，朝官无法维持秩序，便想了个办法，即在举人们站立的地方设置一个围栏，以防冲撞皇上。结果，后面的人看不到皇上，便向前挤，而前面的人却没有舒缓的余地，导致人群更加混乱。鉴于此，后来皇帝便只接见那些解元们了。

⊙百官见宰相

宋朝皇帝接见臣僚时，凡待制以上的高级官员，都要报出自己的官职和姓名，然后行拜舞礼，其余官员行拜见礼，既不用报官职，也不用报姓名，更不用舞蹈。官员拜见宰相，则略为简略，但也有一定之规。宰相在中书省办公，凡各部门长官及以下官员拜见，待中书省吏人高喊一声"屈躬"，即以小碎步进入，宰相向来者作揖并吩咐上茶水，司仪官高喊"屈揖",让来者屈身还礼。如果来的是待制以上的高官,吏人只传"请某官",亦不用行屈揖之礼,茶水也是源源不断地续上。会见时,百官的座位在宰相坐席的南面横向设置,朝官可坐,京官以下须站立。

⊙三金

宋代富贵之家的聘礼讲究"三金",即:金钏、金镯、金破坠。

⊙一馔费千金

宋人曾慥在《类说》中说:"不到长安辜负眼,不到两浙辜负口。"即说浙江一带的人精于饮食。浙江一带不光男人,就是妇女,也都把吃穿当做头等大事,舍得往里扔钱,家里一般不留什么积蓄。欧阳修曾为此写诗道:"南方精饮食,菌笋鄙羔羊。饭以玉粒粳,调之甘露浆。一馔费千金,百品罗成行。"

⊙现代化招待

由于宋人崇尚饮食,渐渐出现一些专门为此服务的行当,即"四司六局"。"四司六局"是官府或权贵之家饮食招待的日常管理机构,分工精细,职责明确:帐设司,负责桌帏、搭席、帘幕、屏风、绣额、书画等场面布置;厨司,负责备料、烹饪;茶酒司,负责宾客茶水、荡筛酒、招呼客人入席、迎来送往;台盘司,负责端盘子、劝酒、收桌;果子局,负责装果盘、上果品,兼劝酒;蜜煎局,负责糖蜜花果、咸酸劝酒;菜蔬局,负责器皿和菜蔬的采购准备;油烛局,负责灯火照耀、立台剪烛、壁灯烛笼、装香簇炭;香药局,负责药碟、香球、火箱、香饼及醒酒汤药;排办局,负责挂画、插花、扫洒、打渲、拭抹等。一切有条不紊,井然有序。

⊙国宾馆

汴京城内建有许多高档酒楼,生意非常红火,酒楼前车水马龙,络绎不绝，即使风雨暴雪，人数仍不见少。酒楼一般通宵营业，灯火通明，莺歌燕舞，歌妓们衣着光鲜，往来待客，远望有如天上神仙。徽宗宣和年间（1119—1125年），京师新建了欣乐、和乐、丰乐三座高档酒楼，更是气派壮观，消费也高得惊人，此后一些招待外国使者的国宴便常设在这里，渐渐成了宋朝名副其实的国宾馆。

⊙皇家园林

宋代皇帝的私家园林很多。北宋有皇家四大园：琼林苑、金明池、宜春苑、玉津园。其中尤以琼林苑最为壮观，东南角有华觜冈，高数十丈，上有横观层楼，金碧相射。下有锦石缠道，宝砌池塘，柳锁虹桥，花萦凤舸。这里还集合了全国各地的名贵花木。宋朝皇帝中，徽宗对园林建设的热情最高，几乎日日大兴土木，起建苑囿。所建撷芳园、山庄、锦庄、筠庄、寿岳、辋川、华子冈、路窄、鹅笼、曲江、秋香谷、檀栾馆、菊坡、万花冈、清风楼等，"皆极奢靡，为一时之壮观"。

⊙诗歌里的繁华

乾德三年（965年），宋太祖诏令开封府"三鼓以后夜市不禁"，仁宗时又下旨允许居民临街开店，从此汴京市场通宵交易，夜生活也相应丰富起来。柳永在《玉楼春》词中写道："皇都今夕知何夕，特地风光盈绮陌。金丝玉管咽春空，蜡炬兰灯烧晓色。凤楼十二神仙宅，珠履三千鹓鹭客。金吾不禁六街游，狂杀云踪并雨迹。"晁端礼在《鹧鸪天》词中写道："阆苑瑶台路暗通，皇州佳气正葱葱。半天楼殿朦胧月，午夜笙歌淡荡风。车流水，马游龙，万家行乐醉醒中。何须更待元宵到，夜夜莲灯十里红。"周邦彦也在《解语花》词中写道："望千门如昼，嬉笑游冶。钿车罗帕。相逢处、自有暗尘随马。"其新声沸腾的景象可见一斑。

⊙私妓

北宋私妓相当活跃，她们大多聚集在一些主要商业城市的歌楼、酒馆、瓦舍中进行表演，汴京城内的妓馆更是俯拾皆是，私妓数以万计。南宋的临安也是私妓云集的地方，临安城内大酒楼有"花月楼""日新楼""任厨"等十八座，中小规模的则不计其数，每个酒楼都私妓数十名，全都服装绚丽，巧笑争妍。

⊙房地产扩张

南宋时，房地产业迅猛发展，房价和房租都涨得很厉害，临安一时有"城中寸土如寸金"之说。万松岭在北宋时还是遍山松林的荒野，南宋时便修建了许多富人的豪宅。地产商们还热衷于城市园林建设，在城外建造园圃，以提高房屋档次，并趁机抬高房价。随着地产业的兴起，房屋租赁业也发展起来，临安有的富豪建造房屋数千间，专门对外租赁，以收取租金。

幸福时光

第十六章

⊙四十二年和平

仁宗赵祯"为人君，止于仁"，是位"恭俭仁恕"的治世皇帝，深受百姓爱戴。仁宗死后，就连老对手辽国人都很伤心，以至于"燕境之人无远近皆哭"，足以说明其贤名远播。当时的辽国皇帝耶律洪基不无感慨地说："四十二年不识兵革矣。"很是怀念那段和平时光。

⊙待遇

宋朝官员的待遇很高，以宰相为例，其每月的俸禄多达五十万文钱。按当时的物价，一斗米约五十文，五十万文钱至少能买一万斗米，而且还是优质米。

⊙买着吃

宋朝的商业很发达，在京城地带，还出现了一个新的社会阶层——工商业者阶层，而且人数相当可观。以东京汴梁为例，从事工商业的人数占到当时总户数的十分之一多，这些人家里不起火，不做饭，三餐全部在市面上买着吃。

⊙消费

两宋都城繁华，物价却非常便宜，据《西湖老人繁胜录》记载：在瓦舍内的熟食猪肉店里，一个壮汉只须花三十八文钱便可吃饱吃好。一只熟鹌鹑市场上才卖两文钱，一些时鲜的水果，也不过十文钱一斤。更有甚者，冬天从黄河上游远道运来的新鲜鱼，每斤也不到一百文钱。所以即便当时普通的老百姓，也有能力去大都市消费游玩。

⊙休闲生活

宋朝人很重视休闲娱乐，在这上面的投入也很多。在两宋都城，装饰典雅的酒阁茶楼，是官吏文人浅斟低唱的好去处；而围棋、象棋、蹴鞠、关扑（一种以商品为诱饵赌掷财物的博戏），以及钓鱼、斗茶、斗蟋蟀，等等，则是百姓们非常喜欢，并积极参与的休闲娱乐活动。

⊙布帛交易

宋朝市场上的布帛交易量很大，尤其是东京的南通巷，屋宇高大，门面广阔，排列有序，每天的交易量都以千万计。此外鄂州的武邦宁市场，交易量也很大。

⊙销金服饰

宋朝人穿衣很讲究，在装饰上也不遗余力，最突出的就是销金。销金即是将黄金磨成粉，然后用粘合剂在衣服上印出纹饰，既漂亮又上档次，不光是那些官宦富贵、娼妓优伶喜欢，就是平民中稍有财力的，也无不以销金为风尚。因黄金是流通货币，所以官府对销金行为并不支持，曾多次明令禁止，结果却是屡禁不止。销金风越刮越猛，最后还出现了一个专门做销金生意的职业，南宋的临安城有数十家这样的销金铺，买卖异常火爆。

⊙吃海鲜

宋朝上层人士喜欢吃海鲜，尤其是甲鱼。北宋都城汴京，每天早上仅新郑门、西水门和万胜门三个门，便有数千担供应进城，而且一天之内全部卖光。南宋都城临安，城南的浑水闸一带，有一二百家专门卖甲鱼的摊点。

⊙尝鲜

南宋都城临安和宁门一带，有专门为富贵人家操办酒席的生意，服务快捷，热情周到。如有人家中来了十几位亲友，须准备一二十道菜肴，这里顷刻便可备齐。由于生意火爆，也会出现供不应求的情况，比如那些新鲜的时蔬，永远都是抢手的热门菜，因而价格也水涨船高，夏天茄瓠刚上市时，每对可卖十余贯钱，就是这样，去晚了都抢不着。由于要的人多，一些贵族宁可多加钱也要尝个鲜，于是相互抬价，最后价高者得。那些茄瓠供应商们，甚至有一夜暴富的。

⊙没饭吃，去当兵

宋朝实行募兵制，官兵的待遇很不错。募兵制有时还可缓解社会矛盾，每有粮食歉收、百姓难以生存的地方，官府就会在那里大量募兵，去吃公家饭，百姓落草为寇或是揭竿而起的可能性就大大减少。不过大量的募兵也造成了大量的"冗兵"。到了仁宗庆历年间（1041—1048 年），宋军总人数达到了 125 万，军费开支甚大，仅陕西一地，和平时期军费便有 2 000 万贯之巨，战时则高达 3 300 万贯！

⊙宽松的教育环境

宋朝的教育业非常发达，东京汴梁设有国子学、太学，此外还有武学、律学、算学、画学、书学、医学等学校。仁宗时，鼓励各州县兴校办学，到徽宗时，各州县的学生达到了十五六万之多，食宿全部由官府负责。此外还有许多私人讲学授徒的，其中尤以石鼓、岳麓、白鹿洞和应天四大书院最为著名。到了南宋，绍兴、徽州、苏州、桂州、合州等地也建了书院，大大推动了学术的交流和文化的繁荣。

⊙财税主体

北宋的财政收入很高，一度达到16 000万贯，即便在北宋中后期，每年也有8 000—9 000万贯入账。南宋时，平均每年的财政收入也有10 000万贯。而且，构成宋朝国家财政收入主体的已不再是农业，而是工商业。以北宋神宗熙宁十年（1077年）为例，国家税赋总收入为7 070万贯，其中农业税2 162万贯，占30%，工商税4 911万贯，占到了70%。

⊙发达的工业

宋朝的采矿业十分发达，北宋时金属矿藏就有270多处。仁宗时期，每年得金15 000多两、银219 000多两、铜500多万斤、铁724万斤，铅9万多斤、锡33万斤，数量相当可观。神宗元丰元年（1078年），铁产量约为7.5~15万吨，而18世纪的整个欧洲铁产量才不过14~18万吨。值得一提的还有采煤业，当时东京汴梁有几十万户人家，冬天基本上都是烧煤取暖或做饭，很少有烧柴的。宋朝的制造业和加工业也取得了长足发展，出现了许多造船厂、火器厂、造纸厂、印刷厂、织布厂，以及各地的官窑等。南宋时，军器所的工匠一度达到七八千人之多，全部按期领工资。

⊙繁荣的商业

宋朝的商业异常发达，北宋时，东京汴梁有六千多家大中型工商业者，小商贩不下八九千家。在一些城市的周围和乡村的交通要道上，逐渐形成了许多大大小小的集市，称为"坊场"（岭南称"墟市"，北方称"草市"），形成星罗棋布的交换网络，极大地促进了商业的繁荣。

⊙海外贸易

据周去非在《岭外代答》一书中记载，与宋朝保持通商的国家有50多个，海外贸易十分发达。中国的商船不仅坚实耐用，而且船体庞大，据《梦梁录》记载，最大的海商用船可容纳五六百人。宋朝海外贸易分官营和民营两种，其中民营占大宗。出口的货物包括丝绸、瓷器、糖、纺织品、茶叶、五金等。进口的货物包括象牙、珊瑚、玛瑙、珍珠、乳香、胡椒、琉璃、玳瑁等。宋朝的一些主要城市都设有"蕃市"，专门经营外国商品，此外还有专门供外国人居住的"蕃坊"，专门供外商子女接受教育的"蕃学"。随着海外贸易的繁荣，宋朝的贸易税收也与日俱增，从北宋仁宗皇祐年间（1049—1054年）的53万贯，到英宗治平年间（1064—1067年）的63万贯，再到南宋高宗绍兴年间（1131—1162年）的200万贯，一度达到全国财政收入的百分之六。

⊙千古绝唱

宋朝官窑、民窑遍布全国，最著名的有河南汝州汝窑、开封官窑、浙江龙泉哥弟窑、禹州钧窑、河北曲阳定窑、江西景德镇景德窑、福建建阳建窑等七座，其中前五个便是被后世盛赞为"千古绝唱"的"五大名窑"。所产瓷器釉色平淡含蓄，艺术格调高雅，不但受到达官贵人的追捧，还远销日本、高丽、中亚、西亚、印度、南洋等地。

⊙宋朝人口

宋初人口很少，仅有650万户左右。到了神宗元丰年间（1078—1085年），增长到1600万户，到了徽宗崇宁元年（1102年），增长到近2000万户，几年后，亦即徽宗大观三年（1109年），达到了2088万户，实际人口约有11275万。金兵南下后，北方人口大量南迁，人口峰值一度达到8500万。宋朝城市人口的比例非常高，人口超过10万户的城市有近50个，其中北宋都城汴梁的人口超过了100万，南宋都城临安则超过了 120 万。

⊙出版业

宋朝的雕版印刷业，按体系分为官刻、坊刻和私刻三种，此外还有书院及大寺院中的印经院等。官刻以国子监为首，所刻书籍被称为监本，另有茶盐司、漕运司、提刑司、公使库及州、府、县学，都属于官刻体系。坊刻就是民间书坊所刻，其所刻书籍称为坊本，坊刻书籍以浙江为最好，称浙本；四川次之，称蜀本；福建以量取胜，称建本，其中尤以建阳麻沙镇最多，称麻沙本。私刻就是士绅家庭自己刻印的书籍。从质量上讲，官刻把关较严，差错较少；坊刻质量较差，但种类多，上市速度快；私刻注意精美，有收藏价值。宋代雕版印刷的书籍，有许多都是大部头的，如《太平御览》有上千卷，《太平广记》也有 500 卷，《大藏经》则有 1 046 部，5 048 卷，耗时 12 年，雕版有 13 万块之多。

⊙造船业

宋朝的造船业很发达，北宋时，虔州、吉州、温州、明州都是当时重要的造船基地。太宗时期，全国每年造船达到 3 300 余艘。神宗元丰元年（1078 年），明州造出两艘万料神舟，船体巨大，约有 600 吨。南宋的造船业发展更快，临安、建康、平江、扬州、湖州、泉州、广州、潭州、衡州等地成为新的造船中心。广州制造的大型海舶木兰舟，"舟如巨室，帆若垂天之云，舵长数仗，一舟数百人，中积一年粮"。此外还出现了车船、飞虎战船等新式战舰。

⊙经济危机

宋朝通行的货币有铜钱、白银。太宗时期，每年铸币八十万贯，到神宗熙宁六年（1073 年），则暴涨至六百余万贯。由于外贸发展，大量铜钱、白银外流，造成硬通货短缺。真宗时，成都十六家富户主持印造一种纸币，代替铁钱在四川使用，是为交子。仁宗时，将民间交子改归官办，并定期限额发行。徽宗时，改交子为钱引，到了南宋高宗绍兴三十年（1160年），又改为会子。会子以铜钱为本位，面值有一贯、两贯和三贯三种，后又增印两百文、三百文与五百文的小面额。从乾道五年（1169年）开始，定为三年一界，每界发行一千万贯。后来由于展限年限、发行额度扩大，而本位金属货币却未相应追加，造成通货急剧膨胀，特别是宁宗时，又宣布十一、十二、十三界会子同时流通，一时会子泛滥，物价飞涨。嘉定二年（1209年），会子换界，官府规定新旧会子以一比二的比例兑换，人们纷纷拒收会子，并挤兑铜钱，会子进一步贬值。迫不得已，最后官府只得筹措了一千四百万贯铜钱来回收旧会子，危机才渐渐平息。

⊙工作环境

南宋时，官府公务人员的工作环境非常好，据《南宋馆阁录》记载，秘书省内设有浴室，并备有手巾、水盆等物，浴室后面是厕所，二者均由仪鸾司负责洒扫，要求"厕板不得污秽，净纸不得狼藉，水盆不得停滓，手巾不得积垢，平地不得湿烂。"总之是保持清洁卫生。厕所备有手纸，公务人员如厕后，可到浴室用水盆洗手，然后用毛巾擦拭干净。

⊙香水行

临安城内有许多营利性的洗澡堂子，被称作"香水行"。

⊙服饰限制

据孟元老《东京梦华录》记载，宋代对士、农、工、商的服饰限制极为严格，比如香铺裹香人，须"顶帽披背"，质库（当铺）掌事，须"皂衫角带不顶帽"，即便走在大街上，也能对他的职业一目了然。不仅如此，就是那些卖药卜卦，甚至要饭的乞丐，也都有规格定制，无人敢逾越，否则众所不容。

⊙吃在宋朝

北宋时，南方的烹饪技术传入东京，一时北馔、南食、川菜各显其能，相互竞争，极大地促进了餐饮业的发展。宋室南渡后，大量北方人口南迁，南北饮食再次得到交流，临安城更是"饮食混淆，无南北之分矣"。根据《东京梦华录》和《梦粱录》等文献记载，两宋时的烹饪技艺已经相当高超，计有烹、烧、烤、炒、爆、溜、煮、炖、卤、蒸、腊、蜜、葱拔、酒、冻、签、腌、托、兜等几十种，每一种都可做出二十个以上的菜品，可谓丰富多彩。

⊙球技高手

宋朝的蹴鞠（相当于现在的足球）相当普及，踢球者组织的团体有"圆社""齐云社"等，活动相当频繁，甚至还有《蹴鞠图谱》等踢球专著问世。踢法有两种：一种是设球门，比赛进球的多少；另一种是比赛踢花样。踢花样的脚法有几百种之多，除用脚外，还可用头、肩、臀、胸、腹、膝等部位处理。宋朝出了许多球技高手，除了为人熟知的宋徽宗和高俅外，尚有一位道士，据说能"使鞠（皮球）绕身，终日不堕"。

⊙时尚的妇女

宋朝的妇女非常时尚，服装样式几年一变，而且极尽奢华，"一袜一领，费至千钱"，很舍得下本。不过服装中最常见的还是"大袖"和"窄袖"。大袖因两袖宽肥而得名，深受贵妇们的喜爱，更有一种"销金大袖"，极是豪华奢丽。"金缕缝"是一种特殊的大袖，因过分追求衫袖宽大，一幅布不够，便用两幅拼接，如此中间便出现一道接缝，为不使接缝外露，特用一条镂金花边予以镶嵌，是为"金缕缝"；窄袖是宋代流行的女装，衣长至膝，袖窄，对襟，衣领为交领、圆领或翻领。

⊙女人的裙子

裙子是宋代妇女不可或缺的服装，宋代女子喜欢用丝罗裁制裙子，称作"罗裙"，一些贵妇为了显示身份，喜欢在罗裙上绣一些图案，谓之"绣罗裙"。在样式上，褶裙最为流行，褶裙即八幅大裙，前后各四幅，肥而多褶，便于舞踏。另有石榴裙，以颜色似石榴花得名。妇女们的休闲便服，没有系衣服的带子和纽扣，都是紧身的短褂，称作"不制衿"，这种形式最初出现在宫廷，没多久便流行全国。

⊙头饰的变化

宋代妇女流行梳高髻，髻高往往超过一尺，发髻上通常以金、银、珠、翠为材料制成的鸟形、花形、尸形、蝶形的簪钗为装饰。西南一带的妇女流行梳同心髻，发髻高二尺，上面插上五六只银钗，以及一个如手掌般大小的象牙梳。冠梳是宋代女性最有特点的头饰，即用漆纱、金银及珠玉等物制成两鬓垂肩式的高冠，然后在冠上插几把长梳。皇宫中则崇尚白角冠，也称作内样冠、垂肩、等肩，长的可达三尺，梳子的长度超过一尺，登车时需侧着头才能进入。由于此种冠饰太过奢靡招摇，仁宗曾于皇祐元年（1049 年）下诏，作出尺寸规定："头冠广不得过一尺，梳长不得超过四寸。"然而仁宗死后，此风再次兴起，且更加侈靡，梳子不限于白角，还有象牙、玳瑁。

⊙琉璃代珠翠

南宋时，朝廷曾下令禁止百姓佩戴珠翠，临安妇女纷纷代之以琉璃。

⊙妇女化妆

宋代女性化妆，粉底用的是铅粉（也称铅华、粉锡，主要成分是碱式碳酸铅，用作化妆品时，须以水调和，故称水粉），以桂州（治所在今广西桂林）所产最为著名。画眉用画眉墨，也称"螺子黛""黛螺""螺"

等，秦观所谓"香墨弯弯画"，李煜所谓"轻颦双黛螺"是也。当时市场上还有"画眉七香丸"出售。宋代女性非常重视点染朱唇，色调除朱砂和胭脂外，还有檀色，非常流行。唇式也有很多种，如石榴娇、大红春、小红春、嫩吴香、半边娇、万金红、圣檀心、露珠儿、内家圆、天宫巧、洛儿殷、淡红心、腥腥晕、小朱龙、格双、唐媚花、奴样子，等等。许多商人靠出售女性化妆品发了财，不但有零售小贩，还有批发商点，甚至还有创立品牌的，如中瓦前豆儿水、修义坊北张古老胭脂铺、染红王家胭脂铺等。

⊙香飘飘

宋代妇女喜欢佩戴香囊，囊中放一玳瑁做的小盒，里面装满香，芬芳酷烈，不可名状。也有人将香药饼子钻个孔，用丝带穿了挂在脖子上，称做"佩香"。皇家宗室的妇女们进城，喜欢坐小牛车，车上放香球，袖子里也放两个。车子驶过，香烟如云，数里不绝，尘土皆香。

⊙妇女骑驴

宋代妇女多乘驴出行，因而流行一种旋裙，前后开衩，便于骑乘。旋裙最初为妓女衣物，而后被一般士庶女性效仿，裙上折裥相叠，以多为胜。

⊙牙子认证

牙人又叫牙侩、市侩，俗称牙子。宋代官府对牙人有明确的限制，不是谁都可以当的，据李元弼在《作邑自箴》中记载，做牙人须有人担保，然后到官府登记，最后由官府发给一面木牌，上面刻有《牙人付身牌约束》，规定："不得将未经印税物货交易。买卖主当面自成交易者，牙人不得阻障。不得高抬价例、赊卖物资、拖延留滞客旅。如是自来体例，赊作限钱者，须分明立约，多召壮保，不管引惹词讼。"牙人获得此牌，算是得到认证，在履行业务时要进行出示。客商也只能用系有牙牌的牙人，否则要予以查究。

⊙热闹的瓦子

汴京著名的瓦子有新门瓦子、桑家瓦子、朱家桥瓦子、州西瓦子、侏康门瓦子、州北瓦子等。其中桑家瓦子有大小勾栏五十余座，尤以莲花棚、牡丹棚、夜叉棚、象棚为最大，可容纳数千人。一些卖药的、算卦的、卖餐饮的、卖旧衣服的、剃头的、剪画的、唱曲的，每天来此，生意非常不错。

⊙繁华的临安

南宋的临安城，沿御街分别形成了北、中、南三个商业街区。官巷口到羊坝头一段是中区，也是主商业区，在《梦粱录》中可考的商店就有一百二十余家；南商业区自和宁门外一直到朝天门外的清河坊，紧邻皇宫和中央官署，因而这里的商店档次比较高，珠宝翡翠、花果时新、海鲜野味，应有尽有。北商业区在棚桥到众安桥、观桥一带，最大的瓦舍——北瓦子，以及礼部贡院都在附近，故而这一带集中了大量的书铺和餐饮店。除了这三个大的商业区，还有一些规模较小的商业街。各商业街具有一定的专业分工和特色，商店则往往以行、团、市等相称。如销金行、冠子行、城北鱼行、城东蟹行、姜行、菱行、北猪行、横河头布行、修义坊肉市、城北米市、珠子市、城西花团、泥路青果团、后市街柑子团、浑水闸鲞团，等等。这些行、团、市，有的是单纯的商店，有的是自产自销或代为加工的手工作坊店。清河坊与清泰街之间有一条巷，是专门产销扇子的，称作扇子巷，其他还有碾玉作、钻卷作、腰带作、金银打钑作、裱褙作、装銮作、油作、木作、砖瓦作、泥水作、石作、竹作、漆作、钉铰作、箍桶作、裁缝作、修香浇烛作、打纸作，等等，五花八门，涉及各行各业。

⊙餐饮业

临安的餐饮业很发达，较著名的店铺即有上百家，如杂货场前的甘豆汤、戈家蜜枣儿、官巷口光家羹、寿慈宫前熟肉、钱塘门外宋五嫂鱼羹、涌金门灌肺等。饮食店可粗分为酒肆、餐馆、面店、茶坊、点心店等，其中规模较大的是酒肆和茶坊。酒肆有官库酒楼和私营酒楼两种。官库酒楼为官办酒库所附设，有东库太和楼，西库西楼，南库和乐楼，北库春风楼，中库中和楼，南上库和丰楼，北外库春融楼等十三家。私营酒楼分包子酒店、宅子酒店、肥羊酒店、花园酒店、直卖店、散酒店、庵酒店、罗酒店等几类，较著名的有熙春楼、花月楼、嘉庆楼、赏心楼、日新楼、三元楼、五间楼、严厨、银马杓、康沈店、翁厨、任厨、陈厨、周厨、巧张、沈厨、郑厨、张花等十八家。茶坊较著名的有八仙、连二、连三、清乐、珠子、潘家等二十多家，此外还有一些配置妓女的"花茶坊"。酒肆、茶坊不仅是聚会饮食之所，还是评话、小说、小唱的表演之所。

⊙旅馆业

临安城的流动人口较多，经常在四五万左右，由此也带动了旅馆业的发展。在临安城内，旅馆遍布大街小巷，这里的旅馆房间宽敞、设备优良、服务周到，是地方官员朝对、士子进京应试、豪绅巨贾行商下塌的好去处。城南江干码头和城北运河码头、西湖边、贯桥、礼部贡院一带，旅馆也不少。此外还有许多相对简陋的塌坊，多集中在码头区。

⊙行首

南宋都城临安有许多行会组织。入行会称"入行"，已"入行"的工商业户称作"行户"，行会的首领称"行首"或"行头""行老"。行首的主要任务是协助官府办理本行行户的税收、科索（官府摊派）、回买，以及评定物价、监察不法等，同时代表本行协商事务、接洽业务，以及与政府进行交涉。一些大的行会都有会聚行人或办公的专门场所。

⊙夜市

南宋时夜市大行其道。《梦粱录》上说："杭城大街，买卖昼夜不绝，夜交三四鼓，游人始稀；五鼓钟鸣，卖早市者又开店矣。"足见当时热闹景象。临安城的夜市以御街两旁最为密集，其中清河坊、三桥址、官巷口、众安桥、观桥一带最为热闹。

⊙税收

南宋时商业繁荣，税收也日益增多，临安城内外，设有都税务、浙江税务、北郭税务、龙山税务、江涨税务等5处收税机构。孝宗淳熙年间（1174—1189年），临安平均年商税达到了102万贯，相当于北宋仁宗景祐年间（1034—1037年）全国商税的1/4，居全国首位。

⊙万元户

真宗时，京城富户很多，宰相王旦说："京城资产百万者至多，十万而上比比皆是。"除了大中城市，一些市镇和集市也很繁荣。据不完全统计，北宋市镇的数量在1900个以上，南宋也有1300多个。市镇之下，还有众多的乡村集市、庙市等初级商业市场。这些市场主要经营大宗农业和手工业产品，以中小商人居多，其中不乏腰缠万贯者，比如邢州张氏，以贩布起家，资产便在10万贯以上。

⊙外贸改革

太宗太平兴国元年（976年），宋廷设立榷易院，规定所有从外国贸易来的香药宝货，不经官库不得私自交易，凡私自交易价值超过100文者都要论罪。到了太平兴国七年（982年），则改为有限禁榷，把外贸商品分为禁榷物和放通行物两类，除珠贝、牙犀、乳香等8种为禁榷物外，其余商品一律为放通行物，不过放通行物也必须在"官市"进行交易。

淳化二年（991 年），又进一步放松对放通行物的交易限制，规定只须在官市交易一半即可。

⊙酒肉

南宋都城临安的肉铺不计其数，鲞铺也有不下一二百家。酿酒业也高速发展，每年酿酒用糯米都在 30 万石以上。

⊙专业户

宋朝农村的加工业与养殖业很发达，许多百姓因而致富，出现了诸如"茶园户""乡村酒户""花户""药户""漆户""糖霜户""水碓户""磨户""熔户""机户""绫户""香户""蟹户"等各种专业户。

⊙丝绸业

南宋时，许多能工巧匠涌进临安，加之北方或蜀中的鹿胎、透背、缂丝、捻金锦等丝织品工艺的传入，致使丝绸生产进一步与农业分离，行业内部的分工更加精细，临安传统的绫、罗、纱等产品也得到翻新，逐渐形成了几种名品，如柿蒂纹绫、狗蹄纹绫、官锦、用金罗、新翻粟地纱、鹿胎缬、唐绢、刺绣等。姜夔在《灯词》中描写道："南陌东城尽舞儿，画金刺绣满罗衣。"足见当时丝绸之华贵。临安的丝绸消费数量惊人，民间无论嫁娶、育子、过节、演艺，都要使用大量丝绸，丝绸交易十分频繁，当时直接经营丝绸或与丝绸有关的店铺，单御街附近就有二三十家。临安的丝绸不只内销，还大量销往外地或国外，而外地的丝绸产品也相应涌入临安，如萧山的纱、诸暨的吴绢、婺州的罗、台州的樗蒲绫等，进一步促进了本地丝绸业的发展。

⊙读书人

宋朝的读书人很多。宋初参加省试的有 2 000 人，太宗第一次贡举（977

年）时增至5 300人，到真宗第一次贡举（998年）时，则增至2万人。按《宋会要辑稿》中，参加发解试（宋代科举考试中的初级考试，只有发解试合格，才有机会参加省试）按5:1的比例取得省试资格的说法，则当时全国参加发解试的读书人至少有10万。后来因为参加贡举的人数太多，开始改比例解额为固定解额，英宗治平元年（1064年），东南州军取解比例为100取1，西北州军为10取1，按这个比例，当时参加发解试的读书人至少有30万。到了南宋，读书人进一步增多，参加发解试的一度达到100万人。晁冲之在《夜行》一诗中写道："老去功名意转疏，独骑瘦马取长途。孤村到晓犹灯火，知有人家夜读书。"足见当时读书之普遍。宋人的读书意识也很强，如果孩子不读书，家长在别人面前都抬不起头来。

⊙太学招生

宋时的学校大致有四种类型，即中央官学、地方官学、各地书院和乡塾村校。中央官学名目繁多，包括国子学、太学、宗学、小学、广文馆、四门学、武学、律学、算学、书学、画学、医学，等等。其中最主要的是太学。仁宗庆历四年（1044年），范仲淹推行新政，在东京锡庆院兴办太学，招收内舍生二百人，并制订了"太学令"。神宗熙宁四年（1071年），王安石推行"太学三舍法"，其中内舍和上舍分别招收300人和100人，外舍最初未限额，后来在元丰二年（1079年）定额为2 000人。徽宗时，又兴建辟雍为外学，太学共招收3 800人。崇宁三年（1104年）到宣和三年（1121年）废除科举期间，太学成为唯一入仕之门，上舍生中的优异者，一般可直接授官，太学也由此达到鼎盛时期。宋室南渡后，于高宗绍兴十二年（1142年）在临安府重建太学，至宋末时学生达到1 700多人。

⊙书院的兴衰

宋朝的各类书院发展很快。北宋前期有书院38所，较著名的有江西庐山的白鹿洞书院、湖南长沙的岳麓书院、河南商丘的应天书院、湖南衡阳石鼓山的石鼓书院、河南登封太室山的嵩阳书院等，这几所书院原为地方官或其他人私人创建，后来朝廷通过赐额、赐书、赐田和任命教官等手段加以控制，有了半民半官的性质。仁宗庆历年间，各地州府兴办官学，一些书院与官学合并，到神宗时，朝廷将书院的钱、粮一律拨归州学，书院一度衰落。

⊙乡塾村校

宋朝的乡塾村校很多，有着规模小、分布广、收费低的特点，也培养出了许多栋梁之才，如王禹偁、吕蒙正、张齐贤、杜衍、范仲淹、欧阳修等。

⊙公务员队伍

宋朝的科举制度非常成熟，取士名额也远远超过前朝。赵匡胤在位的22年中，录取进士近万名，而且一旦入第，殿试后即可授官，因此宋朝的公务员队伍非常庞大：太祖朝有官员三五千人，太宗朝增加到八九千，北宋中期为一万七千多，哲宗朝为二万八千多。宋室南渡后，疆土虽减少了五分之二，官员却进一步增加，光宗朝达到全盛，有三万五千人。

⊙特奏名与奏荫制

宋朝科举中有一种特殊的制度，叫作"特奏名"，也称"特科"或"恩科"，即考进士多次不中者，可编入另册上报，经许可后参加特别考试，并赐本科出身。特奏名一样有入仕机会，即便不能出任职事官，也可得个祠禄官。此外还有一种"奏荫制"，即对一些高官子孙，不经考试便授予官职。如徽宗政和六年（1116年），一次荫补1460人，高宗绍兴年间，一次荫补更是多达4000人。

⊙宋朝图书

太祖登基时，三馆藏书很少，只有 13 000 余卷。从太祖开始，北宋的历任皇帝都非常重视图书的收集保存工作，从太祖乾德四年（966 年）到徽宗宣和四年（1122 年）的 150 多年里，朝廷下诏和派员到地方征集图书十五次，诏书中大多明确征集范围、奖励办法、给予赴京献书方便等内容，并鼓励访求散逸域外的中国图书和外国著作，比如太祖赵匡胤便于乾德四年（966 年）赏给 157 名沙门每人 3 万钱，让他们去西域访求佛典。经过不懈努力，到北宋末年，馆阁图书增至 6 705 部，73 877 卷。

⊙北宋官窑

北宋官窑也称汴京官窑，建于徽宗政和、宣和年间（1111—1125 年）。北宋官窑生产的瓷器土质细腻，胎釉俱薄如纸，色彩有月白、粉白、粉青、大绿、油质之分，其中月白为上品，粉青次之。釉裂纹片以冰裂纹为上品，梅花纹次之，细碎纹最下。所制器物多鼎、炉、瓶、觚等仿青铜器器形，另有笔筒、水滴、印泥盒等文具，均属佳品。

⊙南宋官窑

南宋建都临安后，按北宋汴京旧制重建官窑，先在凤凰山麓万松岭附近修建"修内司官窑"，后在乌龟山麓郊坛下另建"郊坛下官窑"，二者统称"南宋官窑"。南宋官窑比北宋官窑更成熟、更精致。其前期生产受北宋官窑和汝官窑的影响较大，壁薄胎细，胎色有浅灰色、灰、深灰和紫色多种，外上一层粉青、青灰或米黄色薄釉，以粉色为主，色泽晶莹澄澈如玉。釉面普遍开裂，裂纹疏密不一。所用瓷土坯略带赤色，器口釉质极薄，露胎处赤色隐隐，色泽如铁，时称"紫口铁足"。后期胎壁进一步减薄，且品种增多，器形也有所改良。

⊙皇家美术学院

太祖登基之初即建翰林图画院，此后历任皇帝均很重视画院的发展，到徽宗时，更是建制设学，将其改造成了名副其实的皇家美术学院。学院不但有完整的课程计划和教学方法，而且还有招生、考试、寄宿等各项制度。画院的入学考试非常有意思，常以唐人诗句，如"踏花归去马蹄香""嫩绿枝头红一点""竹锁桥边卖酒家"等具有诗画意境的句子为题。招生对象既有士大夫出身的"士流"，也有民间工匠身份的"杂流"。职位分画学正、艺学、祗候、待诏，未得职位的称画学生。学制班次仿照太学分三舍三等，初入学为外舍，每年公试一次，过关补入内舍，隔年舍试一次，补上舍。上舍生分三等，上等任官，中等免礼部试，下等免解试。课程分专业课和公共课两类，专业课包括佛道、人物、山水、鸟兽、花竹、屋木六门，公共课则为《说文》《尔雅》《释名》等文化课。

⊙教虫蚁

南宋都城临安盛行豢养宠物和宠物竞斗，时称"教虫蚁"，如驯鸽、擎鹰、架鹞、调鹁鸽、养鹌鹑、斗鸡、鹦鹉念诗等，飞禽走兽，昆虫鳞龟，种类繁多，无所不及。由于市场需求量大，便出现了不少宠物交易市场，以及被称为"五放家"的喂养和教习宠物的专业户，甚至还有编书传艺的，比如斗蟋蟀之风大盛时，痴迷此中的宰相贾似道便编辑了一本名叫《秋虫谱》的专著。

⊙招揽生意

宋时，一些茶坊、酒肆、食店为了招揽生意，往往会在商业行为中增加娱乐形式，以吸引顾客。就连各官营酒库每年开沽呈样，也会雇来社队鼓乐，官私伎女，然后游行前往州府教场一试高低，以此扩大知名度，宣传自己的品牌。此外还有一种"扑卖"的形式，扑卖又称关扑，是通过赌博买卖物品的商业行为，含有浓厚的娱乐游戏色彩。小额的赌博，即有可能赢取丰厚的物品，所以充满着诱惑。扑卖的商品多是供人观赏玩耍或者新奇的物品，名目繁多，且四季花样翻新，日夜不绝。

⊙娱乐化

宋时，一些商业行为通过由俗到雅的加工，逐渐形成一种新的艺术形式，如吟叫、嘌唱、耍令等。吟叫又称叫声，是"以市井诸色歌叫卖物之声"，然后"采合宫调成其词"，后来又发展出嘌唱、耍令等变化形式。一些非商业的行为也出现了娱乐化现象，比如讲经，便由寺院走到市井，进而进入勾栏，在这里，佛经教义不但通俗化，甚至可以庸俗化（说诨经），受到广大民众的追捧。

⊙书会

宋时，说话、戏剧等曲艺的渐趋专业化与规模化，也使脚本的创作人员独立出来，形成专业的组织书会，较著名的有古杭书会、九山书会、武林书会、玉京书会等。

⊙娱乐组织

南宋的民间娱乐组织多称"社"。临安城的"社"名类繁多，著名的有绯绿社（杂剧）、绘革社（影戏）、雄辩社（说话）、清乐社（清乐）、遏云社（唱赚）、同文社（耍词）、律华社（吟叫）、云机社（撮弄）、锦标社（弩）、英略社（使棒）、角社（相扑）、傀儡社（傀儡戏）、圆社（蹴鞠），此外还有香药社、川弩社、同文社、同声社、翠锦社、古童清音社、锦体社、台阁社、穷富赌钱社、打球社、射水弩社等。这些民间文艺社团，有自己的"社条"行规，也有社首、班首等行会头领。

⊙文娱商品

宋朝市场上有许多文娱类商品，名类繁多，且别出心裁，有"行娇惜"

"宜娘子"等仿戏剧人物角色的物件；有"线天戏耍孩儿""影戏线索""傀儡儿"等杂技玩具；有鼓儿、板儿、锣儿、刀儿、枪儿、旗儿、马儿、闹竿儿、花篮、龙船等鼓乐玩具；有秋千稠糖、葫芦、火斋糖果子、吹糖麻婆子孩儿、糕粉孩儿、鸟兽象生、花朵等仿生糖果；当然还有砚子、笔墨、书架、书攀、簿子、连纸等文具物件。

⊙经纪人

王安石变法后，都城东京设置了市易务，召在京的牙人作务中的公务人员。牙人不仅负责务中的商务操作，还负有招引蕃商的义务，开始向职业化经纪人靠拢。

⊙权贵的洗漱

宋朝上层人士的洗漱十分繁琐，有"大洗面""小洗面""大濯足""小濯足""大澡浴""小澡浴"之分。小洗面，就是换一回洗脸水，二人伺候，简单洗脸；大洗面，换三回水，五人伺候，肩膀和脖子都要洗到；小濯足，换两回水，二人伺候，只洗脚；大濯足，换三回水，四人伺候，洗到大腿根；小澡浴六人伺候，大澡浴九人伺候，负责递送口脂、面药、薰炉、妙香等洗澡用品。上层人士一天一般要洗两次脸、两次脚，隔一天洗一回澡。

⊙北方的荔枝

宋代的运输业十分发达，南方的水果可及时运到北方，供上层社会消费。而且南方的水果在北方也有种植，如徽宗在东京所建的"艮岳"宫苑中，夹道便种有八十株荔枝，此外还有一株椰子树，不过这些主要是用来欣赏的。

⊙七盛事

北宋的文官待遇颇丰，翰林学士李昉曾说："昉顷在翰林，前后出处，凡二十有五载。不逢今日之盛事者有七：新学士谢恩日，赐袭衣，金带，宝鞍，名马，一也；十月朔，改赐新样锦袍，二也；特定草麻例物，三也；改赐内库法酒，四也；月俸并给见钱，五也；特给亲事官随从，六也；新学士谢恩后，就院赐宴设，虽为旧事，而无此时供帐之盛，七也。凡此七事，并前例特出异恩，以见圣君待文臣之优厚也。"

⊙实惠的宰相

北宋宰相的工资很高，神宗时期，月俸禄为300千（钱），副相即参知政事也有200千，春冬服各给绫200匹，绢30匹，冬绵100两，此外还有禄粟（每月100石）、随身侍从衣粮（70人的标准）、茶酒厨料（酒每日5升，料6斗）、薪（每月1200束）、炭（十月至来年二月各100秤）、盐（7石）、草料（供马20匹），等等，可谓名目繁多。而每逢皇帝、太后、皇后等人过生日或其他庆典，还有额外恩赐，实在实惠多多。

⊙工资改革

神宗熙宁三年（1070年），宋廷给各级公务人员核定了工资标准，施行高薪养廉。该年京师各部门共支出俸禄3834贯254文，后来工资上浮，到熙宁八年（1075年），这一数字增长至371533贯178文。以后官吏的工资虽也略有浮动，但年支出总额大体控制在这一范围内。

⊙带薪休假

宋朝公务人员的假期非常多，据宋人庞元英在《文昌杂录》中记载，元日、寒食、冬至各放假七天，天庆节、上元节、天圣节、夏至、先天节、中元节、下元节、立春、人日、中和节、清明、上巳、天祺节、立夏、端午、天贶节、初伏、中伏、立秋、七夕、末伏、秋分、授衣、重阳、立冬等也都放假，合计七十四天，再加上三十六天的旬休日，共计一百一十天，此外还有许多"人性化"假期，比如父母住三千里外，每隔三年便有三十天的定省假；在五百里外，则每隔五年有十五天的定省假；儿子行冠礼时有三天假；儿女结婚时有九天假。以上这些全部都是带薪休假。

⊙百姓吃私盐

对于河北地区（黄河以北），赵匡胤曾专门下诏，允许民间贩卖私盐，只收取少量税钱，所以盐价很便宜。仁宗时，有大臣奏请废止此项规定，赵祯手批诏书，说："朕永远不会让河北的百姓吃高价盐！"并把那些建议禁绝私盐的官员罢职外放。河北地区的父老乡亲们听说后，纷纷点火焚香，向着京城的方向顶礼膜拜，高呼万岁。

⊙放赌三日

每年的正月初一，开封府都会放关扑（一种赌博游戏）三日，任由人们赌钱掷物，开心玩耍，官府绝不插手。

⊙舌尖上的宋朝

汴京人以面食为主，肉类和蔬菜为副，宋室南渡后，临安的食店多是旧京市人经营，既有北方特点，又兼顾南方习俗，呈现出南北合流的特色。主食的花样品种很多，除饭食之外，还有面食、馄饨、米面，以及各种饼，各种粥，各种馒头、包子之类。菜肴品种亦是名类繁多，有下饭菜类、羹汤类、粉类、干菜类、凉菜类等。厨师烹饪技艺精湛，光鱼就有三十多种作法，羊也有二十来种作法。肉食除家畜外，尚有各种野味，如獾儿、鹌、鹿、獐、黄羊等，极为丰富。

⊙夜市小吃

汴京的夜市很热闹，各种小吃、从食应有尽有，且价格便宜，像鹅、鸭、鸡、兔、肚、肺、鳝鱼包子、鸡皮、腰、肾、鸡碎等，均不超过十五文钱，另外还有煎羊白肠、鲊脯、抹脏红丝、批切羊头、辣角子、姜辣萝蔔、夏月麻腐鸡皮、麻饮细粉、素签、沙糖冰雪冷元子、水晶角儿、生淹水木瓜、药木瓜、甘草冰雪、冬月盘兔、旋炙猪皮肉、野鸭肉、滴酥水晶、鲙煎角子，猪脏之类，种类丰富，令人馋涎欲滴。烹调方式有余，如余粉、余鲈鱼；炸，如炸鸡、炸腰子；蒸，如蒸羊、酒蒸鸡；爊，如爊小鸡、爊羊头；炒，如炒鳝、炒鱼丝儿；炙，如炙鸡、炙羊；脍，如脍鲈鱼、生脍（羊肉）；腊，如腊肉；焙，焙腰子；煎，如煎肝；鲊，如鲜鹅鲊、大鱼鲊；烧，如酒浇江瑶；糁，如八糁鹅鸭，等等。烹调的佐料也很多，有盐、蜜、酒、醋、糖、奶、芥末、辣椒、花椒、豆豉、酱等。

⊙药物饮食

宋时已有药物饮食，如决明子有清热明目、润肠通便的功效，宋人把它做成菜，如五羹决明、决明四鲜羹等，既可吃，又可保健治病。又如栝楼有润肺祛痰、利气宽胸作用，可做栝楼煎，调以清粥，治疗小儿咳嗽。

⊙早市

宋代不但有夜市，还有早市，汴京或临安的御街铺店一向是"闻钟而起"，大约四更天便开始卖早点，种类有烧饼、蒸饼、糍糕等，一直到早饭前才歇息。

⊙休闲服

宋朝将士常穿紫衫，其式样为圆领、窄袖，前后缺胯（下摆开衩），形制短且窄，便于活动和行走。宋室南渡后，因南方天气炎热，紫衫开始在士大夫中流行起来，成为取代公服、朝服的便装。由于紫衫太过休闲，极不严肃，绍兴二十六年（1156年），高宗诏令禁止文官再穿紫衫，此后士大夫们私下里又开始穿凉衫。凉衫也叫白衫，形制和紫衫类似，只是颜色为白色。凉衫流行后，又有人上奏，说此衫太素，有如孝服，既不美观又影响形象，应该废止。于是高宗又规定：除骑马之外，任何人不准再穿凉衫。

⊙史学家眼里的宋朝

英国史学家汤因比说："如果让我选择，我愿意活在中国的宋朝。"邓广铭教授说："宋代是我国封建社会发展的最高阶段，其物质文明和精神文明所达到的高度，在中国整个封建社会历史时期之内，可以说是空前绝后的。"陈寅恪在谈到宋朝时说："华夏民族之文化，历数千载之演进，而造极于赵宋之世。后渐衰微，终必复振。"

《邵氏闻见录》宋·邵伯温　　　《冷斋夜话》宋·释惠洪

《邵氏闻见后录》宋·邵博　　　《元城语录》宋·马永卿

《渑水燕谈录》宋·王辟之　　　《东皋杂录》宋·孙宗鉴

《西清诗话》宋·蔡绦　　　　　《侯鲭录》宋·赵令畤

《铁围山丛谈》宋·蔡绦　　　　《桯史》宋·岳珂

《夷坚志》宋·洪迈　　　　　　《画继》宋·邓椿

《容斋五笔》宋·洪迈　　　　　《王直方诗话》宋·王直方

《避暑录话》宋·叶梦得　　　　《苕溪渔隐丛话》宋·胡仔

《石林诗话》宋·叶梦得　　　　《默记》宋·王铚

《石林燕语》宋·叶梦得　　　　《三朝北盟会编》宋·徐梦莘

《萍洲可谈》宋·朱彧　　　　　《东京梦华录》宋·孟元老

《东园丛说》宋·李如篪　　　　《西湖老人繁胜录》宋·西湖老人

《独醒杂志》宋·曾敏行　　　　《武林旧事》宋·周密

《清波杂志》宋·周辉　　　　　《齐东野语》宋·周密

《清波别志》宋·周辉　　　　　《癸辛杂识》宋·周密

《梁溪漫志》宋·费衮　　　　　《梦粱录》宋·吴自牧

《诚斋诗话》宋·杨万里　　　　《续资治通鉴长编》宋·李焘

《随手杂录》宋·王巩　　　　　《事实类苑》宋·江少虞

《闻见近录》宋·王巩　　　　　《东塘集》宋·袁说友

《甲申杂记》宋·王巩　　　　　《避暑漫抄》宋·陆游

《扪虱新语》宋·陈善　　　　　《老学庵笔记》宋·陆游

《春渚纪闻》宋·何薳　　　　　《枫窗小牍》宋·袁褧　袁颐

《轩渠录》宋·吕本中　　　　　《朱会要辑稿》清·徐松

《吕氏杂记》宋·吕本中　　　　《类说》宋·曾慥

《二老堂诗话》宋·周必大　　　《高斋漫录》宋·曾慥

《能改斋漫录》宋·吴曾　　　　《师友谈记》宋·李廌

《行营杂录》宋·赵葵　　　　　《可书》宋·张知甫

《梦溪笔谈》 宋·沈括
《补笔谈》 宋·沈括
《泊宅编》 宋·方勺
《归田录》 宋·欧阳修
《六一诗话》 宋·欧阳修
《明道杂志》 宋·张耒
《续明道杂志》 宋·张耒
《玉壶清话》 宋·文莹
《湘山野录》 宋·文莹
《湘山续录》 宋·文莹
《国老谈苑》 宋·王君玉
《中吴纪闻》 宋·龚明之
《玉照新志》 宋·王明清
《蒙斋笔谈》 宋·郑景望
《珍席放谈》 宋·高晦叟
《后山谈丛》 宋·陈师道
《贡父诗话》 宋·刘贡父
《青琐高议》 宋·刘斧
《青琐诗话》 宋·刘斧
《青箱杂记》 宋·吴处厚
《耆旧续闻》 宋·陈鹄
《墨客挥犀》 宋·彭乘
《龙川别志》 宋·苏辙
《陈辅之诗话》 宋·陈辅
《谈渊》 宋·王陶
《碧云騢》 宋·魏泰

《东轩笔录》 宋·魏泰
《孙公谈圃》 宋·孙升
《孔氏谈苑》 宋·孔平仲
《墨庄漫录》 宋·张邦基
《桐阴旧话》 宋·韩元吉
《调谑编》 宋·苏轼
《东坡志林》 宋·苏轼
《与子由书》 宋·苏轼
《东斋记事》 宋·范镇
《宋景文笔记》 宋·宋祁
《江邻几杂志》 宋·江休复
《随隐漫录》 宋·陈世崇
《过庭录》 宋·范公偁
《曲洧旧闻》 宋·朱弁
《风月堂诗话》 宋·朱弁
《蔡宽夫诗话》 宋·蔡启
《清夜录》 宋·俞文豹
《吹剑录》 宋·俞文豹
《吹剑续录》 宋·俞文豹
《却埽编》 宋·徐度
《鸡肋编》 宋·庄绰
《寓简》 宋·沈作喆
《野老记闻》 宋·王楙
《西溪丛语》 宋·姚宽
《鹤林玉露》 宋·罗大经
《幕府燕闲录》 宋·毕仲询

《东都事略》 宋·王称　　　　　　《朝野遗记》 宋·佚名

《冷斋夜话》 宋·惠洪　　　　　　《西溪丛语》 宋·姚宽

《挥麈后录》 宋·王明清　　　　　《碧鸡漫志》 宋·王灼

《玉照新志》 宋·王明清　　　　　《醉翁谈录》 宋·罗烨

《温公诗话》 宋·司马光　　　　　《岭外代答》 宋·周去非

《涑水纪闻》 宋·司马光　　　　　《南宋馆阁录》 宋·陈骙

《庚溪诗话》 宋·陈岩肖　　　　　《作邑自箴》 宋·李元弼

《钱氏私志》 宋·钱世昭　　　　　《名臣言行录》 宋·朱熹　李幼武

《诗话总龟》 宋·阮阅　　　　　　《建炎以来朝野杂记》 宋·李心传

《文昌杂录》 宋·庞元英　　　　　《建炎以来系年要录》 宋·李心传

《儒林公议》 宋·田况　　　　　　《宋史》 元·脱脱等

《娱书堂诗话》 宋·赵与虤　　　　《金史》 元·脱脱等

《倦游杂录》 宋·张师正　　　　　《古杭杂记》 元·李有

《轩渠录》 宋·吕居仁　　　　　　《至正直记》 元·孔齐

《五总志》 宋·吴垌　　　　　　　《庶斋老学丛谈》 元·盛如梓

《画墁录》 宋·张舜民　　　　　　《梅磵诗话》 元·韦居安

《臞轩集》 宋·王迈　　　　　　　《钱唐遗事》 元·刘一清

《扪虱新话》 宋·陈善　　　　　　《拊掌录》 元·宋元怀

《道山清话》 宋·佚名　　　　　　《研北杂志》 元·陆友

《游宦纪闻》 宋·张世南　　　　　《何氏语林》 明·何良俊

《宣和遗事》 宋·佚名　　　　　　《西湖游览志余》 明·田汝成

《燕翼诒谋录》 宋·王栐　　　　　《昨非庵日纂》 明·郑瑄

《许彦周诗话》 宋·许彦周　　　　《厚德录》 明·钟羽正

《贵耳集》 宋·张端义　　　　　　《古今谭概》 明·冯梦龙

《四朝闻见录》 宋·叶绍翁　　　　《苏长公外纪》 明·王世贞

《古今合璧事类备要》 宋·谢维新　《宋史纪事本末》 明·陈邦瞻等

《靳史》明·查应光

《尧山堂外纪》明·蒋一葵

《说郛》明·陶宗仪

《宋稗类钞》清·潘永因

《宋诗纪事》清·厉鹗

《坚瓠集》清·褚人获

《柳亭诗话》清·宋长白

《词苑丛谈》清·徐釚

《东山谈苑》清·余怀

《词林纪事》清·张宗橚

《宋诗钞》清·吴之振等

《宋会要辑稿》清·徐松

《苏东坡传》民国·林语堂

《宋人轶事汇编》民国·丁传靖

《中国经济通史：宋代经济卷》漆侠

《宋代社会结构》王曾瑜

《帝国政界往事》李亚平

《正说宋朝十八帝》游彪

《南宋临安的娱乐市场》龙登高

《论宋代京城的娱乐生活与城市消费》余江宁